EDITORA EDUCACIÓN
EMERGENTE

MW01007683

EDITORA EDUCACIÓN
EMERGENTE

EDITORA EDUCACIÓN
EMERGENTE

EDITORA EDUCACIÓN
EMERGENTE

EDITORA EDUCACIÓN
EMERGENTE

EDITORA EDUCACIÓN
EMERGENTE

EDITORA EDUCACIÓN
EMERGENTE

EDITORA EDUCACIÓN
EMERGENTE

EDITORA EDUCACIÓN
EMERGENTE

EDITORA EDUCACIÓN
EMERGENTE

EDITORA EDUCACIÓN
EMERGENTE

EDITORA EDUCACIÓN
EMERGENTE

EDITORA EDUCACIÓN
EMERGENTE

EDITORA EDUCACIÓN
EMERGENTE

¿QUIÉN LE TEME A LA TEORÍA?:

TEME A LA TEORÍA?:

MANUAL DE INICIACIÓN EN CRÍTICAS LITERARIAS Y CULTURALES

A tod@s l@s que sospechan…

A tod@s l@s que imaginan…

A tod@s l@s que luchan…

Nuestra especial gratitud a Rima Brusi, Carmen Rivera, José Anazagasty y Malena Rodríguez por sus certeras recomendaciones. Nuestro agradecimiento, además, a Nelson Vargas por sus espléndidas figuraciones de este libro. Y a tod@s l@s que confiaron en este experimento, gracias.

2da Edición

Diseño de cubierta y maquetación: Nelson Vargas Vega
Imagen de portada: Andrés Arias
Imágenes del interior: Nelson Vargas Vega
Impresión: Bibliográficas

ISBN- 13: 978-1-4507-2784-6
Editora Educación Emergente
Alturas de Joyuda #6020
C/Stephanie
Cabo Rojo, PR 00623-8907

editora@editoraemergente.com
http://editoraemergente.com/

CONTENIDOS

¿QUIÉN LE TEME A LA TEORÍA Y SUS PORQUÉ?

Lissette Rolón Collazo

> George: Who's afraid of Virginia Woolf?
> Martha: I... am...George... I... am.
> (Edward Albee)[1]

> A good deal of the hostility to theory no doubt comes from the fact that to admit the importance of theory is to make an open-ended commitment, to leave oneself in a position where there are always important things one doesn't know [...] Theory invites, nay, compels people –and this is its oppressiveness, its "scariness" – to look at things differently, to take advantage of the most powerful and innovative thinking and writing available today.
> (Jonathan Culler)[2]

TEORÍA Y SUS PODERES

La **teoría** tiene sus poderes aunque supone grandes retos. Este Manual presenta algunas de sus posibilidades para el análisis cultural y, sobre todo, para interrogar los textos con los que interactúas en la vida cotidiana: desde la conversación en el desayuno hasta tu intervención en el blog que navegaste en la noche hasta conciliar el sueño.

Cualquier persona puede bregar con este Manual, pero el mismo fue pensado para quien desea iniciarse en la teoría no importa la edad o el nivel de estudios que tenga. Puede ser una herramienta para el aprendizaje autodidacta. Sin embargo, fue concebido como libro de texto para clases de español y literatura de escuela superior y primeros años universitarios. En cualquier caso, este Manual es una invitación a estudiar y a usar los poderes que confiere el análisis teórico dentro y fuera de los textos.

---

[1] Traducción: "George: ¿Quién le teme a Virginia Woolf? / Martha: Yo... George... Yo."
[2] Traducción: "Gran parte de la hostilidad hacia la teoría proviene, sin duda, del hecho de que admitir la importancia de la misma es asumir un compromiso abierto, es colocarse en una posición donde habrá siempre cosas importantes que uno no sabe [...] La teoría invita, no, obliga a la gente –y en esto consiste su opresión, su cualidad de "dar miedo"– a mirar las cosas de manera diferente, a aprovechar el pensamiento y la escritura más poderosos e innovadores de hoy."

PRETEXTOS PARA ESA PREGUNTA

Las ideas, las preguntas y los debates que habitan este Manual surgieron en varios escenarios: talleres de capacitación para maestros de español avanzado ofrecidos a través de un programa del *College Board* en Puerto Rico, cursos universitarios de teoría literaria, Literatura Comparada y Estudios Hispánicos que he dictado a lo largo de más de una década y propuestas de cursos nuevos para el Departamento de Educación de Puerto Rico.[3] En cada una de esas oportunidades promocionaba las ventajas de la práctica teórica, pese a que reconocía que no era perfecta como no lo es ninguna aproximación crítica.

La utopía de este Manual es "iniciar" a toda persona interesada o curiosa en las principales teorías culturales del siglo XX; ser solidaria con sus miedos ocultos o confesos; y potenciar el carácter revolucionario (interminable y persistente) de la teoría crítica a través de sus múltiples y variados perfiles. La ilusión de este libro es ser puente o pretexto que facilite accesos al conocimiento justo cuando la escuela y la universidad contemporáneas parecen estar más ocupadas en otros propósitos. La lucha de este libro es, sencillamente, armar a quienes carecen de bibliotecas eruditas, educaciones bilingües y privilegiadas, y caudales de lecturas y prácticas filosóficas, pero sospechan, están insatisfech@s, y quieren hacer algo creativo al respecto. La utopía de este proyecto parece romántica y en desuso. Desde esa aparente caducidad aspira a provocar un ejercicio libre pensador del siglo XXI.

MIEDOS DE UN@S Y DE OTR@S

Sin duda, much@s temen u ocultan la teoría y sus usos para el análisis cultural por motivos muy dispares. Cabe destacar, en principio, que muchos de los temores son justificados y merecen consideración o, sencillamente, reconocimiento. En ciertos casos, los miedos se amparan en concebir la teoría como materia difícil que debe circunscribirse a niveles universitarios superiores reducidos a la exclusividad. En otras ocasiones, por el contrario, la teoría es exaltada como arma letal que agrieta y reta la ascendente moda de lo fácil, de lo "amigable," de lo predigerido; por

---

[3] Utilizaremos "castellano" en algunas ocasiones que nos vayamos a referir a este idioma hablado, entre otros, en España para honrar su diversidad lingüística. Su uso en Puerto Rico no es corriente. El propio concepto de teoría amerita ser estudiado como parte de la fase de exploración al comienzo del uso de este Manual.

ende, es ocultada como una carta bajo la manga que se desvela en el momento oportuno para derrotar al oponente menos versado. A su vez, otr@s, se rebelan contra el dominio de ciertas estrategias de interpretación sobre otras y sugieren anular el ejercicio hermenéutico de plano a causa de su reserva sobre ciertas teorías particulares.

Por otra parte, algun@s le temen porque la desconocen o porque atisban su potencial revolucionario. L@s primer@s la descalifican aprovechando el hermetismo o lo impenetrable de sus discursos, muy justificados en ocasiones. L@s segund@s, más sinuosos, disfrazan su temor con rimbombancias en defensa de la "literatura" y del arte sin más. De paso atacan cualquier esfuerzo crítico-teórico y lo descalifican por politizado e irreverente a una suerte de culto letrado. Más estratégicamente aún, enarbolan los perfiles más reaccionarios que la teoría puede también albergar, o sólo destacan un puñado de tesis y conceptos fuera del contexto que ameritan. La mayoría de las veces, ambos sectores se niegan a sostener un debate honesto y extenso sobre los ejes que han ocupado la teoría durante, por lo menos, la última centuria y las especificidades o precisiones que aporta cada escenario particular en el que se ponen a prueba.

Sin embargo, otr@s le temen porque no han tenido los accesos necesarios a las lecturas, a las bibliotecas o al debate milenario. Tampoco han tenido la educación pensada para los "selectos" en ciertas latitudes. No hay que negar que es idóneo tener una formación filosófica sólida y comprensiva para seguir cabalmente las disputas de fondo de la teoría. No hay que ignorar que aquell@s que han recibido un aprendizaje humanista y sociológico privilegiado pueden seguir mejor el hilo de esos diálogos. No hay que ocultar que hay una reprobable relación entre clase, tiempo y educación que allana el camino para un@s y lo restringe para otr@s.[4] Este Manual ha sido pensado para es@s otr@s.

La práctica crítica que supone la teoría no hace promesas en el vacío ni garantiza dominios absolutos en ninguna materia. Su propia dinámica supone una constante revisión o invalidación del conocimiento estable y establecido. Pero esa inquieta e inquietante cualidad de seguir retando, interrogando y cuestionando lo dado, el sentido común o lo promovido como tal, es una alternativa para las injusticias y los vejámenes

---

[4] También se establecen relaciones homólogas con otras dimensiones de la subjetividad, a saber: género, sexualidad y raza, entre otras.

de la actualidad. Reconozco que esa posibilidad me ha convertido en una simpatizante y defensora de la teoría, aunque no en una "seguidora" ciega, pues estaría traicionando el libre pensamiento que la propia teoría promueve en sus mejores expresiones.

Este Manual aspira a ser una apuesta por la educación autodidacta e informal que combate ciertos miedos y honra a tant@s otr@s que no han sido convocad@s a los debates de estos tiempos. *¿Quién le teme a la teoría?* conspira a favor de los miedos de los otr@s y en contra de l@s un@s que han pretendido fijar el saber de una vez y para siempre a su imagen y semejanza.

OTRA ESCUELA Y OTRA ENSEÑANZA DEL ESPAÑOL EN MENTE

Durante el último lustro, se ha recrudecido en Puerto Rico la alarma sobre los resultados de los estudiantes de escuela superior en las pruebas del *College Board* en el área de español. Algun@s lingüistas, pedagog@s, literat@s y humanistas (entre otr@s) han elevado la voz de alerta, y han ensayado algunas soluciones a tan complejo problema. Tod@s se lamentan por el deterioro de las competencias de l@s puertorriqueñ@s en el idioma materno. Algun@s aprovechan la trillada crisis del vernáculo como trampolín para discusiones políticas fundamentalistas. Otr@s intuyen que la solución debe involucrar diversas estrategias e instancias, pero quedan paralizad@s a la hora de empezar. En definitiva, se cambian los libros de texto con inversiones multimillonarias del Departamento de Educación. Se revisa, sin fin, el currículo del Programa de Español. Se ensayan fórmulas mágicas que dejan el desaliento del fracaso porque, quizá, quienes llevan razón son aquell@s que insisten en un plan integral que atienda las múltiples y diversas facetas del asunto a corto, mediano y largo plazo.

Desde hace más tiempo aún se ha recrudecido el lamento de maestr@s y profesor@s ante la supuesta precariedad progresiva de la capacidad intelectual en la media del estudiantado. A coro se insiste en cuánto ha bajado el nivel de l@s estudiantes, y cómo las clases ya no pueden ser siquiera la sombra de lo que fueron por la imposibilidad de llegar a niveles de abstracción y complejidad con la población estudiantil mayoritaria. Después de, por lo menos, dos décadas de insistencia en el fomento del pensamiento crítico y en la educación integral u holística, como se le ha llamado en los últimos años, ¿cómo se explica esa percepción descrita? ¿A quién conviene que nuestr@s alumn@s no sólo tengan un desempeño precario en español, sino que además no alcancen niveles del pensamiento avanzados para sostener estudios críticos complejos? ¿Qué tipo de sociedad se beneficia con el pensamiento y la comunicación empobrecida de sus ciudadan@s, aunque ya la mayoría vive en zonas urbanizadas, va a la universidad y tiene por lo menos un automóvil y un teléfono celular?

En el contexto de tamaña inquietud, sin ignorarla, sin abordarla frontalmente, la propuesta de este Manual persigue eclipsar, por instantes, el asunto del dominio general del español y del rezago intelectual del estudiantado, para centrarse en cómo un acercamiento cultural crítico (y, por ende, literario) permite desarrollar tanto las competencias de comprensión y de producción de la lengua como las destrezas más complejas del pensamiento (pienso en la taxonomía de Bloom por ser una de las más populares en nuestro sistema educativo público).[5] Dicho de otro modo, el objetivo medular de esta propuesta busca enriquecer el análisis crítico; y, de paso, desarrollar las competencias de lengua tanto en la comprensión como en la producción oral y escrita (ver las secciones de *Ejercicios para Estudiantes*). Al mismo tiempo, este Manual defiende la teoría como herramienta analítica porque la considera un modelo propicio para sistematizar los estudios literarios y, de paso, integrar el uso y análisis de otros discursos para el enriquecimiento de las competencias de lengua. Tal camino sería una alternativa a la pertinaz recurrencia de los vagos "comentarios literarios" y del imperio de la literatura canónica que, muchas veces, dominan las clases de español, mientras se ignoran otras áreas del conocimiento y otros discursos que también permiten enriquecer el idioma, y, en ocasiones, con mayor eficacia y pertinencia para la cotidianidad de nuestr@s estudiantes.

Finalmente, el modelo de estudio teórico que se propone, además de ser una estrategia adecuada para fomentar las competencias de lengua y el pensamiento crítico, se convierte en puente facilitador para el tránsito de los estudiantes a la universidad. Aquell@s que entren en contacto con la teoría crítica desde los grados escolares superiores tendrán un mejor desempeño no sólo en los cursos de español, sino en cualquier materia que implique el razonamiento teórico abstracto, el debate forjador de

---

[5] Para más detalles consultar: http://www.eduteka.org/TaxonomiaBloomCuadro.php3.

conocimientos creativos y sus aplicaciones metodológicas posibles. Cualquiera podría estarse preguntando, ¿por qué si la teoría es un instrumento de tan deseables resultados no ha tenido tanta popularidad en los estudios literarios puertorriqueños en general?; y, particularmente, ¿por qué no se ha introducido antes en el Programa de Español, o de cualquier otra lengua, en nuestro sistema educativo?

Quizá se recuerde vaga o nítidamente que, de hecho, la serie *Pensamiento y Comunicación (Lengua y Literatura)* para los grados del décimo al duodécimo tiene una sección en cada capítulo denominada *Teoría literaria*.[6] Entonces, ¿por qué hablo de la necesidad de incorporar esta herramienta analítica? ¿Será acaso que voy a sumarme a la especie de profesores universitarios que critica la escuela sin haber puesto un pie en sus circunstancias después de su graduación de cuarto año? Veamos por qué.

Dicha *Serie* llama teoría a lo que tradicionalmente se conoce como historia literaria (géneros literarios, movimientos y figuras representativas, entre otros elementos), así como a cuestiones biográficas y contextuales de los títulos bajo análisis. Al mismo tiempo, plantea como elementos teóricos la versificación, el estilo, los temas, los tipos de personajes y las referencias literarias (o influencias) sin darles un contexto más amplio a la procedencia de tales pesquisas o preguntas.

Por su parte, el *Marco Curricular del Programa de Español* o sus homólogos han destacado la importancia de la teoría literaria para la enseñanza de la lengua, pero se limitan a la mención de las propuestas de la Sociología de la Literatura, de la Estética, de la Semiótica y de la Hermenéutica sin entrar en ninguna consideración adicional ni plantear un plan operacional que incluya su desarrollo concreto.[7] Por consiguiente, la teoría según manejada por los casos mencionados es una confusión o una intención que apenas llega a enunciarse.

La escuela y la enseñanza del español que supone este Manual están comprometidas con el desarrollo de las destrezas del pensamiento y de la crítica en toda su amplitud y dimensión. Más allá de linderos presentes o futuros, se promueve la comprensión y la producción de los

---

[6] María Vaquero, José L. Vega y Humberto López Morales. (San Juan: Editorial Plaza Mayor, 2000). La primera edición fue publicada en 1996.
[7] Me refiero específicamente al incluido en el "Proyecto de Renovación Curricular" del Departamento de Educación en octubre de 2003, bajo la coordinación del Instituto Nacional para el Desarrollo Curricular.

textos, el análisis y la intervención en la cotidianidad, el ejercicio de la solidaridad y el cambio social tanto en estudiantes de escuela secundaria como de universidad.

LIMITACIONES SOBRE EL TAPETE

Este libro no se asume como panacea para la solución definitiva de los problemas mencionados ni de los desconocidos. Por ejemplo, soy consciente sólo de algunos de mis prejuicios y aunque trato de ser autocrítica es muy posible que se cuelen por estas páginas. Al mismo tiempo, los criterios que han regido las decisiones difíciles sobre complejidad, simplificación, inclusión o exclusión han intentado ser la mejor comprensión de la materia y la accesibilidad del texto para la mayoría de lector@s posibles.

En cada capítulo ha sido preciso, pese a nuestra voluntad expresa de cierta relación de los desarrollos teóricos, dejar fuera figuras, debates, énfasis y precisiones que dan parte de la complejidad o de las interrelaciones que se fraguan en la transformación de teorías particulares y de la teoría crítica en general. *¿Quién le teme a la teoría?* es necesariamente un punto de partida básico que, en el mejor de los casos, invitará a debatir sobre sus modos de elegir, de excluir y de comprender las materias en cuestión.

Por otra parte, la expectativa explícita de este libro ha sido la iniciación en la materia y que la misma sea el pretexto para seguir indagando, leyendo y cuestionando. No siempre ha sido posible conciliar la accesibilidad del texto con las densidades o las especificidades, desconocidas para much@s, de los asuntos tratados; pero ese ha sido el intento.

También cabe señalar que nos referimos a la teoría casi siempre sin apellidos, pero este Manual contempla en igualdad de condiciones las literarias y las procedentes de otras ramas del conocimiento.[8] Asimismo, se ponen en tertulia cuerpos teóricos que han partido de la filosofía, de la lingüística, de la sicología y de la sociología, entre otros campos del saber, a la par con teorías que nacen de la historia cultural o de la política en contextos eminentemente occidentales.

---

[8] Las teorías incluidas en este libro también son denominadas culturales o críticas de manera indistinta, aunque es preciso indicar que esos apellidos también tienen su historia, sus explicaciones y sus consecuencias.

Este Manual de iniciación teórica es una respuesta provisional y un cúmulo de preguntas que aspiran a generar otras interrogantes y nuevos debates. Espero que sea una provocación para seguir cuestionando lo dado.

¿QUIÉN LE TEME A LA TEORÍA? O ALGUNOS USOS DE ESTE MANUAL

Cada uno de los capítulos de este Manual se compone de diez secciones textuales, si no contamos el título que bien podría ser también materia de estudio. Los epígrafes, los cuadros iniciales *Explora lo que sabes...* y las *Situaciones* son las "puertas" de cada marco teórico y ofrecen, de manera particular, opciones para introducir el análisis de las propuestas en cuestión. Luego las secciones de *Tendencias, Debates, Conceptos y Figuras, Asuntos de interés general* y *¿Qué es literatura según?* constituyen la conceptualización de cada teoría y desarrollan los elementos básicos de la iniciación en la materia.[9]

Por su parte, la sección *Algunas preguntas para hacer a los textos culturales* facilita un inventario o acopio de interrogantes que se desprenden de cada teoría y que bien pueden ser el punto de partida para el análisis de cualquier texto cultural, sin exclusividad de la literatura. Las preguntas enumeradas son sólo una muestra de las opciones posibles y como tal deben ser consideradas. A su vez, la sección "Figuras sobresalientes" tampoco agota los nombres asociados con las teorías estudiadas, pero ciertamente facilita los imprescindibles para iniciar una pesquisa más amplia. De hecho, *¿Quién la teme a la teoría?*, en unas secciones más explícitamente que en otras, supone una alta dosis de estudio independiente y autodidacta. Esa sección de nombres es una cuña propicia.[10] El mismo listado puede ser objeto de cuestionamiento.

---

[9] Sostenemos la pregunta sobre la "naturaleza" de la literatura a través de todos los capítulos para propósitos de coherencia y enfoque en lo que cada cúmulo teórico puede proveer como reflexión sobre una manifestación cultural, pero como se comprobará, ni este Manual ni las teorías que comprende se limitan a la literatura, sino que implican cualquier producto cultural.

[10] Las palabras destacadas en cada capítulo ameritan una búsqueda o investigación, más o menos amplia, que definirá el interés de cada lector@. Mínimamente son una invitación al uso de diccionarios impresos o digitales y al manejo de libros o bases de datos de referencia. Al mismo tiempo, pueden ser el comienzo de la *Fase de conceptualización* y pueden ser trabajadas, en colaboración, entre maestros y estudiantes. Angelo Marchese y Joaquín Forradellas, *Diccionario de retórica, crítica y terminología literaria.* Barcelona: Editorial Ariel, 1991 y J. A. Cuddon, *The Penguin Dictionary of Literary Terms and Literary Theory.* New York: Penguin Books, 1999, entre otros.

El *Borrador de análisis* se propone como un boceto crítico que pone en práctica o articula algunas de las preguntas planteadas previamente. Este ejercicio utiliza como textos primarios algunos títulos canónicos de la educación secundaria en Puerto Rico y también introduce otros menos conocidos incluso en el ámbito universitario. Las selecciones fueron algo aleatorias y otro tanto acomodaticias a los propósitos particulares de cada análisis. Estas secciones son una muestra del tipo de preguntas que se le puede hacer a los textos culturales a partir de las teorías bajo estudio y siempre implicaron la selección de una tendencia de entre las glosadas. Estrictamente hablando, cada usuari@ de este libro puede optar por otros textos primarios, y por cualquiera de las tendencias teóricas y de las preguntas expuestas en los capítulos. Lo importante, en cualquier caso, es reconocer qué pregunta o aproximación es más propicia para el estudio que se persigue, y dar cuenta de esas decisiones al comienzo del ensayo crítico. Vale tener presente que siempre lo elegido y lo ignorado son materia de discusión y de análisis. Hemos designado estas secciones "borradores" porque en ningún sentido persiguen ser análisis especializados acabados. Más bien procuran ser una demostración modesta del potencial analítico que entrañan las preguntas y los debates de cada teoría. El recuadro que le sigue a cada "Borrador" procura condensar y recapitular lo que se logró concretamente con el ejercicio respecto a algunos asuntos discutidos en el capítulo en cuestión.

La última sección, *Ejercicios para estudiantes*, se organiza a partir de la estrategia de planificación pedagógica conocida en mis tiempos de estudiante de Educación Secundaria como E.C.A. (Exploración, Conceptualización y Aplicación). Pese a las nuevas tendencias y a los nombres al uso, E.C.A. me sigue pareciendo propicia para reconocer el conocimiento previo de los estudiantes y desarrollar sobre esa base.[11] Cada sección de ejercicios, por tanto, responde a esas etapas de adquisición y persigue desarrollar destrezas de menor a mayor dificultad. Al mismo tiempo, busca que al final l@s lector@s —tod@s al fin estudiantes de la teoría— hayan cultivado objetivos de diversos niveles del pensamiento (conocimiento, comprensión, aplicación, análisis, síntesis y evaluación según la aludida taxonomía de Bloom)

---

[11] Para otras estrategias y aproximaciones pedagógicas, sugiero como referencia básica el trabajo de Mary A. Gunter et al. *Instruction. A Models Approach.* (Boston: Pearson Education, 2003).

Más importante aún, esa sección fue pensada como la conexión entre la cotidianidad de los lectores de este Manual y las teorías estudiadas. Todas, de una manera o de otra, procuran explicar o debatir más allá de lo que es la literatura o los textos culturales. Todas, en alguna medida, remiten a los seres humanos, a las estructuras sociales y a los medios que empleamos para crearlas y nombrarlas, entre otras operaciones. La sección *Ejercicios para estudiantes* lo pone de manifiesto y bien podría ser el punto de partida para estudiar las teorías de este libro. Esa es sólo una idea para l@s maestr@s y profesor@s que decidan utilizar este texto en sus cursos.

Finalmente, *¿Quién le teme a la teoría?* ofrece una *Bibliografía mínima comentada* y un apéndice (*Consideraciones metodológicas*) dedicados, en especial, a maestr@s de educación secundaria o de los primeros años universitarios. La primera puede dar ideas sobre lecturas complementarias y otros manuales parecidos. La comparación puede ser enriquecedora e iluminar nuevas rutas para el debate y la investigación. A su vez, *Consideraciones metodológicas* ofrece algunas precisiones que, de tomarse en cuenta, pueden reducir el miedo y potenciar el placer por la teoría. Se trata de cuestiones metodológicas en algunos casos y de trucos en otros que pueden ser de alguna utilidad según expuestos o en variaciones. Cada maestr@, mejor conocedor@ de sus circunstancias particulares, debe hacer uso enteramente libre del apéndice. Dicho sea de paso, sus sugerencias son más que bienvenidas para mejorar futuras ediciones de este Manual, que es necesariamente una versión provisional y siempre cambiante.[12]

En definitiva, l@s lector@s de este libro pueden optar por ignorar la organización propuesta y crearse un manual que les sea más pertinente y provocador. Espero que así sea.

---

[12] Para sugerencias escribir a: lissette.rolon@upr.edu. Para actualizaciones y asuntos relacionados puedes visitar: http://blogs.uprm.edu/quienletemealateoria/.

NIVELES DE INTERACCIÓN CON LOS TEXTOS
Y LA HISTORIA DE LA CRÍTICA

Como es bien sabido, la crítica es sólo uno de los niveles de interacción que una persona puede tener con un texto literario o cultural según sea el caso. Ni siquiera se trata de los primeros intercambios que caracterizan nuestra experiencia como lector@s o espectador@s de las expresiones culturales. Antes media el gusto, el aprecio, la descripción y hasta la explicación. El análisis cultural, propiamente dicho, aunque esté presente en cierto sentido en las interacciones mencionadas, se convierte en un ejercicio sistemático bajo condiciones específicas que la propia crítica literaria ha definido desde la Antigüedad hasta el presente.

Desde la suspicacia mostrada por Platón respecto a la literatura –concepto necesariamente aplicado retroactivamente– en *La República* y las nomenclaturas y debates inaugurados por Aristóteles en *La Poética*, la crítica literaria ha experimentado notables transformaciones e importantes continuidades. Las poéticas antiguas que, sobre todo, se plantearon la pregunta sobre la naturaleza de la literatura (¿qué es literatura?), sus efectos sociales y la relación entre forma y contenido han dado pie, a su vez, a la historia literaria posterior y a nuevas tendencias en la misma crítica cultural.

Desde la Edad Media en adelante, a veces de manera más directa que en otras, la crítica literaria ha dialogado con dichos planteamientos clásicos. De ese modo, se han perfilado aproximaciones estéticas, éticas, filosóficas, estilísticas, lingüísticas y contextuales que ponen mayor o menor peso en asuntos relacionados con la forma, el contenido y los efectos de la literatura en su entorno. Por consiguiente, y a diferencia de lo que se piensa a veces, la crítica literaria ha tenido intercambios y deudas con otras áreas del conocimiento y de la cultura en general desde la Antigüedad.

Con la popularidad generalizada de los romanticismos durante el siglo XIX en diversas latitudes (especialmente europeas) se imponen ciertas pesquisas en la crítica literaria: la preeminencia destacada de la figura del autor da pie a la crítica histórico-biográfica y el rol seudo-espiritual que se le confiere a la literatura como resistencia a los males de la industrialización intensifica la crítica moral-filosófica. Por su parte, el potencial revolucionario o cómplice que los primeros marxismos destacaron en la literatura promueve el análisis literario sobre las ideas y renueva el estudio estético y hasta poético desde el prisma del realismo. Al mismo tiempo, por esas fechas se sientan las bases para la crítica estructuralista a partir de las ideas de Saussure sobre el lenguaje y para la crítica sicoanalítica con el desarrollo de los postulados de Freud sobre el inconsciente. La mayoría de los tipos de crítica señalados ponen su énfasis en los contenidos sobre las formas y ello explicará la reacción eventual de los formalistas rusos y de la *Nueva Crítica*, asuntos que se detallan en los capítulos correspondientes.

En cualquier caso, esta apretada y limitada síntesis de las principales tendencias en la crítica literaria ameritaría infinidad de salvedades que trascienden el objetivo de esta introducción.[13] Sin embargo, permite destacar las tradiciones críticas más recurrentes, alineadas en torno a su especial atención a elementos de la forma, del contenido o de las relaciones entre el texto y el contexto.

Durante la segunda mitad del siglo XX, a su vez, la teoría sin apellido despunta sobre las posiciones críticas precedentes. Parte de esa historia es materia de este libro. Otras versiones podrán ser estudiadas a partir de las referencias glosadas en la *Bibliografía mínima comentada*. Por lo pronto, deseo que este libro que proponemos potencie todas las interacciones que preceden la crítica cultural y confirmen el placer de la lectura y del arte de preguntar sin límites. Aspiro a que tantos otr@s puedan iniciarse en estos debates en compañía de este Manual. Cuento con que la pregunta titular no los intimide y, más bien, los anime a convertirla en un arma de resistencia.

---

[13] Recomiendo, en especial, consultar los textos de M.A.R. Habib para una relación más detallada y ponderada de la historia de la crítica literaria y de la teoría. En conjunto, todas las referencias de la "Bibliografía mínima comentada" pueden ser un buen punto de partida para profundizar en estos temas. Valga mencionar brevemente, no obstante, que en lo que respecta a la literatura y a las artes en general, ha habido mucho de "teoría" implicada y contenida en múltiples movimientos artísticos que, aunque mencionamos brevemente en algunos casos, no se exploran a cabalidad en este libro. La formulación inversa también se sostiene: ha habido mucho de "arte" en lo que tradicionalmente consideramos "teoría." Ese sería un ángulo importante para considerar las suposiciones que muchas veces tenemos respecto a las distinciones entre "crítica" y "arte." También es un asunto crucial para retar algunas de nuestras nociones del arte y del pensamiento como antitéticos, así como otras que, en algunos casos, idealizan al "Autor," y, en otros, al "Intérprete" o "Crítico."

EDUCACIÓN POPULAR
Y ¿QUIÉN LE TEME A LA TEORÍA?

Beatriz Llenín Figueroa

Mientras trabajábamos con *¿Quién le teme a la teoría?* me topé con algunos ángulos de las robustas y muy nuestras tradiciones de educación popular en Latinoamérica. El encuentro ocurrió por caminos que parecían distintos, pero que al final han resultado sorprendentemente simétricos a los de este manual. La deuda más evidente que tenemos con la educación popular –nombre en singular que sólo es útil por economía y conveniencia pues aglutina múltiples tradiciones, contextos geopolíticos, figuras y prácticas– es metodológica. *¿Quién le teme a la teoría?* es un libro forjado en gran medida por un método de experiencias autodidactas que persigue, a su vez, impulsar en comunidades puertorriqueñas, entre otras, la práctica del aprendizaje propio y colectivo sin recurrir, necesariamente, a la mediación de institución alguna.

Mas de la educación popular he aprendido otras cosas que valdría la pena poner en conversación con el proceso de constitución de este libro y con las suposiciones que albergamos respecto a su producción y recepción. La educación popular, como *¿Quién le teme a la teoría?*, supone que todas somos estudiantes, siempre. Apuesta por la incesante posibilidad de enamorarse de estudiar, a pesar de las limitaciones económicas y sociales que el modo de producción capitalista impone sobre tant@s. Y, de hecho, postula que una resistencia posible a dichas limitaciones se manifiesta en un empeinado deseo de aprender a pesar de las estructuras que aseguran y reproducen el desconocimiento. La educación popular, como este manual, concibe la educación como una fuerza liberadora de la que absolutamente todas somos portadoras.

Con la educación popular también he aprendido a cuestionar las actitudes o premisas que puedo albergar por virtud de mi acceso a, en Puerto Rico, educación escolar privada con buena parte del presupuesto de mis padres y educación universitaria pública con beca federal, y en Estados Unidos, educación graduada privada con beca federal. Son múltiples las dimensiones que podría considerar como resultado de dicha situación biográfica, pero sólo destaco dos: la primera, lo que revela de nuestra situación política respecto a los Estados Unidos; la segunda, lo que dice en relación con la posibilidad de actuar de manera condescendiente, con superioridad intelectual y moral, con desdén respecto a l@s tant@s que no pueden contar el mismo cuento respecto a su educación. L@s más brillantes intelectuales colonizad@s han sido aquell@s que no han mirado con menosprecio a l@s que están en otros puntos del camino, pero que tampoco han negado sus propios privilegios. Una de las preguntas de la educación popular es, precisamente, ¿qué hago con mis privilegios? Y la respuesta intentará ser siempre redirigida a una comunidad, a una colectividad. Este Manual apuesta, pues, por l@s puertorriqueñ@s (entre otr@s) y por su capacidad de educarse a sí mism@s, de no depender absolutamente de las instituciones educativas establecidas (tan proclives a operar sólo en nombre de su supervivencia económica y politiquera), de crear con lo que haya a la mano, de bregar...

Por ello la dificultad que, sin duda, implican muchos aspectos de las materias presentadas a continuación y de la filosofía y la "teoría" en general debió ser, en muchos casos, defendida. No porque seamos esnobs, sino por todo lo contrario: porque pretendemos no serlo. He sido estudiante en alguna institución por el grueso de mi corta vida, y nunca nada me enojó más que la suposición *a priori* de nuestra incapacidad para entender algo. Este libro confía en l@s estudiantes (que es lo mismo que decir que confía en tod@s); en su deseo ineludible por aprender y por preguntar; en su capacidad para estudiar y para entender.

Asimismo, y también con la educación popular, aventuramos una reconsideración de la actitud que usualmente asumimos ante el desconocimiento. Ojalá este manual ayude a combatir el desaliento y la desidia ante el no saber y provoque, en sustitución, alegría, impulso, emoción, deseo. Pero, ojalá que desmantele también, y simultáneamente, la falacia del conocimiento absoluto. Nadie lo tiene totalmente en sus manos y, creyendo lo contrario, le hacemos un favor a las instancias de poder que se apuntalan más cómodamente sobre el mito de su sabiduría contra nuestra ignorancia. Creernos incapaces nos impulsa a proyectar la responsabilidad del conocimiento en otras direcciones: "Yo no sé nada de eso. Que hablen ellos, los 'expertos,' que son los que saben." Nos condena al silencio. *¿Quién le teme a la teoría?* desea retar, pues, la doble falacia, por una parte, de nuestro total desconocimiento por virtud de nuestra supuesta incapacidad para entender y para aprender, y, por otra, de que el conocimiento absoluto es posible y está contenido en los cuerpos de sólo unos pocos.

Nosotras también desconocemos la "teoría." No hay nadie que la conozca a plenitud. Lo importante es estar, sin cesar, en camino; siempre "haciéndonos;" siempre entre tod@s, junt@s. Y esa voluntad de movimiento constante implica, a la vez, que nos "deshagamos," que "desaprendamos" muchas de las cosas que cargamos de nuestros procesos de socialización, de nuestro inicial aprendizaje del lenguaje, de nuestro contexto inmediato. Todo ello también lo aprendí de la educación popular.

Sin embargo, a la educación popular no se le llama "teoría" en muchas universidades actuales. Y quizá te estés preguntando por qué, si guarda tanta relación con el diseño y con el sueño de este libro, no se le dedica al menos un capítulo. Imagino que hay múltiples respuestas para abordar semejante disparidad. Aquí abordaré sólo un par. En primer lugar, ningún nombre es inocente, ni siquiera los que escogemos nosotr@s mism@s. La "culpa" comienza por las suposiciones del propio título de este manual... Pero, en segundo y quizá más importante lugar, sospecho que no se le llama "teoría" porque viene de l@s que una abrumadora historia de colonialismos que pervive hasta hoy ha exterminado, desplazado, silenciado. Viene de l@s de abajo, de l@s condenad@s de la tierra de Fanon. Verás que en sólo selectas ocasiones este manual se sale de un paradigma "occidentalista" (aunque, valga decir, hemos hecho un gran esfuerzo de inclusión para que así no sea). Sin embargo, creo que lo más importante que he aprendido de la educación popular es precisamente su resistencia a crear antagonismos en donde pueden existir alianzas. Eso ha hecho con algunas prácticas pedagógicas asociadas con la Ilustración europea, y también con algunas tradiciones filosóficas y políticas que le han ayudado a seguir *contra-pensando*. Después de todo, l@s que piensan, l@s que preguntan, l@s que resisten, l@s que crean, están en todas partes.

Esa es la maravilla y el milagro del arte, del pensamiento, de la educación: que no conocen de aduanas ni de fronteras; que no conocen de parálisis por virtud de las barbaries de la historia. Es lo que, en otro registro, alguna vez dijo el isleño Derek Walcott: "[...] because the fate of poetry is to fall in love with the world, *in spite of History*."[14]

---

[14] Walcott, Derek. "The Antilles: Fragments of Epic Memory," en *What the Twilight Says: Essays* (New York: Farrar, Straus and Giroux, 1998): 79. Traducción: "[...] porque el destino de la poesía es enamorarse del mundo, a pesar de la Historia" (énfasis añadido).

TEORÍAS MATERIALISTAS (MARXISTAS)

Art is always and everywhere the secret confession, and at the same time the immortal movement of its time.
(Karl Marx)[15]

By bourgeoisie is meant the class of modern capitalists, owners of the means of social production and employers of wage labor. By proletariat, the class of modern wage laborers who, having no means of production of their own, are reduced to selling their labor power in order to live. (Friedrich Engels)[16]

EXPLORA LO QUE SABES...

Se acerca el fin del año académico y tus compañer@s y tú van a hacer una fiesta para celebrarlo. Deciden ir al mall en corillo con el propósito de comprar ropa para la fiesta. ¿A qué tiendas va cada persona? ¿Cuáles son sus razones? ¿Podrían todos comprar en la misma tienda? Sí o no y por qué. Especula el porqué hay tantas tiendas diferentes en el *mall.*

---

[15] Traducción: "El arte es siempre y en todas partes la confesión secreta, y a la vez el movimiento inmortal de su tiempo."
[16] Traducción: "Burguesía quiere decir la clase de capitalistas modernos, dueños de los medios de producción social y empleadores del trabajo asalariado. Proletariado quiere decir la clase moderna de trabajadores asalariados quienes, no teniendo medios de producción propios, son reducidos a vender su capacidad de trabajo para poder vivir."

SITUACIONES

Hasta el grado once, no habías pensado demasiado que un día tendrías que decidir tanto qué estudiar como dónde hacerlo. Tus años en escuela elemental y secundaria habían sido un asunto dado por la decisión de otr@s. Ahora que te tocaba a ti tomar parte en el asunto, decidiste prepararte del mejor modo para el *College Board*. Te han contado que hay unos cursos "libres" que pueden ayudarte a salir mejor en el examen, lo cual a fin de cuentas te dará más opciones. Enseguida te pusiste a averiguar cómo tomarlos.

Pronto te enteraste que el curso más barato costaba cien dólares y a tu madre no le sobra para eso. Decidiste ponerte a trabajar un *part-time* para obtener el dinero necesario e incluso tener para almuerzos y transportación al sitio en que se ofrece el curso. Después de varias semanas de trabajo, lograste pagar el curso y fuiste a la primera sesión.

De inmediato, te percataste que había muchach@s de todas las escuelas imaginables, en especial de escuelas privadas en la zona. Es@s eran l@s que más sabían de todo. Habían tenido una educación bilingüe desde escuela elemental, repasos de matemáticas por las tardes, asignaciones supervisadas y todo lo necesario para salir bien en sus clases. Tú ni siquiera pudiste entrar a los cursos avanzados porque no tenías las notas para ello y en tu escuela sólo un grupo selecto tenía acceso a ese tipo de clase. ¿Por qué la educación —sobre todo la mejor— pasaba también por los chavos que un@ tiene o no tiene o por el tipo de preparación al que un@ tiene acceso?, te preguntaste. Hacerte esa pregunta, fue la primera lección inesperada de este proceso. Pero habría otras. Al poco tiempo sabrías que obtendrías menos puntuación que algun@s de tus compañer@s del curso preparatorio para el *College Board* y que tus alternativas para programas académicos y universidades se verían seriamente limitadas.

Las condiciones materiales que influyen la situación descrita constituyen uno de los elementos centrales de las teorías materialistas, generalmente denominadas marxistas. Explorar cómo la clase de una persona l@ limita o le da acceso a ciertos valores, bienes o circunstancias es parte de lo que ocupa a l@s teóricos materialistas que estudiamos en este capítulo.

TENDENCIAS, DEBATES, CONCEPTOS Y FIGURAS

La figura obligada para comenzar el análisis de las teorías materialistas es el economista alemán KARL MARX (1818 – 1883). Si bien Marx no publicó ningún libro que llevara por título "teorías marxistas" –de hecho, confrontado con algunos argumentos que se denominaban "marxistas" declaró que él no lo era–, fue uno de los pensadores fundacionales de esta aproximación. En colaboración con FRIEDRICH ENGELS (1820 – 1895) sentó las bases para la discusión de la literatura y de los productos culturales en general desde una perspectiva materialista.

Su contribución es amplia y, desde luego, trasciende por mucho las consideraciones culturales por lo que nos centraremos en algunos de los asuntos que cobran mayor relevancia para el desarrollo posterior de las teorías materialistas. En primer lugar, Marx propuso una interpretación de la historia como una progresión desde el **feudalismo** hasta el **comunismo**, pasando previamente por el **capitalismo** y el **socialismo**.[17] Esta visión no sólo partía de una idea de **progreso lineal** y **evolutivo** de la historia, muy de moda en el pensamiento occidental a partir de la **Ilustración** e incluso hasta nuestros días, sino que se desprendía de un análisis sobre las condiciones materiales en cada uno de esos periodos y sobre cómo las fuerzas económicas se irían transformando para dar pie a cada una de las fases señaladas. Al final, según su propuesta, las sociedades desembocarían en el comunismo, que para Marx constituiría el momento culminante y más justo en la distribución de las riquezas.

---

[17] Es preciso destacar, sobre todo para propósitos de capítulos posteriores, que Marx concibe los imperialismos europeos occidentales como las manifestaciones originarias del capitalismo en cuanto generaron lo que llamó la **acumulación primitiva** que permitió el avance y la expansión territorial y comercial del sistema capitalista.

La interpretación de Marx sobre la historia occidental debía su lógica y su método a la propuesta **dialéctica** del filósofo alemán G.W.F. HEGEL (1770 – 1831). En términos generales, la dialéctica percibe el mundo y la historia como determinados y guiados primordialmente por la **contradicción**. Todo progreso o cambio se considera producto de un conflicto entre dos cosas (las llamadas **tesis** y **antítesis**) que se trasciende en la llamada **síntesis**. Ello implica un movimiento lineal (como el de una flecha) en el cual una fase supera a la anterior y, por lo tanto, existe en un plano superior con respecto a la fase anterior. Pero, Hegel argumenta, los contenidos de la fase previa no desaparecen de manera absoluta, sino que algunos son preservados en la fase posterior a medida que van siendo superados. Ello implica que todo momento histórico contiene una especie de dinamismo interior –constantes contradicciones– que lo propulsa a trascenderse a sí mismo. Es en ese sentido que Marx y Engels pueden afirmar que el capitalismo contiene dentro de sí las semillas de su propia destrucción.

En segundo lugar, Marx propone una interpretación de la sociedad como dividida en clases. Según su análisis, en la etapa capitalista se pueden rastrear tres clases, a saber: la **aristocracia**, la **burguesía** y el **proletariado**. Es importante destacar que la clase aristocrática permanece como una especie de remanente del modo de producción anterior al capitalismo, pues la aparición de este puede identificarse, entre otras cosas, por la emergencia y consolidación de la burguesía como la clase que desplaza a la aristocracia. Asimismo, dentro de la burguesía se encuentra la **pequeña-burguesía** (comerciantes y dueños de negocios pequeños y profesionales). Finalmente, existe el llamado **lumpen-proletariado**, que se refiere a la clase de destituidos y desempleados.

La relación entre dichas clases es conflictiva, pues en este orden de cosas, una minoría (la burguesía y, en menor grado, la aristocracia) controlan todos los medios de producción y las riquezas y pueden producir **plusvalía** (el dinero [capital] que les sobra y que invierten una y otra vez para así generar más y más dinero), mientras que una mayoría (el proletariado) sólo posee su **capacidad de trabajo**, la cual vende a las clases capitalistas por un salario que apenas le alcanza para subsistir. Este esquema de desigualdad provoca lo que se denomina la **lucha de clases**. Sólo bajo el comunismo, argumenta el economista alemán, ese choque entre las clases será resuelto por medio de la abolición de la propiedad privada y gracias a la distribución equitativa de los bienes materiales. Bajo ese sistema, no habría diferencias de clases que se traduzcan en disparidades de acceso a todo tipo de bienes.

Finalmente, y tomando como punto de partida esas dos interpretaciones de la historia y de la sociedad, Marx y Engels elaboran una interpretación de la realidad basada en una metáfora arquitectónica. Aquella está constituida por la infraestructura o base (condiciones materiales o económicas) y por la superestructura (productos culturales tales como las leyes, la religión y la literatura, entre otros discursos). Esta visión de la realidad supone que la superestructura se desprende o es determinada por la base y que son las circunstancias materiales las que generan cierto tipo de productos culturales. Esta última interpretación ha inspirado un amplio debate entre seguidores y detractores del marxismo por ser considerada determinista o simplista. Sin embargo, y en lo que concierne a la visión del arte (y, por ende, de la literatura) Marx y Engels fueron explícitos al reconocerle una dimensión autónoma respecto a las condiciones materiales. En otras palabras, para ambos una época de la historia "inmadura" en sus relaciones materiales podría generar productos literarios muy desarrollados (el ejemplo clásico es la antigüedad griega y su drama). Igualmente, un escritor o escritora perteneciente o simpatizante de la aristocracia o de la burguesía podría, aun a su pesar, escribir textos profundamente empáticos con el proletariado (el caso paradigmático es Honoré de Balzac).[18] En cualquier caso, y a diferencia de lo que se piensa comúnmente, los fundadores del pensamiento marxista y engelsiano no propusieron una visión determinista de la literatura o lo que se ha denominado la **propuesta del reflejo**, que se discutirá enseguida como una de las tendencias centrales de los debates materialistas de la cultura. Antes bien, concibieron el arte y la literatura como propuestas estéticas porosas que podrían, sin dejar de ser arte, contribuir al cambio social para beneficio de la mayoría proletaria:

> Well, Balzac was politically a Legitimist; his great work is a constant elegy on the inevitable decay of good society, his sympathies are all with the class doomed to extinction. But for all that his satire is never keener, his irony never bitterer, than when he sets in motion the very men and women with whom he sympathizes

---

[18] Balzac es el autor de *Papá Goriot*, novela francesa que es considerada un ejemplo cumbre de la narrativa realista. Fue publicada en 1835.

most deeply –the nobles. And the only men of whom he always speaks with undisguised admiration, are his bitterest political antagonists, the republican heroes of the Cloître Saint-Méry, the men, who at that time (1830-6) were indeed the representatives of the popular masses. That Balzac thus was compelled to go against his own class sympathies and political prejudices, that he saw the necessity of the downfall of his favorite nobles, and described them as people deserving no better fate; and that he saw the real men of the future where, for the time being, they alone were to be found –that I consider one of the greatest triumphs of Realism, and one of the grandest features in old Balzac. (Engels, "Carta a Margaret Harkness")[19]

El realismo fue considerado por Marx como la poética predilecta de una literatura comprometida con el cambio social porque suponía una reproducción de las circunstancias socio-económicas y, por ende, se convertiría en un registro de la inevitable progresión de la historia.

Sin embargo, en este punto también habrá, por lo menos, dos posiciones diferenciadas. La otra postura es articulada por Engels y, particularmente, por LEON TROTSKY (1879 – 1940), quien plantea que no sólo el realismo puede articular exitosamente la revolución, sino las mismas **vanguardias**. Desde su punto de vista, las vanguardias artísticas expondrían su dimensión revolucionaria precisamente en su empeño transformador de las convenciones estéticas. Esta tradición será eventualmente desarrollada por la **Escuela de Frankfurt**, con la que se asocian especialmente los nombres de THEODOR W. ADORNO (1903–1969) y MAX HORKHEIMER (1895–1973), por WALTER BENJAMIN (1892 –1940) , y, en especial, por BERTOLT BRECHT (1898 – 1956).

---

[19] Traducción: "Pues, políticamente Balzac era un Legitimista; su gran obra es una constante elegía ante la inevitable degradación de la buena sociedad, sus simpatías están todas con la clase destinada a la extinción. Pero aun así, su sátira nunca es más aguda, su ironía nunca más amarga, que cuando pone en movimiento a los propios hombres y mujeres con quienes simpatiza más profundamente –la nobleza. Y los únicos hombres sobre los que siempre habla con abierta admiración son sus más amargos antagonistas políticos, los héroes republicanos del Cloître Saint-Méry, los hombres que, en ese momento (1830-6), eran de hecho los representantes de las clases populares. El hecho que Balzac se sintiera compelido a ir contra sus propias simpatías de clase y prejuicios políticos, el hecho que percibiera como necesaria la caída de sus nobles favoritos, y que los describiera como gente que no merecía otro destino; y el hecho que viera los verdaderos hombres del futuro donde sólo podía encontrárseles –eso lo considero como uno de los grandes triunfos del Realismo, y como una de las mejores características en el viejo Balzac."

Por otra parte, en oposición a la idea o propuesta del reflejo que le otorga a la literatura una función estrictamente **representacional** o **mimética**, la tradición iniciada por Marx y Engels concibe el arte (y, por ende, la literatura) con dimensiones autónomas que también le permiten ser forjador o constructor de realidades y no sólo ser un reflejo de la sociedad. En pocas palabras, esa es la posición ampliamente defendida por LOUIS ALTHUSSER (1918 – 1990) quien es considerado el promotor de la **propuesta productora** con respecto a la literatura (asociada comúnmente con la superestructura).

Althusser se plantea la pregunta de si hay opresión y lucha de clases, ¿por qué no se rebelan los oprimidos? Para este pensador algeriano, las personas (en especial, proletarias) no se enfrentan al sistema capitalista que les es desventajoso porque existe un aparato ideológico poderoso que se asegura de producir las condiciones (ideas y concepciones, entre otras) para que no haya cambio social. La **ideología**, concepto fundamental en diferentes tradiciones marxistas, es a tal punto "internalizada" que los propios ciudadanos se vigilan a sí mismos para desinflar cualquier esfuerzo de resistencia y, así, asegurar la perpetuación del sistema capitalista.

Sin embargo, es preciso indicar que no existe consenso entre las propuestas marxistas sobre una definición única de ideología, aunque, en términos generales, puede decirse que se entiende por ella una multiplicidad de prácticas y creencias que **naturalizan** (hacen parecer "inevitables") las condiciones materiales y la división por clases existentes. La contribución de Althusser a este concepto es su identificación de una red de instituciones (particularmente la educación, la familia y las estructuras religiosas) que, en conexión con el Estado, garantizan la perpetuidad del sistema, naturalizan las circunstancias de opresión y reducen al mínimo el impacto de las resistencias. Althusser llamó **aparatos estatales ideológicos** a dichas instituciones y argumentó que, en momentos en que los aparatos ideológicos con sus mecanismos disuasivos en vez de físicamente violentos, no son suficientes para controlar las sociedades, se activan aparatos de represión física tales como las fuerzas policíacas y militares. A las últimas las llamó **aparatos estatales represivos**.

Althusser también elaboró el término **interpelación** para referirse a la "creación" de los sujetos a partir de estructuras ideológicas preconcebidas. Otros teóricos marxistas que han participado y hecho contribuciones a estos asuntos son: ANTONIO GRAMSCI (1891 – 1937), especialmente con la elaboración del concepto **hegemonía** y RAYMOND WILLIAMS (1921 – 1988) con su trilogía (**dominante**, **emergente** y **residual**) para explicar los elementos culturales que coexisten en una sociedad-cultura en un espacio-tiempo dado.

En definitiva, para Althusser la literatura, así como las instituciones que la crean y la enseñan, forma parte de los aparatos ideológicos estatales. Lo mismo ocurre con otros elementos clásicamente identificados con la superestructura. Por consiguiente, la misma no sólo se limita a reflejar las condiciones materiales de la base, sino que muchas veces las crea para la perpetuación de las situaciones dadas.

Por su lado, cabe destacar que la "propuesta del reflejo" tiene sus principales representantes en la figura de VLADIMIR LENIN (1870–1924), en menor medida de GYÖRGY LUKÁCS (1885 – 1971) y, sobre todo de JOSEPH STALIN (1879 – 1953). Para este último –cuya versión terminó siendo una distorsión de la idea del arte como reflejo de la base– el arte y, por ende, la literatura deben estar absolutamente al servicio y subordinados a lo que él consideraba "la revolución." Por tanto, se exigió al arte una adhesión literal en sus contenidos a los programas políticos estalinistas y se condenó toda desviación de esa concepción. Ello implicó un rechazo absoluto a cualquier forma de experimentación en el arte en el contenido o en la forma. Por su parte, Lenin y Lukács promovieron el **realismo social**, tanto en los textos individuales como en los géneros literarios y los movimientos estéticos, como la mejor expresión y el mejor servicio que la literatura puede prestar a la revolución.

Esta última postura es una de las más popularizadas sobre las teorías marxistas (por ello algunos la han llamado despectivamente "marxismo vulgar"); sin embargo, como se ha señalado previamente, dista significativamente de la visión de los propios Marx y Engels sobre el arte y la literatura. No obstante, la llamada propuesta del reflejo puede reconocerse como la primera expresión –desde comienzos del siglo XX– de las teorías materialistas aplicadas al arte y a la literatura. La misma dará lugar a uno de los primeros debates teóricos contemporáneos cuyos principales contendientes fueron los formalistas rusos (ver capítulo Formalismos). Una figura atractiva para estudiar dicho debate y sus secuelas en el contexto posterior a la Revolución Rusa es MIJAÍL BAJTÍN (1895 – 1975), quien se distancia de ambas posturas y se convierte, de algún modo, en uno de los precursores de la llamada **socio-crítica**.

Finalmente, las teorías marxistas no se han limitado a las posturas y debates expuestos. Figuras como FREDRIC JAMESON (1934), PIERRE MACHEREY (1938), TERRY EAGLETON (1943) y CATHERINE BELSEY[20] continúan desarrollando tendencias que trascienden las propuestas del reflejo y de la producción o las complementan. Los mencionados destacan por su promoción de contrapuntos entre los marxismos y otros paradigmas teóricos y lógicos, a saber: el sicoanálisis, el posestructuralismo y la posmodernidad, entre los más sobresalientes.

Durante la primera década del siglo XXI, las teorías marxistas han sido revisitadas y, en algunos casos, recicladas a tenor con los debates relacionados con nuevas formas de colonialidad, las estrategias económicas dominantes de la globalización y el desarrollo de nuevas subjetividades subalternas por sólo mencionar algunos elementos. A su vez, la intensificación de la crisis económica global ha vuelto a poner de relieve el debate sobre los desarrollos del capitalismo y su impacto en las relaciones del trabajo, del medio ambiente y de la sociedad en general. Estas condiciones globales han estimulado combinaciones teóricas para el desarrollo de los estudios culturales a partir de nuevas formulaciones que integran a lo material otras consideraciones que se discuten en los próximos capítulos de este Manual.

ASUNTOS DE INTERÉS GENERAL

Las teorías críticas marxistas parten, en primer lugar, de una voluntad expresa, desde Marx hasta esta parte, por el cambio social y por la abolición de las clases sociales. Esta meta, supuesta con la consolidación del comunismo, garantizará la equidad entre todos los sectores sociales y erradicará la lucha de clases. En consecuencia, las teorías que constituyen esta aproximación a la literatura (y al arte) suponen el importante rol que pueden desempeñar los productos culturales en el desarrollo de una conciencia comprometida y en la consecuente elaboración de ιulus para la transformación de la sociedad.

---

[20] Al momento no contamos con sus datos biográficos. Lo mismo ocurre con otras figuras en el Manual. Tan pronto sea identificada la información, se actualizará en el blog del Manual.

Por lo tanto, el análisis de los textos será siempre en relación con el contexto social e histórico en el que se producen y divulgan. Al mismo tiempo, la propia crítica literaria y cultural será considerada como una práctica que puede contribuir al cambio social.

Las teorías marxistas, a su vez, se interesan por los procesos históricos y por las estructuras institucionales en las que se inserta o de las que se desprende la literatura. Por consiguiente, habrá siempre un interés por la exploración y el análisis de las condiciones materiales **intra-textuales** y **extra-textuales**. El propio texto literario o cultural será objeto de análisis como un producto que se **cosifica** y se convierte en un bien de consumo a través de estrategias de publicidad para ser comprado y vendido como una cosa más. Dicho de otro modo, las teorías marxistas se interesan por todas las condiciones materiales internas y externas al texto, así como al contexto social contemporáneo del mismo. En definitiva, se dedican al análisis de la literatura (y los productos culturales en general) en relación con su entorno estético, social, económico e histórico.

¿QUÉ ES LA "LITERATURA" SEGÚN LAS TEORÍAS MATERIALISTAS?

Las dos tendencias dominantes de las teorías marxistas parten de dos conceptos de "literatura" fundamentales, al igual que ocurre con otras teorías que se estudian más adelante. Por una parte, la "literatura" es un reflejo o productor de las luchas de clases en la cultura en que se inscribe el texto, por tanto, un discurso aliado de las instituciones dominantes y promotor de ideologías a su conveniencia. Mientras que, por otra parte, puede ser también un discurso emergente, resistente a dichas instituciones y, por ende, un vehículo de cambio social.

A su vez, la "literatura" también puede considerarse un lugar de encuentros y desencuentros de las opciones anteriores, así como un producto cultural que debe estudiarse en sintonía con otros. En cualquier caso, la "literatura," y cualquier discurso de la cultura, se concibe como un espacio de promoción o de resistencia de las convenciones sociales relacionadas con las clases sociales y con las condiciones materiales existentes en un contexto histórico-social en particular. Todo ello puede analizarse tanto a propósito de los contenidos como de las formas de cualquier texto literario. El análisis de la literatura puede perseguir, entre otras cosas, distinguir su efecto en cuanto representación o creación de ideologías, o en cuanto vehículo de diseminación de posturas revolucionarias o resistentes a las ideologías del aparato estatal y de los sectores dominantes de la sociedad.

PREGUNTAS PARA HACER A LOS TEXTOS CULTURALES

- ¿Qué clases sociales son representadas en el texto? ¿Cómo? ¿Cuándo aparecen en el texto y con qué propósito, si alguno? ¿Se reivindican o se implica complicidad con el sistema de clases capitalista? ¿Se condenan o se apoyan visiones alternas a la diferenciación y a la subordinación social por concepto de clase social?

- ¿Cómo se nos muestran los personajes proletari@s y todas las subjetividades subalternas? ¿Hablan por sí mism@s o son narrad@s? ¿De qué modos y con cuáles supuestos avanza la narración?

- Las representaciones de las clases, ¿son convencionales, resistentes o una mezcla diversa? ¿Resisten o se adaptan? ¿Cómo, por qué y con qué implicaciones o consecuencias?

- ¿Cómo responden las clases sociales representadas a prácticas opresivas o a prácticas reivindicativas? ¿Y l@s aristócratas y burgueses? ¿L@s jefes y l@s emplead@s?

- ¿Hay diferencia entre el empleo del lenguaje por parte de los personajes subalternos y de los de las clases dominantes? O, más aún, ¿parecen existir estructuras de lenguaje distintas según la clase social? Se puede asociar alguna figura retórica a las clases sociales?

- ¿Cómo son descritos los personajes en función de su clase? ¿Qué objetos se relacionan con ellos? ¿Cuáles son sus roles sociales y laborales? ¿Qué relaciones establecen con las otras clases sociales? ¿Cuál es su situación al final del texto? ¿Cambia? ¿Cómo?

- ¿Qué relación tienen los contenidos y las formas del texto con el contexto socio-histórico y económico?

- ¿Cuáles son las condiciones materiales en las que se produce el texto? ¿Qué estatus tiene en el canon literario? ¿Quién lo edita y distribuye?

FIGURAS SOBRESALIENTES

- THEODOR W. ADORNO
- LOUIS ALTHUSSER
- MIJAÍL BAJTÍN
- CATHERINE BELSEY
- WALTER BENJAMIN
- BERTOLT BRECHT
- CHRISTOPHER CAUDWELL
- TERRY EAGLETON
- FRIEDRICH ENGELS
- MICHEL FOUCAULT
- ANTONIO GRAMSCI
- DAVID HARVEY
- MAX HORKHEIMER

- C.L.R. JAMES
- FREDRIC JAMESON
- VLADIMIR LENIN
- YURY LOTMAN
- GYÖRGY LUKÁCS
- PIERRE MACHEREY
- HERBERT MARCUSE
- JOSÉ CARLOS MARIÁTEGUI
- KARL MARX
- LEON TROTSKY
- IAN WATT
- RAYMOND WILLIAMS

BORRADOR DE ANÁLISIS

Texto: cuento "Aquí pasan cosas raras" de Luisa Valenzuela[21]

Analizaremos el cuento "Aquí pasan cosas raras" (originalmente publicado en la colección con título homónimo en 1976) tomando en consideración varias preguntas de análisis mencionadas previamente: ¿cómo son representadas las clases sociales?; ¿qué objetos y formas del lenguaje se asocian con los proletarios?; y, ¿qué contexto social se desprende de la narración?

En primer lugar, cabe señalar que en este cuento los personajes principales (Mario y Pedro) son proletarios desempleados (lumpenproletarios) en una situación cotidiana de miseria. Su acción inicial consiste en comprar un café cortado y tomarlo con mucha azúcar porque es "gratis y alimenta." Este primer elemento narrativo da parte de la situación de precariedad (pobreza) y hambre que viven los personajes. En contraste, Mario y Pedro reconocen la presencia de los "chochamus" (expresión lunfarda que quiere decir muchacho u hombre joven) que tienen la posibilidad de comprar un batido con todos los ingredientes que deseen y tomarlo con el desenfado de quien lo tiene todo. El uso de la expresión **lunfarda** para referirse a los jóvenes que pueden comprar lo que deseen denota la extracción social humilde de los protagonistas.

A la par que el cuento establece el contraste entre los comensales del café, se desarrolla la aparición de tres objetos (el portafolio, la chaqueta y un paquetito). Los primeros dos objetos son identificados por Mario y Pedro, quienes de inmediato buscan el modo de hacerse con ellos. La esperanza de que contengan algún valor, los motiva a llevárselos. Por su parte, el paquetito es lanzado por un estudiante al momento de ser arrestado por la policía en presencia de los protagonistas. La aparición de estas tres "posesiones" y la incertidumbre de su contenido es el hilo narrativo del cuento. Al final, los dos hombres los abandonan en un boliche (especie de cafetería) luego de haber podido pagar un almuerzo con chorizos y vino para ellos y otro de los personajes del cuento que resulta ser otro proletario desempleado.

---

[21] Valenzuela, Luisa. *Cuentos completos y uno más.* (México: Alfaguara, 1998). "Aquí pasan cosas raras" y más referencias se encuentran en: http://www.luisavalenzuela.com/cuentos_varios.htm.

La aparición de este tercer desempleado resulta más dramática que la presentación de Mario y Pedro. Este hombre desconocido se encuentra llorando desesperadamente en la calle y, finalmente, se tranquiliza tras recibir una colecta iniciada por unas mujeres comerciantes de electrodomésticos. Al comienzo de esta situación, ni los personajes en el cuento ni los lectores sabemos el porqué del llanto desmesurado del hombre. Finalmente, se revelan sus razones:

> Cuando sacude el diario y grita no puedo más, algunos creen que ha leído las noticias y el peso del mundo le resulta excesivo. Ya están por irse y dejarlo abandonado a su flojera. Por fin entre hipos logra explicar que busca trabajo desde hace meses y ya no le queda un peso para el colectivo ni un gramo de fuerza para seguir buscando.
> —Trabajo— le dice Pedro a Mario.
> —Vamos, no tenemos nada que hacer acá.—
> —Al menos, no tenemos nada que ofrecerle.
> Ojalá tuviéramos.—

Lo que este personaje anónimo (y, por tanto, generalizado) aparenta buscar con desesperación es trabajo y como Mario y Pedro tampoco lo tienen, se aprestan a abandonar la escena. Por el contrario, las comerciantes —no por casualidad de enseres domésticos— deciden tranquilizar al hombre haciendo una colecta. Esta "solución" termina calmando al desempleado sin que haya cambiado en nada su falta de empleo ni la situación en que vive.

A fin de cuentas, la narración esboza un conglomerado social que se puede dividir en dos sectores fundamentales: los que tienen medios económicos (chochamus y comerciantes; es decir pequeña-burguesía) y los desempleados (lumpen-proletariado). En contrapunto, se establece la dicotomía entre la policía represiva y el estudiante que protesta por la situación imperante. En medio de todo, aparecen esos tres objetos que terminan siendo abandonados por Mario y Pedro en el boliche sin razón aparente. No obstante, la posibilidad de una explosión remota hacia el final del cuento parece proteger a los desempleados, al menos a los protagonistas, quienes renunciaron a esas posesiones que adquirieron por mero azar. Ese final abierto e incierto remite, precisamente, al título de la narración. En ese contexto "pasan cosas raras," pero no se declara de manera unívoca cuáles son esas rarezas. Cabe preguntarse, por tanto,

¿son raros los objetos encontrados, son raros sus contenidos, es rara la situación que perpetúa el desempleo en la mayoría de los personajes del cuento? Asimismo, ¿son raras la colecta o la protesta estudiantil como "soluciones" a la falta de trabajo? A la postre, ¿es raro que unos tengan para comer bien y otros dependan de la caridad o del azar para poderse sustentar mínimamente?

La sociedad que recrea el cuento está plagada de miseria, hambre y falta de empleo. La voz la tienen los desposeídos y, al parecer, también las acciones más proactivas. Los que tienen medios materiales no prestan atención a lo que ocurre, no lo comprenden o se limitan a responder con caridad (comerciantes). La palabra diferente pertenece a los desempleados (el lunfardo) y la acción a los que protestan (estudiantes). En el mundo de "Aquí pasan cosas raras" las clases sociales están claramente confrontadas aunque, aparentemente, el conflicto se patentiza en la acción policíaca (la intervención de un aparato represivo estatal, en vocabulario de Althusser, en un momento en que la situación se desborda) y en la explosión remota. La desigualdad social se desencadena en formas de violencia que no pueden ser resueltas con medidas remediales (colecta o encuentro casual de unos objetos). La narración denuncia las circunstancias y, de paso, reproduce los eventos desde la perspectiva de los proletarios. Los burgueses experimentan la ruptura del orden establecido y sus soluciones son definitivamente insuficientes. El propio título del cuento podría ser leído como una invitación a la sospecha de la aparente "normalidad" de ese estado de cosas y, por ende, al cuestionamiento del sistema que garantiza la diferencia de clases y sus consecuencias.

Este breve ejercicio ha demostrado varios asuntos que se han discutido en este capítulo, tales como: (1) que los textos literarios son productos culturales valiosos a la hora de estudiar las condiciones materiales de su contexto y los modos en que las mismas se representan; (2) que también son valiosos para explorar los impactos sociales e individuales de la división de clases en el sistema capitalista; y (3) que los textos literarios son productos culturales que pueden reproducir los sistemas de opresión por clase o funcionar como evidencias de resistencia a la dominación y como propuestas de representaciones alternativas.

EJERCICIOS PARA ESTUDIANTES

Fase: Exploración

→ 1. Se acerca el fin del año académico y tus compañer@s y tú van a hacer una fiesta para celebrarlo. Deciden ir al mall en corillo con el propósito de comprar ropa para la fiesta. ¿A qué tiendas va cada persona? ¿Cuáles son sus razones? ¿Podrían todos comprar en la misma tienda? Sí o no y por qué. Especula el porqué hay tantas tiendas diferentes en el mall.

→ 2. Describe brevemente la urbanización donde vives limitándote a detallar las cosas que poseen las personas y las actividades de entretenimiento que llevan a cabo. Asegúrate de contestar lo siguiente:

    a. ¿Cómo son las casas, los autos y las posesiones tuyas y de tus vecinos?

    b. ¿Hay diferencias en sectores o calles de la urbanización que puedas descifrar por las cosas que poseen? Explica.

    c. ¿Qué tipo de trabajo tienen los vecinos y qué tipos de actividades de distracción llevan a cabo?

→ 3. Escoge dos o tres personas que siempre han sido trabajadores para alguna fábrica, comercio o institución y entrevista. Sugerimos redactes un bosquejo o guión de preguntas previo a la entrevista. La entrevista puede incluir las partes que se detallan a continuación (puedes añadir preguntas adicionales):

    a. Datos demográficos: edad, estatus civil (si aplica), grado educativo alcanzado, lugar de nacimiento, lugar de residencia, trabajo y funciones.

    b. Preguntas abiertas: ¿cuáles han sido los mayores logros de su vida en el aspecto laboral?; ¿cuáles han sido sus mayores retos o dificultades?; ¿qué ha deseado y no ha podido conseguir?; ¿qué se lo ha impedido?; ¿qué condiciones harían su vida mejor y las de sus compañeros de trabajo?; ¿qué contribuiría a que lograra cumplir sus deseos?

    c. Lleva las respuestas a clase en formato enumerativo.

→ 4. Inventario de conocimiento previo
    a. Haz una exposición oral sobre los conceptos:
       clase baja y clase alta según los entiendes.
    b. ¿Qué entiendes por proletario, burgués y aristócrata?
    c. ¿Qué significa socialismo, comunismo,
       capitalismo, feudalismo?

→ 5. Haz una mini-investigación sobre:
    a. el marxismo y las luchas de los trabajadores en Puerto Rico
    b. clases sociales en el Puerto Rico del siglo XXI
    c. literatura puertorriqueña realista y vanguardista

→ 6. Investiga en el Internet las discusiones más recientes sobre globalización, desempleo, liberalismo y neoliberalismo. Crea un foro de discusión sobre aquellos asuntos que te parezcan debatibles.

Fase: Conceptualización

→ 1. Investiga los conceptos destacados en este capítulo
    y todos aquellos que te sean desconocidos.

→ 2. Mini-investigación
    a. dos o tres figuras de las teorías materialistas. Describe sus trayectorias y sus aportaciones a los debates de este capítulo.
    b. ¿Qué es el lunfardo? ¿Qué importancia tiene para entender el español argentino?

→ 3. Analiza un texto literario de tu predilección siguiendo como punto de partida las preguntas de análisis de este capítulo.

→ 4. Haz una exposición oral en la que compares las personas que viven en tu vecindario en función de sus trabajos, posesiones y actividades de entretenimiento (utiliza datos obtenidos del ejercicio en Fase de exploración). Explica cómo las teorías materialistas explican las diferencias en tu vecindario.

→ 5. Redacta un ensayo elaborando alguno de los siguientes temas:
    a. ¿Ha desaparecido el marxismo o su pertinencia?
    b. Diferencias entre socialismo y comunismo
    c. Clases sociales en el Caribe
    d. Estrategias para el cambio social en el siglo XXI

→ 6. Investiga sobre las características del realismo y de las vanguardias en el arte. Explica cómo pueden contribuir al cambio social.

→ 7. Debate sobre la propuesta del reflejo y la propuesta de la producción. ¿Cuáles son las ventajas y desventajas de cada posición? ¿Qué implicaciones tiene cada una?

Fase: Aplicación

→ 1. Edita las entrevistas de la Fase de exploración y analiza los testimonios a partir de las preguntas críticas materialistas. Al final, sugiere soluciones para las condiciones que limitaron sus aspiraciones. ¿Cómo el mundo podría ser más justo y mejor para todas las personas?

→ 2. Produce un vídeo que testimonie vidas o facetas de vida de diferentes tipos de trabajadores. Si no tienes cámara de vídeo, puedes hacer un fotomontaje o una presentación en Power Point de figuras de este capítulo.

→ 3. Analiza las clases sociales en uno de tus programas de televisión o vídeojuegos favoritos siguiendo alguna de las sugerencias críticas de este capítulo. Redacta un ensayo breve al respecto y diseña una presentación oral.

→ 4. Analiza algún texto cultural (no literario) a partir de las preguntas críticas de este capítulo.

→ 5. Redacta versiones del cuento "Aquí pasan cosas raras" de manera que:
   a. sea narrado desde la perspectiva de la burguesía
   b. tenga otro final
   c. tenga otro principio

→ 6. Crea un blog sobre las teorías materialistas y sus nuevos desarrollos en el siglo XXI. Haz una presentación en Power Point sobre el mismo.

→ ¿Quién le teme a la teoría?

FORMALISMOS

2

And art exists that one may recover the sensation of life... The purpose of art is to impart the sensation of things as they are perceived and not as they are known. The technique of art is to make objects "unfamiliar," to make forms difficult, to increase the difficulty and length of perception because the process of perception is an aesthetic end in itself and must be prolonged.
(Victor Shklovsky)[22]

Briefly, the new criticism is damaged by at least two specific errors of theory, which are widespread. One is the idea of using the psychological affective vocabulary in the hope of making literary judgments in terms of the feelings, emotions, and attitudes of poems instead of in terms of their objects. The other is plain moralism, which in the new criticism would indicate that it has not emancipated itself from the old criticism. I should like to see critics unburdened of these drags. (John Crowe Ransom)[23]

---

[22] Traducción: "Y el arte existe para que uno pueda recuperar la sensación de la vida... El propósito del arte es impartir la sensación de las cosas como son percibidas y no como son conocidas. La técnica del arte consiste en "desfamiliarizar" los objetos, en hacer difíciles las formas, en incrementar la dificultad y la longitud de la percepción porque el proceso de percepción es un fin estético en sí mismo y tiene que ser prolongado."

[23] Traducción: "Brevemente, la Nueva Crítica padece de por lo menos dos errores teóricos específicos que están generalizados. El primero es usar el vocabulario afectivo psicológico con la esperanza de pasar juicios literarios en términos de los sentimientos, las emociones y las actitudes de los poemas en vez de en términos de sus objetos. El segundo es sencillamente su moralismo, que en el caso de la Nueva Crítica indica que no se ha liberado de la vieja crítica. Me gustaría ver a los críticos liberarse de estos pesos."

A historian or biographer might be intensely interested in the materials that got into a poem –the personal experiences or observations of the poet, or ideas current in his time. Or a psychologist might equally well be interested in the mental process of creation that gave us a poem. For his interests, the bad poem might be as useful as the good poem. But our present concern is different from that of the historian or psychologist. We are primarily interested in the nature of the poem and its quality.

(Cleanth Brooks y Robert Penn Warren)[24]

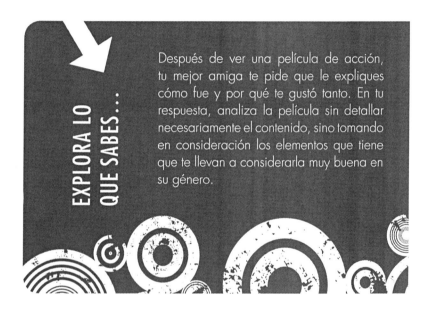

EXPLORA LO QUE SABES...

Después de ver una película de acción, tu mejor amiga te pide que le expliques cómo fue y por qué te gustó tanto. En tu respuesta, analiza la película sin detallar necesariamente el contenido, sino tomando en consideración los elementos que tiene que te llevan a considerarla muy buena en su género.

---

[24] Traducción: "Un historiador o biógrafo puede estar intensamente interesado en los materiales que se colaron en el poema –las experiencias personales u observaciones del poeta, o las ideas comunes de su tiempo. O un sicólogo podría estar igualmente interesado en el proceso mental de creación que nos proveyó con un poema. Pero nuestra preocupación actual es distinta de la de un historiador o un psicólogo. Estamos primordialmente interesados en la naturaleza del poema y en su calidad."

SITUACIONES

Hace unos días salió una nueva versión de juegos electrónicos. Unas amistades te estuvieron entusiasmando para que la compraras. Aseguraban que superaba, por mucho, la original. Esta edición no sólo duplicaba los ejercicios y los juegos de la anterior, sino que tenía controles y elementos externos con formas realistas que mejoraban los controles remotos previos. Después de tanta insistencia te pusiste a pensar cómo convencerías a tu madre para que te diera parte del dinero para comprar la nueva versión. Habías ahorrado algo de lo que ganas en la pizzería, pero todavía te faltaba más de la mitad para completar. ¿Cómo convencer a tu madre para que haga otra inversión en un video-juego con la recia crisis económica que acechaba? Entonces, se te ocurrió algo que la impresionaría. Podrías describirle el juego como lo habías aprendido en la clase de español recientemente. Te concentrarías en exponer con lujo de detalles los elementos formales del *Wii*. Específicamente, le hablarías de sus controles remotos realistas y de cómo funcionaban sus nuevos dispositivos. Estudiarías con atención todos sus rasgos operativos y la sorprenderías con sus conveniencias para hacer ejercicios.

Tu método para describir el *Wii* no se había detenido en quién lo había diseñado, ni reproducía las reacciones de tus amigos que ya habían estrenado la reciente edición. Tampoco recurría a ningún otro elemento externo al propio juego. Sencillamente describía sus rasgos y cómo funcionaban para hacerlo más atractivo que el original. Aprendiste en clase que ese mecanismo descriptivo fue impulsado decididamente por los **formalistas rusos** y por la **Nueva Crítica** en Estados Unidos. Cada una de esas tendencias, en especial los formalistas rusos, se interesaban por los elementos formales que distinguían la literatura de otros textos o productos de la cultura. En su empeño le dieron un nuevo giro a la crítica literaria de principios de siglo XX.

TENDENCIAS, DEBATES, CONCEPTOS Y FIGURAS

I. Formalistas Rusos

Previo a la **Revolución Bolchevique**, un grupo de intelectuales rusos –OSIP BRIK (1888 – 1945), BORIS TOMASHEVSKY (1890 – 1959), VICTOR SHKLOVSKY (1893 – 1984), BORIS TYNYANOV (1894 – 1943), BORIS EICHENBAUM (1896 – 1959) y ROMAN JAKOBSON (1896 – 1982), entre otros– se distanció de buena parte de la tradición crítica prevaleciente hasta ese momento.

El análisis histórico, biográfico, filosófico, sociológico y moral gozaba de una popularidad rara vez cuestionada. Pero, los formalistas rusos figuraron entre los primeros en salirle al paso y en cuestionar sus métodos por ajenos al objeto de estudio propiamente literario. Este colectivo insistió en la necesidad de profesionalizar la labor crítica con parámetros estrictamente literarios y con aspiraciones sistemáticas propias de la ciencia **empírica** en boga en aquel momento. De paso, se distanció de los acercamientos literarios basados en impresiones subjetivas y en las emociones que experimentaban l@s lector@s. Opinaban que esas apreciaciones no formaban parte de lo que debía ser la crítica profesional. Asimismo, la literatura tampoco debía analizarse como si se tratara de un tratado filosófico, sicológico, sociológico o histórico. Antes bien, era preciso preguntarse, ¿qué hacía a la literatura diferente de esas otras prácticas culturales? Dicho de otro modo, a los formalistas rusos les interesa contestar la pregunta ¿qué hace a la literatura, literatura? y ¿cómo se consigue la **literariedad**?

CONCEPTOS

formalistas rusos
Nueva Crítica
Revolución Bolchevique
empírica / empiricismo
literariedad / literatura
binomial / binomio
efecto de extrañamiento
rima
ritmo
sonido
sintaxis
métrica
versificación
metáfora
paradoja
símil
género literario
mundo referencial
fábula
trama
objetivo correlativo emocional
unidad orgánica
close reading
falacia afectiva
falacia de la intención
paráfrasis
ironía
paradoja
símbolo
denotativo / denotación
connotativo / connotación
etimología
elipsis
quiasmo
anadiplosis
personificación
alejandrino
asonante
serventesio
estrofa
consonante

Para abordar dicha cuestión, Shklovsky establece una distinción **binomial** (entre polos opuestos) entre el lenguaje ordinario (el que manejamos cotidianamente los hablantes de una lengua) y el lenguaje literario. Según dicho teórico ruso, este último se construye a partir del manejo extraño o de una operación de extrañamiento aplicada al lenguaje ordinario. A partir de la concepción de la literatura como un producto del lenguaje tratado extrañamente, Shklovsky propone que su estudio consista en la identificación de los elementos y de los dispositivos que consiguen tal **efecto de extrañamiento**. Por consiguiente, uno de los métodos que se elabora a partir de esa noción de la literatura es el análisis detallado de los componentes formales del texto literario, en especial de la poesía. Según los formalistas rusos, en la misma se manifiesta de manera más evidente el carácter de "construcción" de la literatura, el uso recurrente de figuras retóricas y recursos literarios y el "distanciamiento" con respecto al lenguaje que se habla habitualmente. De acuerdo con su propuesta el estudio de la literatura deberá prestar particular atención a la **rima**, el **ritmo**, los **sonidos**, la **sintaxis**, la **métrica**, la **versificación**, las **metáforas**, las **paradojas** y los **símiles**, entre muchos otros rasgos del lenguaje literario. En consonancia con su concepto de literatura lo que consigue el lenguaje literario es llamar la atención sobre sí mismo, convertirse en el centro de atención de la crítica literaria que, a su vez, rastrea todas las maneras de conseguir la literariedad. A los formalistas rusos, en especial, les interesa más determinar y describir pormenorizadamente cómo la literatura logra ser diferente al lenguaje ordinario y mucho menos qué dice (mensaje) y qué función cumple lo que expresa. En este sentido, se distancian significativamente de la Nueva Crítica estadounidense como veremos más adelante.

Por otro lado, los formalistas rusos se dedican al estudio de las distinciones formales (en especial, de los clásicamente llamados **géneros literarios**) dándole continuidad a la *Poética* de Aristóteles (ver *Introducción*). En esta vertiente interesó la construcción literaria y sus transformaciones a través del tiempo por lo que la resistencia inicial de los formalistas a cualquier consideración del **mundo referencial** (contexto) comienza a reevaluarse. Dicho desarrollo se debió principalmente al reconocimiento de que los géneros literarios son formas íntimamente relacionadas con el escenario histórico en el que se originan. Algunos formalistas rusos pensaban que para que la literatura sostenga su carácter extraño a través de las transformaciones del lenguaje ordinario y de la fijación de las formas literarias existentes, era precisa la renovación y el cambio de los géneros literarios.

Finalmente, una de las contribuciones del Formalismo Ruso al estudio narrativo fue su diferenciación entre la **fábula** y la **trama**. De acuerdo con Boris Tomashevsky, entre otros, en el relato pueden distinguirse dos niveles: el orden cronológico de los sucesos (fábula) y la forma particular en que se organizan o presentan en el texto (trama). Precisamente, la descripción de cada narración a partir de su trama manifiesta los recursos de extrañamiento que se han manejado para convertirla en lenguaje literario. Dicha diferenciación de los componentes narrativos será rearticulada décadas más tarde por un importante sector de los estructuralismos (ver capítulo *Estructuralismos*).

Las filiaciones y los simpatizantes del Formalismo Ruso se han extendido hasta el análisis cultural más reciente. Pero el manejo de su metodología ha sido enriquecido, complementado e, incluso, revisado de múltiples modos. La relación de distinciones meramente formales se ha integrado a ejercicios interpretativos de género, raza, etnia y clase, entre otros.

Sin embargo, las contenciones y las críticas a su concepción de la literatura, a su método de estudio y a las premisas subyacentes al término "extrañamiento" han sido todavía más contundentes. Uno de sus contemporáneos, MIJAÍL BAJTÍN (1895 – 1975), refutó la insistencia del Formalismo Ruso en divorciar la forma de los elementos contextuales y materiales. De paso, articuló un método de estudio que integraba tanto elementos textuales como externos. Al mismo tiempo, insistió en la imposibilidad o el error que suponía estudiar las estructuras formales o los géneros literarios desvinculados de los escenarios socio-culturales en los que se originan y desarrollan.

Por otra parte, se han articulado críticas a la implicación de que existe una norma de lenguaje homogénea y absoluta de la que luego la literatura se distancia. En palabras de Terry Eagleton:

Los formalistas, por consiguiente, vieron el lenguaje literario como un conjunto de desviaciones de una norma, como una especie de violencia lingüística: literatura es una clase "especial" de lenguaje que contrasta con el lenguaje "ordinario" que generalmente empleamos. El reconocer la desviación presupone que se puede identificar de la cual se aparta... No pasa de ser una ilusión el creer que existe un solo lenguaje "normal", idea que comparten todos los miembros de la sociedad. Cualquier lenguaje real y verdadero consiste en gamas muy complejas del discurso, las cuales se diferencian según la clase social, la región, el sexo, la categoría y así sucesivamente, factores que por ningún concepto pueden unificarse cómodamente en una sola comunidad lingüística. (15)

Pese a la legitimidad de las críticas señaladas y a otras contenciones contra la metodología crítica de los formalistas rusos, su aportación a los estudios literarios es fundamental. Su celo por darle a la crítica literaria perfil profesional y carácter científico permite sistematizar el análisis literario a la vez que le imprime carácter protagónico al texto bajo estudio.[25] Al mismo tiempo, sus posiciones, lejos de ser un todo homogéneo, se desarrollan en múltiples direcciones, algunas de las cuales revisan su desdén por elementos de contenido y contextuales. De hecho, poco tiempo después de su efervescencia en Rusia, otro grupo de críticos, teóricos y artistas formularán parecidas aproximaciones a la literatura, aunque las limitaciones geográficas y comunicacionales hayan dilatado su encuentro formal.

---

[25] Por ejemplo, el "Estructuralismo de Praga" liderado por Roman Jakobson quien, a su vez, es figura puente entre el Formalismo Ruso y los Estructuralismos.

II. Nueva Crítica

Alrededor de la década del treinta en Estados Unidos, otro grupo de intelectuales y artistas –JOHN CROWE RANSOM (1888 –1974), ALLEN TATE (1899 – 1979), RENÉ WELLEK (1903 – 1995), R.P. BLACKMUR (1904 – 1965), ROBERT PENN WARREN (1905 – 1989), CLEANTH BROOKS (1906 – 1994), W.K. WIMSATT (1907 – 1975) y MONROE CURTIS BEARDSLY (1915 – 1985), entre otros–, formalizó su concepción de la literatura y su propuesta de estudio previamente plasmada en revistas como *Fugitive*. Su método también se distanciaba de la crítica dominante hasta la fecha y de los acercamientos literarios basados en las emociones suscitadas en los lectores. Por ello fueron bautizados por John Crowe Ransom como "nueva crítica" en 1941 (*The New Criticism*).[26]

Puede decirse que sus antecedentes se remontan a las poéticas clásicas de Platón y de Aristóteles, pero sus precursores más cercanos fueron el romántico inglés SAMUEL T. COLERIDGE (1772 – 1834), el escritor estadounidense T.S. ELIOT (1888 – 1965), y los críticos ingleses MATTHEW ARNOLD (1822 – 1888), I. A. RICHARDS (1893 – 1971) y F.R. LEAVIS (1895 – 1979). De estos últimos retomaron el antiguo debate entre forma y contenido, la función espiritual y formativa de la literatura, los conceptos de **objetivo correlativo emocional** y **unidad orgánica** y la certeza de que forma y contenido están íntimamente ligados para producir el sentido. Por tanto, su concepción de la literatura no desdeña los elementos de contenido, sino que más bien los determina a partir de una lectura cuidadosa (***close reading***) del texto literario. La forma se convierte en la expresión de su contenido y todo lo que el crítico o la crítica requieren se encuentra en los predios del objeto literario.

Asimismo, la Nueva Crítica otorga a la literatura una función social fundamental por considerarla el refugio espiritual y vital de la humanidad asediada por las consecuencias degradantes del capitalismo (ver capítulo *Teorías materialistas*). Ese carácter seudo-religioso de la literatura conecta al texto literario con el contexto, pero no como un ejercicio *a priori*, sino como una consecuencia de la experiencia artística. Al mismo tiempo, no limita la literatura al escenario espacio-temporal en el que surge, sino

---

[26] También se le ha conocido por los siguientes nombres: "Modernismo Crítico," "Formalismo," "Crítica Estética," "Crítica Textual" y "Crítica Ontológica."

que la considera una expresión cultural atemporal que revela valores universales independientes del espacio y del tiempo.

A más de su particular concepción de la literatura, la Nueva Crítica denunciará de manera vehemente dos falacias de la supuesta "vieja" crítica: la **falacia afectiva** y la **falacia de la intención**. Según los trabajos seminales de Beardsley y Wimsatt, los textos literarios no deben ser estudiados a partir de las emociones que generan ni de las pretendidas intenciones de sus autor@s. Tanto el estudio literario basado en las impresiones emocionales de l@s lector@s como en la crítica biográfica serán profundamente desprestigiados durante las décadas dominantes de la Nueva Crítica. El llamado análisis poético basado en la **paráfrasis** también será rechazado por este grupo pues lo consideran sólo un punto de partida posible o de llegada después de haber analizado todos los elementos formales del texto en cuestión. En consecuencia, el nuevo método crítico de este grupo se fundamenta en la lectura detenida de los textos, prescindiendo de datos afectivos de l@s lector@s o de planteamientos sobre las intenciones conscientes o inconscientes de los autor@s (ver capítulo *Teorías sicoanalíticas*).

Al igual que ocurrió con el Formalismo Ruso, l@s nuev@s crític@s encontraron en la poesía su género literario predilecto. Su tratamiento se sustentó en su convencimiento de que la misma patentiza la máxima expresión o condensación de la capacidad literaria por armonizar opuestos, conflictos y ambigüedades. A tenor con dicha idea, la Nueva Crítica prestará particular atención a la identificación de figuras retóricas tales como la **ironía**, la **paradoja** y el **símbolo**.

Específicamente, su método parte del examen cuidadoso de los sentidos **denotativos** y **connotativos** de las palabras, así como de las posibles implicaciones de su **etimología**. Luego se detiene en la exploración de las relaciones posibles entre el título y la totalidad de la pieza literaria, en el análisis de varios elementos literarios (punto de vista, voz poética, tonos, temas, diálogos y narración, entre otros) y de cualquier patrón estructural que pueda encontrarse (ej. construcciones gramaticales y patrones sintácticos). Finalmente, estudia detenidamente las figuras retóricas que patentizan el conflicto a remediarse y explora las alusiones o referencias culturales (literarias o míticas especialmente). Este proceso persigue identificar y documentar el modo en que el texto literario plantea y resuelve el conflicto subyacente en su forma. De esa manera, contenido y forma se conciben como irremediablemente complementarios. Para l@s nuev@s crític@s la poesía, y la literatura en general, es un todo orgánico cuyos componentes contribuyen al sentido de unidad. Por tanto, todos sus elementos formales son significativos y construyen el sentido del texto.

Al igual que el Formalismo Ruso, la Nueva Crítica tuvo fervientes seguidores y contundentes detractores. Su persistente labor analítica basada en la poesía, su método formal toda vez que su concepción espiritual de la literatura, fueron sólo algunos de los focos de la crítica. Resulta paradójico que se divorcie la literatura de l@s lector@s quienes se supone serán inspirad@s por los atributos universales de la poesía. Es más revelador aún cómo esa inmersión en los límites textuales, esa fijación en la resolución de oposiciones, sólo tiene impacto en el espacio literario. Al final, los confines de la literatura trans-histórica y del imperio de la forma se convierten en el refugio exclusivo para algunos. Escapar del texto ocurre sólo ocasionalmente.

Desde el siglo XXI alguien podría alegar que los Formalismos son teorías pasadas de moda. Sin embargo, en múltiples contextos escolares y hasta universitarios suelen ser las que se siguen enseñando para llevar a cabo análisis literarios. Igualmente, teorías desarrolladas posteriormente han rescatado algunos de sus rasgos distintivos (rigor descriptivo de los elementos formales y *close reading* por ejemplo), así como otros campos del estudio cultural han adaptado su esfuerzo por clasificar y describir los géneros o formas culturales. El cine, la televisión y los nuevos medios han desarrollado sus propias teorías de los géneros hasta el día de hoy.

ASUNTOS DE INTERÉS GENERAL

El Formalismo Ruso y la Nueva Crítica comparten supuestos sobre la literatura y elementos metodológicos de importancia, pero como pudiste apreciar en la relación previa también se distancian en asuntos medulares. Sin embargo, cabe enfatizar en este capítulo sus puntos de coincidencia. Entre ellos destaca su agenda por la profesionalización de la crítica literaria, su concepción de la literatura como constructo, o sea como una forma cultural constituida por elementos previamente seleccionados.

Por otra parte, tanto el Formalismo Ruso como la Nueva Crítica insisten en que la labor crítica debe concentrarse principalmente en el texto, lo cual implica privilegiar el estudio pormenorizado de los elementos formales propios de la literatura (ontológicos). Por ello, se distancian de la crítica filosófica, moral, histórica, biográfica, sociológica o cualquiera que sustituya el protagonismo del texto por otros elementos externos. Por las mismas razones, el análisis del lenguaje y de los elementos que se derivan del texto se convierten en el eje central de sus estudios literarios.

¿QUÉ ES "LITERATURA" SEGÚN LOS FORMALISMOS?

Para los Formalismos estudiados, la literatura es una forma particular de manejar el lenguaje ordinario (lenguaje según lo utilizamos cotidianamente) mediante su extrañamiento. Por ende, su principal encomienda es identificar y caracterizar esos aspectos que hacen del texto una expresión literaria.

Mientras para los formalistas rusos la literatura era exclusivamente una manera diferente de intervenir en el lenguaje ordinario a través de diversos recursos literarios, para los nuevos críticos era también un aliciente para paliar el materialismo y la degradación humana sobre todo en el contexto de la posguerra. En el primer caso, la literatura era un fin en sí misma. En el segundo, por el contrario, la literatura se convierte en un sucedáneo de la religión, pues en opinión de algunos nuevos críticos la última se encontraba en crisis irremediable. Pero, en ambos casos es un producto o construcción de la cultura que se configura a partir de una organización particular de las palabras, de las imágenes y de las figuras retóricas con el objetivo de producir sentido o un efecto particular.

PREGUNTAS PARA HACER A LOS TEXTOS CULTURALES

- ¿Cuál es el género literario del texto? ¿Qué elementos lo convierten en ese género? ¿Cómo ha ido innovándose ese género literario?

- ¿Cuáles son los temas de un texto y cómo se relacionan entre sí?

- ¿Cuál es la relación entre el narrador y el o los receptores? ¿Cuál es el punto de vista?

- ¿Qué alusiones culturales o míticas aparecen y cómo se relacionan con los demás elementos textuales?

- ¿Cuál es la métrica, la versificación, el tono, la voz poética? ¿Qué patrones pueden ser identificados en un texto? ¿Qué pueden significar en el conjunto? ¿Cuáles son los ejes semánticos?

- ¿Qué denotaciones y connotaciones tienen las palabras claves de un poema? ¿Cómo la etimología contribuye otras connotaciones de una palabra?

- ¿Qué relación guarda el título con el resto de los elementos formales de un texto?

- ¿Qué función o uso tienen la ironía, la paradoja, los símbolos? ¿Qué otras figuras retóricas se utilizan?

- ¿Qué elementos producen tensión, conflicto o ambigüedad? ¿Cómo se relacionan con los demás elementos?

FIGURAS SOBRESALIENTES

- TATE ALLEN
- MONROE CURTIS BEARDSLY
- R.P. BLACKMUR
- OSIP BRIK
- CLEANTH BROOKS
- BORIS EICHENBAUM
- T. S. ELIOT
- ROMAN JAKOBSON
- JOHN CROWE RANSOM
- VICTOR SHKLOVSKY
- BORIS TOMASHEVSKI
- YURI TYNYANOV
- BORIS TYNYANOV
- ROBERT PENN WARREN
- RENÉ WELLEK
- W.K. WIMSAT

---

[27] de Burgos, Julia. *Cuadernos de Poesía* (San Juan: Instituto de Cultura Puertorriqueña, 1995).

BORRADOR DE ANÁLISIS

Texto: poema "Río Grande de Loíza" de Julia de Burgos[27]

Analizaremos el poema "Río Grande de Loíza" usando seis de las preguntas de la Nueva Crítica que se listaron previamente: (1) ¿qué relación guarda el título con el resto de los elementos formales del poema?; (2) ¿cuál es la métrica, la versificación, el tono y la voz poética?; (3) ¿cuáles son las alusiones del mismo? (4) ¿qué patrones pueden ser identificados en el poema?; (5) ¿cuáles son las figuras retóricas más sobresalientes y qué relación guardan con el contenido? y (6) ¿qué elementos producen tensión, conflicto o ambigüedad?

El título del poema se refiere al objeto de admiración y descripción de la voz poética. El Río Grande de Loíza es descrito como "manantial," "espejo azul," "desnuda carne blanca," "roja franja de sangre" y "hombre con pureza de río," entre otros rasgos. La última imagen connota la primera oposición trazada en el poema entre el hombre con la pureza natural propia del río y aquél impuro que no emula el cuerpo de agua admirado. A su vez, el Río Grande de Loíza es "llanto grande" ("El más grande de todos nuestros llantos isleños") sólo superado por el de la voz poética a causa de su "esclavo pueblo." Por tanto, el llanto constituye el nivel fundamental de identificación entre el río y la voz poética, mas sus diferentes magnitudes mantienen cierta distinción entre los protagonistas del poema. En sintonía, a lo largo del poema se intercalan los rasgos del río con el desarrollo de la voz poética desde su infancia hasta su adultez. De ese modo, el texto hace eco de la tradición literaria, en especial hispanohablante, que relaciona el curso del río con la vida misma (ej. Jorge Manrique y Antonio Machado, entre otros).

Por su parte, las metáforas alusivas al río describen sus orígenes, su caudal, su disposición nocturna y su imagen tras la lluvia. Al mismo tiempo, el tono reiterado del poema – gracias también a la **elipsis**, el **quiasmo**, la **anadiplosis** y la **personificación**– es de nostalgia o de añoranza. Pese a la identificación glosada se connota una ausencia. La huella de la infancia de la voz poética se ha visto quebrada por el paso del tiempo: "¿Adónde te llevaste las aguas que bañaron/mis formas, en espiga del rol recién abierto?"

Es importante destacar que el poema exhibe, a su vez, un patrón de oposiciones en su propia configuración métrica y en su rima. Consta de diez estrofas, dos de las cuales son de seis versos, mientras las restantes son de cuatro. En todos los casos se trata de versos **alejandrinos** con rima **asonante** (eo) alterna en los pares. Dicho patrón puede verse como una variación del **serventesio** –**estrofa** de cuatro versos de arte mayor con rima alterna **consonante**– para el caso de las ocho estrofas. Las de seis versos, por su parte, se encuentran intercaladas después de cada tres estrofas y comienzan aludiendo al título del poema con signos de exclamación. Por consiguiente, la disposición de las estrofas excepcionales de seis versos (la cuarta y la octava) están en oposición formal a las ocho restantes de cuatro versos, pero la rima asonante alterna genera una identificación o un punto de encuentro entre los "opuestos" formales. Del mismo modo, el río y la voz poética logran armonizarse en su desarrollo y en su llanto. Su identificación libre y pura se opone a la condición impura del "esclavo pueblo" y de los hombres que sólo besan el cuerpo, ignorando el alma: "Muy señor río mío. Río hombre. Único hombre/que ha besado en mi alma al besar en mi cuerpo." Este verso, además abona la personificación del "Río Grande de Loíza" que se reitera a lo largo de todo el poema.

A partir de los elementos descritos pueden identificarse, por lo menos, cuatro oposiciones: pureza/impureza, infancia/adultez, cuerpo/alma y libertad/esclavitud. La identificación del río y la voz poética concilia los opuestos. El llanto de ambos sella su alianza y evoca su relación íntima a través del tiempo. Río y voz poética se funden en su anhelo por la libertad.

Este breve ejercicio ha demostrado varios asuntos que se han discutido en este capítulo, tales como: (1) que los textos literarios son productos culturales que tienen una relación particular con el lenguaje, cuyas manifestaciones son muchas veces de "extrañamiento" de lo que comúnmente asociaciamos con el "lenguaje ordinario;" (2) que dichos mecanismos relacionados con el lenguaje no son insignificantes, sino que producen efectos y significados particulares; y (3) que la forma en que los textos literarios se diseñan no es incidental ni está subordinada al contenido, sino que es medular a la hora de entenderlos y de evaluarlos.

EJERCICIOS PARA ESTUDIANTES

Fase: Exploración

→ 1. Después de ver una película de acción, tu mejor amiga te pide que le expliques cómo fue y por qué te gustó tanto. En tu respuesta, analiza la película sin detallar necesariamente el contenido, sino tomando en consideración los elementos que tiene que te llevan a considerarla muy buena en su género.

→ 2. Inventario de conocimiento previo
    a. Enumera y describe los modos en que has estudiado la literatura hasta aquí. Lleva tu lista a clase.
    b. Escoge un poema y explica cómo lo analizarías. Prepara exposición oral breve.

→ 3. Mini-investigación
    a. Investiga sobre el Formalismo Ruso, la Nueva Crítica y sus métodos para estudiar la poesía y otros géneros literarios.
    b. Define, por lo menos, diez figuras retóricas e identifica ejemplos en un texto de tu preferencia.

→ 4. Escoge varios objetos del salón y describe sus elementos formales. Evalúa ¿en qué elementos te fijas y cómo los describes?

→ 5. Investiga en el Internet diversos modos para analizar la literatura y otros textos culturales. Prepara un presentación en *Power Point* para exponer en la clase.

Fase: Conceptualización

→ 1. Investiga los conceptos destacados en este capítulo y todos aquellos que te sean desconocidos.

→ 2. Analiza varios textos (de diversos géneros literarios tales como el drama, la poesía, el ensayo y la novela, entre otros) aplicando los métodos del Formalismo Ruso y de la Nueva Crítica. Compara (semejanzas y diferencias) el Formalismo Ruso y la Nueva Crítica.

→ 3. Explica la posición de los formalistas rusos y de los nuevos críticos respecto a los modos en que estudiabas la literatura. Desarrolla un debate entre los diversos puntos de vista.

→ 4. Investiga alguna de las figuras estudiadas en este capítulo y haz una presentación oral y escrita sobre tus hallazgos.

Fase: Aplicación

→ 1. Aplica a un texto cultural (vídeo-juego, telenovela, anuncio publicitario, Internet, entre otros) las prácticas críticas estudiadas en este capítulo. Escribe un ensayo y prepara una presentación oral.

→ 2. Analiza el poema "Río Grande de Loíza" integrando preguntas de otras teorías al método de la Nueva Crítica (ej. feministas o anti-coloniales).

→ 3. Escribe un poema a partir de la concepción de literatura de los formalistas rusos y de la Nueva Crítica. Analiza luego sus elementos formales haciendo un estudio detallado (close reading).

→ 4. Diseña una clasificación de tus juegos electrónicos favoritos utilizando la metodología de los formalistas. Haz un cartel para exponer en clase.

ESTRUCTURALISMOS Y NARRATOLOGÍA

3

Their most precise characteristic is being what others are not.
(Ferdinand de Saussure)[28]

Language is not a 'nomenclature' that provides labels for pre-existing categories; it generates its own categories. But speakers and readers can be brought to see through and around the settings of their language, so as to see a different reality. Works of literature explore the settings or categories of habitual ways of thinking and frequently attempt to bend or reshape them, showing us how to think something that our language had not previously anticipated, forcing us to attend to the categories through which we unthinkingly view the world. Language is thus both the concrete manifestation of ideology –the categories in which speakers are authorized to think– and the site of its questioning or undoing.
(Jonathan Culler)[29]

---

[28] Traducción: "Su característica más precisa es ser lo que otros no son."
[29] Traducción: "El lenguaje no es una "nomenclatura" que provee etiquetas para categorías pre-existentes; genera sus propias categorías. Pero se puede lograr que hablantes y lectores lleguen a ver a través y alrededor de las normas de su lenguaje, de modo que puedan ver una realidad diferente. La literatura explora las normas ó categorías de los modos habituales de pensamiento y frecuentemente intenta volverlos maleables o cambiarles la forma, lo cual nos muestra cómo pensar algo que nuestro lenguaje no había anticipado previamente, nos fuerza a percibir las categorías a través de las cuales vemos el mundo sin pensar. El lenguaje es, pues, tanto la manifestación concreta de la ideología –las categorías dentro de las cuales los hablantes estás autorizados a pensar– y el espacio de su cuestionamiento o desbaratamiento."

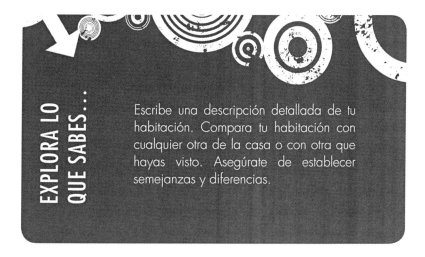

EXPLORA LO QUE SABES...

Escribe una descripción detallada de tu habitación. Compara tu habitación con cualquier otra de la casa o con otra que hayas visto. Asegúrate de establecer semejanzas y diferencias.

SITUACIONES

Se acerca el día de acción de gracias y la profesora te solicita que escribas una descripción del paisaje navideño en Puerto Rico. Comienzas tu descripción: "Durante el mes de diciembre, y casi siempre mucho antes, las vitrinas de los comercios se llenan de anuncios de ventas especiales que leen: 'Navidades en septiembre' y otras anticipaciones por el estilo. La economía subterránea hace su agosto con los puestos de lechón asado en las carreteras y en las avenidas principales y con los estudios de fotografía improvisados en las plazas públicas y en los pasillos de los centros comerciales. En los últimos se observa una niña codiciando una foto con Santa Claus que, a veces, complace más a sus padres que a ella misma. Esa figura, a la vez familiar y ajena, desconcierta la versión que muchos imaginamos."

En Puerto Rico, la mayoría de las personas asocian la imagen del lechón asado con comida abundante, reunión y cena familiar, campo o espacio rural, entre otras. Por su parte, Santa evoca regalos, infancia, inocencia, misterio, secreto, buena conducta, abundancia... Para los puertorriqueños, su físico foráneo también indica la presencia de lo extranjero.

Desde la perspectiva de los **estructuralismos**, y específicamente a partir de FERDINAND DE SAUSSURE (1857 – 1913), dichos elementos descritos en el paisaje navideño boricua son considerados **signos**.[30] Los mismos resultan de una combinación primero arbitraria y luego convenida social y culturalmente entre el **significante** (forma física y concreta) y el **significado** (lo que significa) que se le adjudica. Para Saussure el lenguaje sólo puede emerger por mecanismos de exclusión. El significado se obtiene mediante la negación de otras posibilidades y no mediante una relación inmediata, directa y obvia entre la forma y el significado que se le otorga. A su vez, la dicotomía familiar-ajena describe de un modo binario y contrastante las emociones que suscita la figura del ícono navideño. En ese caso, se establece una comparación a partir de una oposición que bien puede llamarse binaria. Alto versus bajo, grande versus pequeño, dentro versus fuera son relaciones de **oposición binaria** que según los estructuralistas, en especial CLAUDE LÉVI-STRAUSS (1908) y ROLAND BARTHES (1915 – 1980), han servido a los seres humanos para aprehender la realidad, para comunicarse y para darle sentido a las cosas con palabras a partir de valoraciones de presencia y ausencia. Las oposiciones binarias son populares en la cultura occidental desde los primeros filósofos griegos (sobre todo las ya clásicas divisiones entre mente y cuerpo, esencia y apariencia), y constituyen estructuras y valoraciones hegemónicas que pueden estudiarse en la cultura.

Precisamente, la **semiótica** o ciencia de los signos se dedica a estudiar las asociaciones, las oposiciones binarias y las estructuras a través de las cuales las personas y los sistemas se comunican y le otorgan cierto sentido al mundo. Sus exploraciones pueden llevarse a cabo **diacrónicamente** (seguirle la pista a las transformaciones de un signo a través del tiempo; por ejemplo, un pedazo de tela blanco desde la Antigüedad hasta la Segunda Guerra Mundial), o **sincrónicamente** (analizando las relaciones entre los signos en un corte en el tiempo: el signo de la paz en 1945). Cada una de estas maneras de estudiar los signos constituye una metodología posible para los estructuralistas, pero la más frecuentemente utilizada es la sincrónica.

---

[30] Utilizamos estructuralismo en plural porque reconocemos que bajo esta rúbrica se pueden colocar diversas tendencias, incluso algunas asociadas con el Formalismo: "Estructuralismo de Praga," "Estructuralismo Antropológico" y "Estructuralismo Literario." En este capítulo nos concentramos específicamente en el Estructuralismo Literario que, algunos, denominan Estructuralismo Francés por el predominio de franceses entre sus principales figuras.

Aparte de sus filiaciones con la semiótica, el estructuralismo abarca una multiplicidad de campos de estudio y áreas de atención. De entre ellas, la **narratología** puede considerarse una de las más prolíficas hasta nuestros días. Figuras como VLADIMIR Y. PROPP (1895-1970), Claude Lévi-Strauss, Roland Barthes, ALGIRDAS J. GREIMAS (1917-1992), CLAUDE BREMOND (1929), GÉRARD GENETTE (1930) y TZVETAN TODOROV (1939) se destacan en esta vertiente estructuralista.

TENDENCIAS, DEBATES, CONCEPTOS Y FIGURAS DE LA NARRATOLOGÍA

La narratología es uno de los desarrollos más sobresalientes del estructuralismo. Por consiguiente, parte de la premisa de que en toda narración subyace una **estructura profunda** que ha sido establecida convencionalmente y que es común a todas las narraciones. Se dedica, en un sentido amplio, al estudio de las narraciones. Su ideal es descifrar o identificar los elementos constitutivos de esa estructura básica subyacente en toda narración, y determinar cómo se organizan los elementos narrativos discursivamente.

Para conseguir tal empeño, los primeros narratólogos revisaron la distinción entre **fábula** (**historia**) y *syuzhet*-trama (narración) de los formalistas rusos y partieron de los hallazgos del crítico ruso Vladimir Propp a propósito de sus estudios sobre los cuentos populares o tradicionales (ver capítulo *Formalismos*). Su clásico *Morphology of the Folktale* desarrolló el concepto de función para enriquecer el análisis convencional de los personajes. Desde la perspectiva de Propp, los *dramatis personae* debían ser estudiados a partir de las funciones que

CONCEPTOS

estructuralismos
signo
significante
significado
oposición binaria
semiótica
diacrónicamente / diacronía
sincrónicamente / sincronía
narratología
estructura profunda
fábula
historia
discurso
homodiegético
heterodiegético
extradiegético
intradiegético
diegético / diégesis
actancial
antropología estructural
hegemónica

desempeñan en el desarrollo de la narración.[31] El teórico ruso advierte que no todas las narraciones populares exhiben la totalidad de las funciones identificadas en su trabajo. Sin embargo, su propuesta implica un binomio clásico para clasificar los personajes: héroe-villano. Es preciso destacar que en ambos casos se contempla el uso del masculino como absoluto de la subjetividad, se supone el héroe-hombre con los roles más activos en el curso de la narración, y se concibe el matrimonio heterosexual como la culminación de la existencia de los *dramatis personae*. Dichas implicaciones, como se ha estudiado ampliamente desde las primeras teorizaciones feministas a la actualidad, exhiben las convenciones sociales de la cultura hegemónica. Por consiguiente, perpetúan tales expectativas y abonan el proceso de socialización que patentiza distinciones de roles por género sexual.[32]

Cabe destacar que la propuesta de Propp sólo constituye uno de los modelos narratológicos posibles. De hecho, con los desarrollos del estudio de la narración el foco de atención no sólo se centra en los personajes y en su función narrativa, sino en otros elementos de la construcción, organización y selección de la fábula (acontecimientos, tiempo y lugar), de la historia (secuencias, ritmo, frecuencia y focalización, entre otros) o del discurso.

Para la narratología es pertinente la distinción entre fábula, historia y **discurso**. El primer concepto se refiere al contenido narrativo en orden cronológico, el segundo a la narración tal y como la presenta el o los narradores y el discurso a los tipos de narradores, descripciones,

---

[31] En el contexto de los cuentos, pero aplicable a múltiples narraciones, Propp identificó treinta y una posibilidades, a saber: I. Uno de los integrantes de la familia se ausenta del hogar; II. Prohibición al héroe; III. Prohibición es violada; IV. Villano hace un intento de reconocimiento; V. Villano recibe información acerca de la víctima; VI. Villano trata de engañar la víctima para despojarlo de alguna pertenencia; VII. Héroe es engañado y ayuda al enemigo inadvertidamente; VIII. Villano causa daño o hiere a integrante de la familia; VIIIa. Un integrante de la familia no posee algo o desea tener algo que no tiene; IX. Deseo es conocido por héroe. Petición y designación; X. Buscador acepta encomienda; XI. El héroe deja la casa; XII. El héroe es probado; XIII. Héroe reacciona a las acciones del futuro donante; XIV. El héroe adquiere uso de agente mágico; XV. Héroe encuentra objeto de búsqueda; XVI. Combate del héroe; XVII. Héroe es marcado; XVIII. Villano es vencido; XIX. Infortunio inicial es vencido o liquidado; XX. Regreso del héroe; XXI. Héroe es perseguido; XXII. Héroe es rescatado de persecución; XXIII. Héroe irreconocible regresa al hogar o a otro país; XXIV. Falso héroe hace reclamos infundados; XXV. Héroe enfrenta tarea difícil; XXVI. Tarea es resuelta; XXVII. Héroe es reconocido; XXVIII. Falso héroe o villano es expuesto; XXIX. El héroe recibe una nueva apariencia; XXX. El villano es castigado; y, XXXI. Héroe se casa y asciende al trono. A partir de dichas funciones, se pueden clasificar las de los personajes. Nótese que, en realidad, terminan siendo treinta y dos contando la VIIIa independientemente de la VIII.
[32] Para explorar otras críticas de género a la narratología sugiero el texto de Susan Lanser, "La posibilidad de una narratología feminista." Enric, Sullà, *Teoría de la novela*. Barcelona: Crítica, 2001. 276-284.

---

comentarios y niveles de narración, entre otros. Cada discurso o texto constituye una versión posible de la fábula. Figuras como Claude Bremond, Roland Barthes, Gérard Genette y Algirdas J. Greimas propondrán otros modelos de estudio y tipologías centrándose en algunos de los elementos señalados o en cuestiones globales sobre la narración.

Bremond, por ejemplo, en su "La lógica de los posibles narrativos," plantea el estudio de las narraciones a partir de la transformación de los personajes (mejoría o degradación). Los procesos de mejoría se subdividen en: 1. cumplimiento de una tarea; 2. intervención de aliados; 3. eliminación del oponente; 4. negociación; 5. ataque; y 6. satisfacción. Por su parte, los de degradación, también subyacentes en todo relato, se pueden subdividir en: 1. tropiezo; 2. creación de un deber; 3. sacrificio; 4. ataque soportado; y 5. castigo soportado.[33] Para cada una de esas opciones de mejoría o degradación se establecen subdivisiones adicionales y se parte de la premisa que la narración es una secuencia de acciones que se pueden adjudicar a personajes de manera definitiva.

Modelo de Bremond

(aplicado a "Caperucita Roja," según versión de Charles Perrault)

Personajes/actores	Procesos	Mejoría	Degradación
Caperucita	Cumplimiento de una tarea	x	
No aplica	Intervención de aliados	x	
No aplica	Eliminación del oponente	x	
No aplica	Negociación	x	
Objeto	Ataque	x	
Lobo	Satisfacción	x	
Caperucita	Tropiezo		x
Caperucita	Creación de un deber		x
Abuela	Sacrificio		x
Abuela y Caperucita	Ataque soportado		x
No ocurre al lobo, sino a Caperucita	Castigo soportado		x

---

[33] Nuestra exposición de las categorías de Bremond se ha nutrido de la explicación de Mieke Bal (30-31).

Por ende, la propuesta narratológica de Bremond se centra en la evaluación y en la clasificación de las transformaciones de los personajes principales de la narración y en la descripción de los acontecimientos que se asocian con los procesos de mejoría y degradación. La labor crítica consiste en la identificación de los personajes principales, en la categorización de sus acciones y en la evaluación de sus procesos de transformación. La narración, por ende, se concibe como el escenario en el cual los personajes experimentan el cambio que los hace mejores o peores.

Desde luego, dicha imagen de las narraciones supone una valoración de las transformaciones experimentadas y, muy bien, puede convertirse a su vez en objeto de estudio crítico. Preguntas tales como, ¿qué se asume como mejoría o degradación en un espacio-tiempo dado según las clasificaciones empleadas siguiendo este modelo?; ¿qué es considerado mejoría y degradación en una cultura dada?; ¿cómo se imponen criterios de mejoría y degradación de una cultura a otra?; y ¿qué implicaciones o estrategias de resistencia suscitan?, constituyen rutas de análisis ulterior a la dimensión descriptiva que propone Bremond. Cabe señalar, como ampliaremos más adelante, que los modelos narratológicos constituyen una herramienta valiosa para la tarea de identificación y descripción de los textos. Por consiguiente, en múltiples ocasiones se convierten en el punto de partida para interpretaciones de otras dimensiones de los textos culturales.

Por su parte, Barthes, en los inicios de su trayectoria crítica, desarrolla un modelo que estudia las narraciones a partir de tres elementos fundamentales: las funciones narrativas, las acciones y el discurso. Concibe una interrelación fundamental entre cada uno de esos niveles y considera que el método de estudio más cabal debe integrarlas. En un sentido básico, el teórico francés considera la literatura como una inmensa oración cuyas partes pueden identificarse tanto en su particularidad como en su interdependencia. Clasifica las unidades básicas de la narración entre funciones e indicios. Las funciones, a su vez, las divide entre núcleos o cardinales y catálisis. Los indicios, una menor unidad narrativa, son subdivididos entre indicios e informantes.

Esquema de funciones narrativas de Barthes

Funciones
>> Funciones Cardinales
>> Catálisis
Indicios
>> Indicios
>> Informantes

Para clasificar y seleccionar aún más los núcleos o funciones cardinales, Barthes propone dos criterios: cambio y elección. Por tanto, sólo serán funcionales aquellos acontecimientos que supongan un cambio o una elección entre dos posibilidades. Esta especificidad garantiza que las funciones en las que se centrará el análisis no serán excesivas y, a la vez, establece criterios adicionales para clasificar las acciones. Otra de sus múltiples aportaciones al campo de la narratología es su modelo de los códigos de análisis. De acuerdo con Barthes, toda ficción exhibe cinco tipos, a saber: código de las acciones, código hermenéutico, código cultural, código connotativo y código simbólico. En cada caso, la pesquisa se centra en una de las dimensiones del relato o en una combinación que sea pertinente a las preguntas postuladas al texto.

Por su parte, Genette propone un modelo que estudia las narraciones a partir de los elementos de la presentación (narración) y de la focalización (antiguamente denominada "punto de vista"), entre otros. Reformula aspectos previamente estudiados (ej. relación entre fábula e historia o "foco de narración") toda vez que plantea nuevas categorías para precisar otras relaciones o componentes del estudio narrativo. En su propuesta, la presentación o narración es estudiada a partir de relaciones binarias entre el agente que narra y los personajes. Una distinción primaria se establece cuando el narrador es, a su vez, un personaje (**homodiegético**) y cuando no es propiamente un personaje de la narración (**heterodiegético**). También se diferencia aquella narración hecha por un agente externo a la narración (**extradiegético**) o por uno o más personajes (**intradiegético**). Finalmente, se combinan esas posibilidades narrativas con los tipos de focalización: neutra (0), interna y externa. La focalización interna está a cargo de un personaje, la externa a cargo de un agente que no forma parte del espacio **diegético** y, finalmente, en la neutra coinciden narrador y focalizador (ej. narración en primera persona).

Tabla de situaciones narrativas de Genette
(aplicado a "Caperucita Roja," según versión de Charles Perrault)

Relación	Nivel	Focalización
Heterodiegética	extradiegético	0
"Caperucita Roja"	"Caperucita Roja"	
homodiegética	intradiegético	interna
		externa
		"Caperucita Roja"

Por otra parte, el tratamiento de Genette de la focalización es uno de los más abarcadores e innovadores del campo narratológico. Ese aspecto es analizado a partir de la interacción (relación) que existe entre el narrador o la narradora y el escenario narrativo. Tal diferenciación le permite distinguir los cambios de foco narrativo a través de las narraciones más complejas. Como puede apreciarse, este modelo, al igual que el de Barthes, facilita categorías que dividen el todo narrativo en sus partes para luego establecer relaciones entre los componentes de la narración.

Finalmente, Greimas elabora el modelo **actancial** en ánimo de llevar a sus máximas consecuencias la propuesta originaria de Propp. A su parecer, el modelo de las funciones y de sus tipologías todavía depende demasiado de la dimensión argumental. Por consiguiente, su meta fundamental ha sido elaborar una tipología lo más cernida posible del contenido de los textos. Para conseguirlo propone seis categorías, a saber: sujeto, objeto, oponente, dador, receptor y emisor. Esas categorías operan, entonces, en tres ejes binarios: del deseo (sujeto/objeto), del poder (dador/oponente) y de la transmisión (emisor/receptor) que permiten clasificar aún más detalladamente los elementos narrativos. Greimas advierte que los actantes no son necesariamente personajes y, en ocasiones, pueden concentrarse o diluirse en más de un personaje. Asimismo, define y diferencia tres tipos de actantes: ser antropomórfico, elemento inanimado y concepto A partir de tales tipologías, la crítica o el crítico debe identificar y agrupar los personajes, los acontecimientos y los elementos que contribuyen al desarrollo de la narración.

Modelo de actantes de Greimas

(aplicado a "Caperucita Roja," según versión de Charles Perrault)

Nombre o calificativo	Tipo	Cuándo y dónde aparece	Sujeto	Objeto	Emisor	Receptor	Dador	Oponente
Madre	A	Inicio Implícita			x			
Abuela	A	Final				x		
Caperucita	A	Inicio		x			x	
Lobo	A	Sec. en el bosque	x					x

En cualquier caso, tanto Bremond, como Barthes, Genette y Greimas formulan modelos para la descripción de las narraciones y la identificación de sus componentes. Bremond y Greimas atienden, especialmente, dimensiones de las estructuras narrativas profundas como secuela a las aportaciones originales de Propp, mientras que Barthes y Genette, entre otros, se interesan más en deslindar y pormenorizar cómo se cuentan los relatos. Las principales aportaciones de la narratología se han fraguado a partir de las consideraciones glosadas y continúan siendo desarrolladas en todos aquellos textos culturales que pueden ser considerados relatos hasta nuestros días. Por otro lado, sus planteamientos fundamentales han sido retomados, emplazados y reformulados por los Posestructuralismos como puede apreciarse en dicho capítulo de este Manual.

ASUNTOS DE INTERÉS GENERAL

Precisamente, uno de los asuntos primarios que ha sido abordado directa o indirectamente por los teóricos de la narración es la delimitación o el reconocimiento de su objeto de estudio. ¿Qué puede ser considerado una narración? Para los más celosos del canon literario, esta definición se limita a textos tales como cuentos y novelas, para los más culturalistas, narración es todo aquello que implica un relato, acontecimientos y transformaciones de los personajes. Por consiguiente, para los últimos el objeto de estudio puede incluir desde novelas, cartas y testimonios hasta cuñas publicitarias, discursos políticos, películas, vídeo juegos, *Internet* y *billboards*, entre muchos otros.

Por otra parte, los estructuralistas, narratólogos incluidos, acentúan la muerte del autor iniciada por la Nueva Crítica (ver capítulo *Formalismos*). En el contexto de sus análisis, la figura de quien escribe es desplazada por los elementos propiamente constitutivos del objeto cultural. El protagonismo del autor en la escena de la crítica tradicional ve su ocaso durante la efervescencia de los estructuralismos literarios (décadas del 60 al 70 del siglo XX). Al mismo tiempo, el énfasis en la esfera extra-textual (histórica y social) como textual (género o poética) pasa a un segundo plano. Dicho de otro modo, los análisis literarios tradicionales o las teorizaciones sobre la literatura que habían dominado la crítica hasta entonces son profundamente emplazados.

A propósito, la reformulación de la muerte del autor no será la única relación que exista entre los estructuralistas y los formalistas. Su particular atención y extrapolación de la lingüística al ámbito de la literatura y de la cultura será prominente. Igualmente, su concepción de la cultura y de la literatura como sistema de signos (al igual que el lenguaje) es otra de sus deudas con las lingüísticas estructuralistas. Por su parte, el concepto de focalización de Genette tiene claras filiaciones con el de "foco de narración" de los nuevos críticos Cleanth Brooks y Austin Warren. En definitiva, sus modelos basados en asociaciones, relaciones y oposiciones binarias mantienen una deuda con Lévi-Strauss y la **antropología estructural**.

Por otro lado, la narratología suele enfrascarse en debates sobre el arte de contar y su funcionalidad social, las tipologías y su conveniencia, a la vez que genera importantes discusiones sobre los posibles desarrollos analíticos que su escrutinio descriptivo viabiliza. En particular, MIEKE BAL (1946) ha insistido en su extraordinario potencial como método de identificación y descripción, y ha urgido a tomar los hallazgos de los estudios narratológicos como puntos de partida para interpretaciones ulteriores tomando en cuenta consideraciones de género, raza y clase, entre otras (17). De ese modo, el estudio de la narración enriquecerá, con su pormenor textual, otras pesquisas e interpretaciones culturales.

¿QUÉ ES "LITERATURA" SEGÚN LA NARRATOLOGÍA?

La literatura es, fundamentalmente, un sistema de signos que puede ser estudiado a partir de una descomposición de sus partes constitutivas para luego ser integradas a un análisis comprensivo. Específicamente, para los narratólogos la literatura es una expresión cultural que se articula a partir de estructuras narrativas profundas (ej. Propp, Bremond y Greimas) y que, a su vez, selecciona modos particulares de presentación y focalización de sus componentes (Barthes y Genette).

En otras palabras, la literatura es una forma organizada a partir de procesos de selección de entre un inventario de convenciones culturales. Dichos "entendidos" de la cultura surgen de la fijación **hegemónica** (ver capítulo *Teorías materialistas*) de relaciones arbitrarias entre los sujetos, los objetos y las palabras que los designan. Por ende, la literatura y la cultura pueden ser estudiadas, según la narratología: a) explorando la estructura profunda que subyace su contenido y argumentos; 2) identificando y describiendo sus componentes constitutivos; y c) analizando las implicaciones de las selecciones, las asociaciones y las oposiciones binarias con relación a la cultura de la que proceden y en la que se insertan, entre otras rutas posibles.

PREGUNTAS PARA HACER A LOS TEXTOS CULTURALES

- ¿Quién habla? ¿A quién habla? ¿Cuándo habla? ¿Dónde habla? ¿Cuánto sabe?

- ¿Quién ve? ¿Desde dónde ve? ¿Cuándo y cuánto ve?

- ¿Qué sucede o cuáles son los acontecimientos? ¿Cómo comienza y termina la historia? ¿Qué relación existe entre los acontecimientos, los comentarios y las descripciones?

- ¿Qué relación existe entre la fábula (eventos en orden cronológico) y la historia (eventos según ocurren en un texto dado)? ¿Qué relación existe entre el tiempo de los eventos y el tiempo que abarcan en la narración? ¿Con qué frecuencia ocurren los acontecimientos?

- ¿Qué actores participan y cuál es su función? ¿Qué transformación experimentan los personajes? ¿Cómo son descritos los actores? ¿Quién es la heroína y el héroe? ¿Quién es la o el protagonista?

- ¿Qué son funciones y qué son indicios? ¿Cuáles son las funciones narrativas fundamentales? ¿Qué elecciones ocurren? ¿Qué cambios ocurren? ¿Cuáles son sus implicaciones?

- ¿Qué tipo de narración se escoge y qué diferencias conlleva esa elección? ¿Cuándo se interrumpe la narración principal y se focaliza en un personaje de la narración? ¿Cuántos personajes participan de la narración? ¿Cuánto saben?

- ¿Qué tipo de oposiciones binarias estructuran la narración? ¿Qué valoraciones implican? ¿Qué relaciones establece con criterios de clase, género, raza, sexualidad y etnia, entre otras? ¿Perpetúan o resisten patrones hegemónicos de dominación y subordinación?

- ¿Qué asociaciones presenta el texto? ¿Cómo se relacionan con otros elementos de la cultura de un momento dado?

FIGURAS SOBRESALIENTES

- MIEKE BAL
- ROLAND BARTHES
- WAYNE BOOTH
- CLAUDE BREMOND
- JONATHAN CULLER
- GÉRARD GENETTE
- ALGIRDAS J. GREIMAS

- SUSAN LANSER
- CLAUDE LÉVI-STRAUSS
- CHARLES SANDERS PEIRCE
- VLADIMIR PROPP
- FERDINAND DE SAUSSURE
- TZVETAN TODOROV

BORRADOR DE ANÁLISIS

Texto: novela *Caperucita en Manhattan* de Carmen Martín Gaite[34]

Dado que llevar a cabo un análisis narratológico supone la selección de un modelo o de algún ángulo de los reseñados, este ejercicio se dedica al estudio de las actrices principales de la novela *Caperucita en Manhattan*, sus funciones (¿cómo se pueden clasificar los personajes femeninos a partir de las tipologías de Propp?) y las implicaciones socio-culturales que suponen su variación o inversión de la "Caperucita Roja" de Perrault (¿cuáles son las implicaciones de acuerdo con los códigos culturales al uso?). Los actores o las actrices son conocidos convencionalmente como personajes, pero la narratología los analiza a partir de sus acciones y de los acontecimientos en los que participan; de ahí las nomenclaturas que manejan (*dramatis personae* para Propp, actores o actrices para Bal y actantes para Greimas). A partir de su estudio, demostramos cómo la versión de Carmen Martín Gaite problematiza las categorías binarias de héroe-villano implícitas en el modelo de funciones de Propp, toda vez que desarrolla subjetividades de mujer emergentes que propician modelos de socialización alternativos.

En la Caperucita de Martín Gaite, Sara Allen —una niña que vive en Brooklyn— aprovecha la ausencia de sus padres para hacer un viaje a donde vive su abuela Rebeca. Para llegar a Morningside, Sara recorre el Parque Central y se encuentra con Miss Lunatic, una mujer maravillosa que no aparece en el cuento de Perrault, y con Mr. Woolf, un rico empresario que tiene una pastelería gigantesca y está muy triste porque sus tartas de fresa han perdido popularidad. Miss Lunatic alienta el viaje en solitario de Sara y su conquista del miedo y de la libertad, mientras que el "lobo" termina siendo asistido por la niña del "bosque" en lugar de convertirse en el villano depredador.

Tal como lo concibe Propp, esta narración exhibe la mayoría de las funciones de los cuentos populares (I, II, III, VIIIa, IX, X, XI, XII, XIII, XIV, XV, XVI, XVII, XIX, XXV, XXVI, XXVII y XXIX). Sin embargo, son más elocuentes aún las funciones que varía o invierte respecto al clásico.

---

[34] Martín Gaite, Carmen. *Caperucita en Manhattan* (Madrid: Siruela, 1992).

Transforma todas aquellas que implican el binomio héroe-villano (IV, VI y VII). Al mismo tiempo, le otorga rasgos de heroísmo a la asistente de la heroína (XXIII, XXVII y XXIX). En *Caperucitta en Manhattan*, Miss Lunatic comparte elementos de heroísmo con Sara Alenn. Por su parte, Mr. Woolf, lejos de ser el lobo que asedia, engaña y se come a sus víctimas, se convierte en el receptor del cariño de Sara y Rebeca, a la vez que en su donante de sueños. Rebeca y Mr. Woolf se enamoran, mientras que Sara logra el viaje deseado y la libertad ansiada. Por su parte, Miss Lunatic se transfigura ante Sara y le revela que es Madame Bartholdi o la estatua de la libertad, uno de los hechos que le otorga rasgos heroicos.[35]

A más de las variaciones indicadas, se invierten las funciones que, una vez más, plantean la maldad, el fracaso o el castigo del villano. Mr. Woolf no le causa daño a Sara, no es vencido ni castigado (VIII, XVII y XXX). Asimismo, se subvierten completamente las funciones XX y XXXI ya que Sara no regresa a su casa, al menos en el nivel diegético, no se casa ni asciende al trono. Por el contrario, cultiva la soledad y asume un viaje a la libertad que no tiene retorno. Sara, o la Caperucita de Carmen Martín Gaite es la heroína de la libertad y no se subordina a ninguna de las expectativas sociales para una niña de su edad (10 años recién cumplidos). ¿Qué implicaciones culturales tienen los cambios que *Caperucita en Manhattan* introduce al cuento de Perrault?

A excepción de Vivian Allen (madre de Sara) y de su amiga (Sra. Taylor), en esta versión las actrices principales —Sara, Rebeca y Miss Lunatic— son alternativas a los roles hegemónicos y proponen una vida libre de ataduras sociales y comprometida con los problemas del entorno neoyorquino.[36] Mientras Vivian Allen reproduce a la perfección el rol de ama de casa y esposa, y rechaza las figuras de Sara y Rebeca pues parece que siempre están "pensando en otra cosa" (33), la niña se resiste a ser como su madre. Disfruta la lectura y busca la aventura y la libertad, asumiendo la soledad con regocijo ("Sara tenía que quedarse a solas para conocer la atracción del impulso, la alegría de la decisión y el temor del acontecer. Venciendo el miedo que le quedara, conquistaría la Libertad" [158]).

---

[35] También se eliden las funciones XXI, XXII, XXIV y XXVIII.
[36] La Sra. Taylor aconseja a Vivian Allen que lleve a Sara a un siquiatra, como secuela de los contenidos que ella recibe, a su vez, de los consultorios sentimentales televisivos (33, 45).

Rebeca Allen, por su parte, vive sola en Morningside, ha estado casada varias veces, fue actriz en el Music Hall, sabe contar historias muy bien y le aburre la cocina (Martín Gaite 68). Esta figura, con algunas resonancias de las artistas de Broadway, se convierte en la inspiración y en el objeto de emulación de la heroína. El encuentro en solitario con su abuela es el móvil principal de su viaje.

Pero es Miss Lunatic (Madame Bartholdi y "la estatua de la libertad") la subjetividad que imita, finalmente, Sara Allen. En este personaje femenino —tipología de la hada de los cuentos—, Martín Gaite condensa la postura escapista con la inserción en los problemas sociales. Esta anciana misteriosa, vestida de mendiga, se dedica a hacer el bien a los demás con capacidades y poderes sobrenaturales.

En definitiva, *Caperucita en Manhattan* es un ejemplo de las posibilidades de liberación y subversión del género infantil. El estudio de su re-escritura del cuento clásico a partir de un modelo narratológico ha permitido rastrear las variaciones o inversiones de algunas funciones narrativas que denotan una propuesta de género liberadora. A través de la representación de mujeres emergentes que superan o invierten las funciones de Propp o que problematizan el binomio héroe-villano hegemónico, Martín Gaite contribuye con este proceso de transformación, y coincide con iniciativas que promueven perfiles y roles de mujer alternativos. En lugar de advertir sobre los peligros del bosque y fomentar la reclusión de la mujer al espacio doméstico, *Caperucita en Manhattan* invita a la conquista de la libertad por medio de la superación del miedo y de las prohibiciones sociales que sólo persiguen limitar y aislar en soledad.

Este breve ejercicio ha demostrado varios asuntos que se han discutido en este capítulo, tales como: (1) que los textos literarios son productos culturales que tienen una relación particular con el lenguaje, determinada por el modo en que, tras sus contenidos explícitos, orquestan una estructura de signos reconocibles en las culturas de donde emerge; (2) que si se logran identificar y describir dichos signos (la "estructura profunda"), pueden hacerse análisis ulteriores respecto a sus implicaciones sociales; y (3) que las diferentes tipologías estructuralistas y narratológicas, al contrario de las pretensiones de muchas de ellas, no necesariamente aplican universalmente a través de todas las culturas y los momentos históricos (es decir, que los modelos estudiados en este capítulo son en sí mismos invenciones atadas a un contexto específico, en vez de, como podría parecer, abstracciones desligadas de cualquier realidad) y que, por lo tanto, es preciso estar atent@s a dichas suposiciones a la hora de analizar cualquier texto cultural.

$\rightarrow$

EJERCICIOS PARA ESTUDIANTES

Fase: Exploración

1. Escribe una descripción detallada de tu habitación. Compara tu habitación con cualquier otra de la casa o con otra que hayas visto. Asegúrate de establecer semejanzas y diferencias.

→ 2. Entrevista a algún integrante de tu familia inmediata o extendida. La entrevista debe estructurarse según se detalla a continuación (puedes añadir preguntas adicionales):

→   a. Narra uno de los momentos más importantes de tu vida. ¿Por qué lo consideras más significativo que otros?; ¿cuándo y dónde ocurrió?; ¿qué personas participaron en el evento?; ¿cuánto duró?

    b. Redacta una narración a partir de la entrevista.

3. Escribe una autobiografía. Narra, por lo menos, tres de los momentos más felices de tu vida y tres de los más difíciles. Puedes utilizar el
→ formato de la entrevista previa para redactar tu autobiografía.

4. Mini-investigación

    a. Investiga sobre estructuralismo, narración, narratología, diegético, referente, binomio, actante, Propp, Barthes, Genette y Greimas, entre otros.

    b. Investiga sobre Generación del Medio Siglo, Carmen Martín Gaite y la España del siglo XX, en especial sobre la situación de las mujeres.

5. Inventario de conocimiento previo

    a. ¿Qué conceptos, ideas o imágenes te sugiere la palabra "estructura"?

    b. Escribe el opuesto o el antónimo de las siguientes palabras:

        i.   Bajo/

        ii.   Flaco/

iii.   Blanco/
iv.   Paz/
→   v.   Dentro/
c. Escribe otras combinaciones antónimas que se te ocurran.
→   d. Explica oralmente ¿qué asociaciones haces cuando ves
imágenes de las siguientes cosas?: paloma, calavera, crucifijo,
→   corazón y camión de carga, entre otros.

Fase: Conceptualización

→ 1. Investiga los conceptos destacados en este capítulo y todos
aquellos que te sean desconocidos.

2. Compara los formalistas rusos con los estructuralistas. Establece
semejanzas y diferencias.

3. Aplica uno de los modelos estudiados en este capítulo al análisis
→ de un texto del semestre.

4. Presenta oralmente la narración resultante de tu entrevista. Explica
cómo podría ser estudiada narratológicamente.

→ 5. Compara los modelos narratológicos estudiados en este capítulo. En
especial, compara el modelo de Greimas y el de Bremond utilizando
como textos primarios el cuento "Caperucita Roja" de Perrault y la
versión de Carmen Martín Gaite. Escribe un ensayo explicando el
porqué o las implicaciones de las diferencias.

6. Debate sobre los modelos estudiados en este capítulo (Propp,
→ Bremond, Barthes, Greimas y Genette). Destaca ventajas y desventajas
de su aplicación para el análisis literario y de otros textos culturales.

7. Investiga uno de los narratólogos estudiados y muestra otras
dimensiones de sus propuestas para el estudio de la narración.
→ Escribe un ensayo breve con los resultados.

Fase: Aplicación

1. Elabora una estructura narrativa de un texto particular a partir de
una selección de las funciones de Propp y describe brevemente los

→ acontecimientos asociados a cada una. Este ejercicio debe hacerse en el orden cronológico de los acontecimientos.

2. Redacta una narración a partir de las funciones seleccionadas
→ y de los acontecimientos descritos. Asegúrate que la secuencia, el tiempo, el espacio, los actores y, en definitiva, los aspectos de la narración se organizan de un modo distinto al cronológico según los
→ efectos deseados en el lector o el plan creativo que deseas articular.

3. Lee y reacciona oralmente a los cuentos de tus compañeros. Toma
→ nota de las versiones de cada estudiante. Puede ser de uno o de varios.

4. Redacta un ensayo breve (2-3 páginas) en el que contestes la
→ siguiente pregunta: ¿Qué implicaciones socio-culturales tienen las
→ versiones seleccionadas del cuento de Caperucita?

5. Aplica el modelo de Greimas y de Bremond a una telenovela popular en el momento. Presenta oralmente los resultados de la aplicación.

6. Analiza los anuncios televisivos en un periodo de tiempo del día en función de las oposiciones binarias que utilizan. Asegúrate de utilizar, por lo menos, tres anuncios como fuentes primarias.

7. Aplica el modelo de Genette para describir una narración.

8. Identifica los elementos que pueden ser estudiados en un texto para aplicar los cinco códigos planteados por Barthes.

POSESTRUCTURALISMOS Y DECONSTRUCCIÓN

[…] all writing is itself this special voice, consisting of several indiscernible voices, and […] literature is precisely the invention of this voice, to which we cannot assign a specific origin: literature is that neuter, that composite, that oblique into which every subject escapes, the trap where all identity is lost, beginning with the very identity of the body that writes. (Roland Barthes)[37]

The space of literature is not only that of an instituted fiction but also a fictive institution which in principle allows one to say everything. To say everything is no doubt to gather, by translating, all figures into one another, to totalize by formalizing, but to say everything is also to break out of [franchir] prohibitions. To affranchise oneself [s'affranchir] —in every field where law can lay down the law. The law of literature tends, in principle, to defy or lift the law. It therefore allows one to think the essence of the law in the experience of this 'everything to say.' It is an institution which tends to overflow the institution. (Jacques Derrida) [38]

---

[37] Traducción: "[…] toda escritura es esta voz especial, que consiste de varias voces indiscernibles […] la literatura es precisamente la invención de esta voz, a la cual no podemos asignarle un origen específico: la literatura es ese neutro, esa composición, ese oblicuo hacia el cual todo sujeto escapa, la trampa donde toda identidad se pierde, empezando con la propia identidad del cuerpo que escribe."

[38] Traducción: "El espacio de la literatura no es solamente el de una ficción instituida pero también el de una institución ficticia que en principio le permite a una decir todo/cualquier cosa. Decir todo es sin duda colectar, traduciendo, todas las figuras entre sí, es totalizar, formalizando, pero decir todo es también franquear las prohibiciones. Es liberarse a una misma —en todo campo donde la ley establezca ley. La ley de la literatura tiende, en principio, a retar o levantar la ley. [La literatura] permite a una, pues, pensar la esencia de la ley en la experiencia de este "todo por decir." Es [la literatura] una institución que tiende a desbordar la institución."

The most familiar notion of truth is the idea that what we say corresponds to the actual state of affairs. But how, independent of the signifier [or of language], can we ascertain the state affairs itself? If different languages divide the world up differently, and if different cultures lay claim to distinct beliefs, what, apart from habit, makes 'ours' more true than 'theirs'?
(Catherine Belsey)[39]

EXPLORA LO QUE SABES...

Selecciona un espacio en el salón. Cada estudiante debe escribir una descripción de ese espacio en 2-3 oraciones. Compartan oralmente las descripciones del grupo. Haz un análisis cuidadoso de los elementos característicos en las descripciones. ¿Qué elementos cambian? Compara las palabras que usa cada estudiante para su descripción. ¿Cuántas versiones hay sobre el espacio seleccionado?

SITUACIONES

Una mañana, al llegar a la escuela, salen a tu encuentro algunos de tus amigos para contarte sobre una discusión entre dos compañeros de clase; llamémoslos Matías y Andrés. Con todo detalle, te explican que la discusión empezó porque Andrés fue acusado de copiarse un trabajo de Matías quien, a su vez, había copiado varios elementos de su trabajo de un escritor anónimo que había encontrado en el internet. Al salir del salón,

---

[39] Traducción: "[...] si la fuente de nuestra percepción de las diferencias es la práctica de crear significados, no las cosas en el mundo, no hay garantía de que nuestra versión del mundo organice las cosas adecuadamente.

Andrés le pidió cuentas a Matías porque pensaba que había inventado la historia para perjudicarlo ante el maestro. Matías negaba rotundamente esa idea de los hechos y alegaba que si el trabajo de Andrés parecía copiado del suyo, entonces debía ser porque era cierto y Andrés se había copiado sin Matías percatarse.

Eres amiga tanto de Andrés como de Matías y te parece igualmente inverosímil que Andrés se copie algún trabajo o que Matías sea cómplice de semejante asunto. Decides entonces pedir más explicaciones de la discusión. Cuando le preguntas a otros compañeros de clase, te cuentan que la discusión no fue así, que más bien lo que ocurrió fue que Matías fue acusado de copiarse de Andrés y que este último le pedía cuentas a aquel por semejante acción. Incluso otras compañeras te miran perplejas porque la discusión no tuvo nada que ver con copiarse un trabajo de la escuela ni mucho menos, sino con duplicar un juego virtual que Andrés había diseñado en su computadora y ahora Matías lo mostraba a todo el mundo como suyo. Al final, terminas tu pesquisa confundida entre tantas versiones de un mismo evento, y te sientes incapaz de aclarar cuál es la verdad al respecto.

Las teorías posestructuralistas, llamadas así por muchos dada su íntima conexión —como veremos, tanto de continuidad como de ruptura— con los estructuralismos y por su advenimiento histórico (1960s-1970s) después del auge de los últimos, se interesan precisamente por preguntas, entre otras, como las que genera la situación que acabamos de describir: ¿existe una sola verdad?; ¿cómo se construyen los significados?; ¿cómo opera el lenguaje y qué relación tiene con el sujeto y con el mundo circundante?; ¿cuál es el estatus de las diversas versiones o interpretaciones de un hecho o de un texto?; si lo que observamos en el mundo es lo mismo para todo el mundo, ¿cómo es posible que se produzcan diferentes y, a veces, opuestas, versiones sobre un mismo asunto?; ¿qué factores están envueltos en la elaboración de una interpretación?; ¿cómo se constituye una u otra?; ¿existe "un original," puro e incontaminado?; ¿existe un texto que no tenga ni un solo rastro de otros textos?; ¿por qué la noción de "original" parece tener en nuestras culturas una posición privilegiada con respecto a la noción de "copia"? En palabras de Catherine Belsey;

Poststructuralism names a theory, or a group of theories, concerning the relationship between human beings, the world, and the practice of making and reproducing meanings. On the one hand, poststructuralists affirm, consciousness is not the origin of the language we speak and the images we recognize, so much as the product of the meanings we learn and reproduce. On the other hand, communication changes all the time, with or without intervention from us, and we can choose to intervene with a view to altering the meanings —which is to say the norms and values— our culture takes for granted. (5)[40]

En primer lugar, hay que destacar que las teorías que estudiamos en este capítulo no constituyen una totalidad manifestada en un movimiento definido de un grupo de pensador@s. Al contrario, dentro de estas teorías se aglutinan perspectivas muy diversas y, en muchos casos, completamente contrarias. Más aún, y de modo por demás consistente con una de las aportaciones principales de estas teorías, hay varias maneras en que se puede trazar la genealogía de los "posestructuralismos."

Las principales figuras que se asocian con estas teorías son filósofos, lo cual implica que muchas tendencias posestructuralistas entablan una profunda relación con las tradiciones filosóficas de Occidente, especialmente en lo que respecta a debates **metafísicos** y **fenomenológicos**. Asimismo, algunas de las vertientes posestructuralistas pueden relacionarse con los movimientos sociales de los 60 y sus consecuencias, especialmente en Francia. Por otra parte, las teorías posestructuralistas han sido empleadas de modos muy fructíferos en combinación con otras teorías, tales como las marxistas, feministas, las queer, las de razas y etnias y las poscoloniales, entre otras (ver capítulos correspondientes).

Para propósitos de este capítulo, no obstante, nos concentraremos en aspectos muy específicos —principalmente relacionados con debates

---

[40] Traducción: "El posestructuralismo nombra una teoría, o un grupo de teorías, concernidas con la relación entre los seres humanos, el mundo, y la práctica de hacer y reproducir significados. Por una parte, los posestructuralistas afirman que la conciencia no es el origen del lenguaje que hablamos y de las imágenes que reconocemos, sino el producto de los significados que aprendemos y reproducimos. Por otra parte, la comunicación cambia todo el tiempo, con o sin nuestra intervención, y podemos escoger intervenir con el propósito de alterar los significados —lo cual quiere decir las normas y valores— que nuestra cultura da por sentadas."

sobre el lenguaje y su relación con los sujetos, asuntos que nos ayudan a interpretar de modos diferentes la literatura y otros textos culturales– que luego puedes combinar con otros de tu interés. El enfoque de este capítulo será sobre una de las modalidades más conocidas de las teorías posestructuralistas, la llamada **deconstrucción** asociada con el filósofo algeriano JACQUES DERRIDA (1930-2004). No obstante, hay múltiples tendencias posestructuralistas, entre las que destacan una versión de la **semiología**, prácticamente sinónimo de la semiótica, asociada principalmente con ROLAND BARTHES (1915-1980) y lo que algun@s críticos llaman **análisis del discurso**, asociado primordialmente con MICHEL FOUCAULT (1926-1984).

TENDENCIAS, DEBATES, CONCEPTOS Y FIGURAS

Antes de entrar de lleno en algunos aspectos del trabajo de Derrida y de la deconstrucción, merece la pena glosar brevemente algunas de las aportaciones de Barthes y de Foucault. El primero, como hemos dicho, se interesó por la semiología –el estudio de los signos– y llevó a cabo dicho análisis de modos fascinantes a propósito de las "mitologías" (ver su libro *Mythologies*) de nuestras culturas que, según su argumento, tienen la función de "naturalizar" la historia. En pocas palabras, lo que ello significa es que la cultura recurre a una serie de signos que, empleados en combinaciones particulares, hacen parecer como "inevitable" e "incuestionable" algo que es construido históricamente y que, por lo tanto, no tiene nada de "natural." Puedes pensar en los muchos anuncios televisivos que colocan figuras femeninas sonrientes,

CONCEPTOS

metafísico / metafísica
fenomenológico / fenomenología
deconstrucción
semiología
análisis del discurso
discurso
genealogía
poder
ideología
gobernabilidad
mecanismos disciplinarios
différance
desnaturaliza / desnaturalizar
undecidability
metafísica de la presencia
logocentrismo
fonocentrismo
significante transcendental
estructura binaria
supplément
esencialista
aporía
polisémico / polisemia

perfectamente maquilladas y elegantemente vestidas con colores que asociamos con "alegría," usando productos de limpieza o accesorios de cocina. La combinación de signos en esos anuncios naturaliza el trabajo doméstico como área exclusiva de las mujeres (y, de paso, ¡nos hace creer que a todas las mujeres les gusta pasarse los días limpiando y cocinando!), cuando en realidad esa visión es "creada históricamente" por el sistema capitalista-patriarcal (ver capítulo *Feminismos*).

Pero quizá lo más importante a tener en cuenta para propósitos de este capítulo, es que Barthes es descrito como la "figura puente" entre las inquietudes del estructuralismo y las del posestructuralismo. En el capítulo *Estructuralismos*, vimos que Barthes tuvo su parte en la creación de tipologías para el estudio de la literatura. En este capítulo nos interesa, más bien, la sospecha que más tarde en su carrera mostró por el afán estructuralista de encontrar la "estructura profunda" que subyace tras todo texto. Como adelantamos en el capítulo previo, en el ensayo "La muerte del Autor," el teórico francés insistió, polémicamente, que para que naciera el lector, debía morir el Autor.[41] ¿Qué quiso decir con semejante declaración? Principalmente, que era preciso desplazar la noción del Autor-genio que poseía *a priori* los contenidos y significados de los textos y al que había que recurrir en busca de la clave que solucionara cualquier "misterio" textual. El afán crítico por leer a través del texto para encontrar tras de él —en la biografía del autor, en muchos casos— su significado, estaba equivocado. En vez de tratar el texto como una cortina que muestra apariencias frente a sí y tras de la cual se supone una encontrará su verdad, se debe tratar como un espacio que contiene una multiplicidad de significados en tensión entre sí: "the space of the writing is to be traversed, not penetrated," escribe Barthes. La "fuente" de la literatura es el lenguaje en sí mismo, en vez de un genio —en la figuración-caricatura asociada con el Romanticismo— que, por sus pasiones, sus peculiaridades, o su "locura" es capaz de transmitir ideas absolutamente nuevas y para las que sólo usó el lenguaje como una "herramienta" (ya veremos con más detalle estos asuntos):

---

[41] Observa el empleo de la "A" mayúscula en la palabra "Autor." Con esto, Barthes persigue denotar que se está refiriendo a la posición estructural (y, por lo tanto, impersonal) de la figura que se piensa es la "fuente" de un texto. No se refiere a ningún "autor" (con "a" minúscula) particular (y, por lo tanto, personal). El ensayo completo de Barthes puede encontrarse en este enlace en traducción al inglés: http://www.ubu.com/aspen/aspen5and6/threeEssays.html#barthes.

Once the Author is gone, the claim to "decipher" a text becomes quite useless. To give an Author to a text is to impose upon that text a stop clause, to furnish it with a final signification, to close the writing. This conception perfectly suits criticism, which can then take as its major task the discovery of the Author (or his hypostases: society, history, the psyche, freedom) beneath the work: once the Author is discovered, the text is "explained:" the critic has conquered; hence it is scarcely surprising not only that, historically, the reign of the Author should also have been that of the Critic, but that criticism (even "new criticism") should be overthrown along with the Author.[42]

Entre los múltiples textos de Barthes, usualmente se considera *S/Z* el "punto de inflexión" en su pensamiento hacia preocupaciones asociadas con el posestructuralismo. En ese libro, argumentó contra el deseo estructuralista de someter todas las historias del mundo a una sola estructura común. Ese afán, tenía como inevitable resultado la negación de la fundamental diferencia entre los textos. Es importante que mantengas en mente la palabra "diferencia," pues es probablemente la preocupación central, como veremos más específicamente, de las teorías posestructuralistas.

Por otro lado, esbocemos ahora algunos de los aspectos más importantes para propósitos de este capítulo del trabajo de Michel Foucault, a quien se ha mencionado en el contexto de otros capítulos precisamente por la variedad de asuntos considerados en su trabajo. Con este filósofo, se asocia una modalidad crítica que analiza los discursos. Pero el concepto "discurso" fue desarrollado por Foucault de manera muy peculiar, de modo que no es exactamente sinónimo de nuestros usos más habituales, como el que ejemplifica la siguiente pregunta: "¿Recuerdas el discurso que dio Pedro Rosselló cuando dijo, 'Frankly, my dear, I don't

---

[42] Traducción: "Una vez nos deshacemos del Autor, el proyecto de "descifrar" un texto se vuelve inútil Proveerle un Autor a un texto es detenerlo, proporcionarle un significado final, clausurar la escritura. Esta concepción se ajusta perfectamente a la crítica, que imagina como su tarea principal el descubrimiento del Autor (ó de ideas relacionadas: la sociedad, la historia, la psique, la libertad) por debajo de la obra: una vez el Autor se descubre, el texto se "explica:" el crítico ha conquistador; por tanto, no es sorprendente ni que, históricamente, el reino del Autor haya sido también el del Crítico, ni que la crítica (incluso la "nueva crítica") deba ser derrocada junto al Autor."

give a damn!'?" Para Foucault, un discurso se refiere a un conjunto de alegatos de conocimiento, de "expertise." En otras palabras, un discurso es una serie de supuestos que actúan de modo interconectado para que un tipo de "saber" sea posible. En ese sentido hay "discurso médico," "discurso sicoanalítico," "discurso legal," "discurso antropológico," y así sucesivamente con respecto a las disciplinas y áreas del saber humano.

Los discursos no son, argumenta Foucault, constelaciones inocentes; al contrario, están marcados por relaciones de poder. El conocimiento está íntimamente ligado con el poder. Los discursos, entre otras cosas, siempre dependen de un sistema de relaciones sociales que sostiene a ciertos sectores privilegiados y a otros oprimidos. Igualmente, los discursos implican que hay quienes "lo poseen" y quienes no. A propósito del análisis del discurso, Foucault generó también una manera distinta de hacer historia, a la que llamó, siguiendo al filósofo alemán Friedrich Nietzsche, **genealogía**.

En el primer y quizá más conocido volumen de *Historia de la sexualidad*, Foucault insistió en una noción de **poder** radicalmente distinta a la tradicional. Para el filósofo francés el poder no es (o no es solamente), represivo; es decir, no opera solamente en términos de negación ("No harás esto o aquello") y de violencia física explícita. Más bien, el poder es creativo, productivo y es, además, muy difuso. No está contenido en una sola institución o persona, ni se manifiesta tampoco en un objeto concreto. En sus versiones productivas, el poder crea toda una serie de deseos y de ilusiones que nos sentimos compelidos a querer satisfacer. Ello logra que (y esto es en muchos sentidos equivalente a la noción de **ideología** de Althusser –ver capítulo *Teorías materialistas*) nos sometamos al poder por consentimiento (en vez de por coerción) y que dicha sumisión, no obstante, parezca ser un acto completamente voluntario. En consecuencia, Foucault se interesó mucho por los mecanismos de la **gobernabilidad** moderna para controlar las sociedades por medio de mecanismos de regulación y vigilancia, a los que llamó **mecanismos disciplinarios**). Pero Foucault, a su vez, insiste que dondequiera que haya poder, hay resistencia –una crítica muy frecuente a su trabajo es, sin embargo, que su descripción de esa resistencia no es muy clara o explícita.

Pongamos un ejemplo del poder como productivo. El poder ha creado el deseo, históricamente muy reciente, de ir al mall para comprar los artículos que han sido constituidos –también por el poder– como necesarios para vivir. "La conveniencia" del mall es que promete proveer "de todo" en un mismo sitio. ¿Habrá formulación más clara de dicha promesa que el lema de Plaza Las Américas en San Juan, "el centro de todo," que contiene, al menos, dos significados: un lugar donde se consigue "de todo" y El centro, lo más importante, de la sociedad en pleno, de "todo"? Si piensas con atención en la estructura física del mall, de inmediato puedes percatarte que es un espacio de vigilancia y control —con todo su aparato policíaco y tecnológico (cámaras de seguridad en todas las esquinas, por ejemplo). Pero nadie va al mall persuadido de que ha sido violentamente obligado a hacerlo; si así fuera probablemente no iríamos. Más bien al contrario, muchas personas imaginan el mall como un lugar de esparcimiento y de relajación, un lugar para "despejar la mente," al que asistimos de manera completamente libre y voluntaria.

Asimismo, puedes pensar en que nadie va al mall, por ejemplo, con la expectativa de montar en sus pasillos una pieza de teatro-seguramente serían detenidos de inmediato. El arresto se produciría, muy probablemente, por la acusación de los propios compradores que caminan por los pasillos, quienes ya han sido persuadidos por el poder que semejante acto va en contra de las leyes establecidas y que, probablemente, los que así lo hagan tienen alguna agenda "peligrosa." Las cámaras de seguridad proveerían la evidencia que faltaría para que el discurso legal le radicara cargos a los individuos en cuestión...

Pasemos ahora a una de las modalidades más comunes y reconocidas de las teorías posestructuralistas, la llamada deconstrucción, asociada, como dijimos, con Jacques Derrida. Nos concentraremos en las aportaciones imprescindibles de Derrida en lo que respecta al lenguaje y a los textos. El filósofo algeriano toma como punto de partida la idea estructuralista de que los signos, dentro del sistema del lenguaje, sólo tienen significado para nosotros tanto en cuanto son distintos de otros signos; es decir que el significado existe en función de su diferencia con respecto a otros significados. Pero, como recordarás por el capítulo *Estructuralismos*, los teóricos de aquellas teorías insistían, a la vez, en que el lenguaje era un sistema cerrado y comprensible para los seres humanos. Derrida argumenta, por el contrario, que si el significado se basa en la diferencia, no es posible que el lenguaje sea un sistema cerrado, sino más bien siempre abierto a más y más diferencias. Pongamos un

ejemplo: sabemos lo que significa "casa" porque es diferente de "masa."
Pero "masa" también es diferente de "caja" y "caja" de "tarja" y "tarja"
de "zanja" y así sucesivamente en una cadena de diferencias que no
tiene fin.

Este argumento es fundamental para las teorías posestructuralistas
y tiene varias implicaciones. La primera es que el significado está siempre
en relación con otros significados y, por tanto, no es absolutamente igual
a sí mismo ni mucho menos definitivo e inmutable. En otras palabras, el
lenguaje es relacional, en vez de referencial como argumentaban los
estructuralistas. A propósito de esta implicación, Derrida inventa el término
en francés, **différance**, que contiene, simultáneamente, los significados de
las palabras *différence* y *différer*: "diferencia" y "posposición," "retraso,"
o "aplazamiento." Con ello Derrida persigue describir la cualidad del
significado en el lenguaje de basarse en la diferencia, pero también de
estar siempre pospuesto, diferido o aplazado. Cuando lees esta misma
oración, por ejemplo, la palabra "ejemplo" que acabas de leer sólo
adquiere su significado en este contexto específico de manera diferida
hasta que la oración te provea, en efecto, el ejemplo que te promete al
comienzo.

Otra implicación significativa del argumento de Derrida se
refiere a que el lenguaje es un sistema que opera independientemente de
nuestro empleo del mismo. Para las teorías posestructuralistas, el lenguaje
no es una herramienta que utilizamos (asunto que implica que existimos
previamente al lenguaje y luego decidimos conscientemente usarlo como
usamos un destornillador para construir un tablillero), o un mecanismo que
sencillamente refleja el mundo. Bertens lo describe del siguiente modo:
"Language never offers us direct contact with reality; it is not a transparent
medium, a window on the world. On the contrary, it always inserts itself
between us and the world –like a smudgy screen or a distorting lens"
(126).[43] Más bien, y como vimos en la cita de Belsey al comienzo de este
capítulo, el lenguaje es un sistema que nos constituye como sujetos y que
forma el mundo que nos circunda.

Además, contrario a nuestras suposiciones habituales, el lenguaje no es un sistema confiable. ¿Qué queremos decir con esto? Pongamos un ejemplo: ¿no has tenido alguna vez la sensación de querer decir algo y "no encontrar las palabras"? Ese es un momento extremo en el que el lenguaje "nos falla," en el cual se desnaturaliza como herramienta o como reflejo transparente de nuestros deseos. Pero aún en términos más banales, la situación expuesta al principio de este capítulo da parte de la capacidad del lenguaje para construir versiones diferentes, e incluso opuestas, de un mismo hecho; de modo que contar un cuento, hablar entre amigos, o incluso hacer una confesión no garantiza acceso absoluto a La Verdad sobre algo.

Eso no significa que todas las versiones imaginables de un evento tienen el mismo estatus; para generar ese juicio habría que considerar el contexto y las necesidades particulares del hecho en cuestión. Tampoco significa que cualquier interpretación "vale" y que debe aceptarse sencillamente porque es la tuya. Además de que semejante situación generaría una tiranía de opiniones en la cual yo puedo imponer la mía sencillamente porque es la mía y por ello es válida, es importante insistir en que el lenguaje no es un sistema absolutamente personal o privado. Para que el lenguaje exista como mecanismo de comunicación, los participantes necesariamente tienen que convenir y compartir (es decir, el lenguaje es impersonal y público) ciertas "reglas" o convenciones, aunque sean, como argumentó Saussure, arbitrarias. Si así no fuera, no sería un lenguaje porque no permitiría comunicación. Lo que significa la insistencia posestructuralista en que pueden existir múltiples interpretaciones de un texto o de un asunto y en que no hay Una sola Verdad absoluta, es que es preciso acoger, respetar y considerar la diversidad de interpretaciones (este punto, como veremos, tiene implicaciones significativas para el análisis de textos culturales) sin imponer autoritariamente la propia. En ciertos contextos posestructuralistas, como veremos, esta situación fundamental generada por el lenguaje es referida como la **imposibilidad de decisión absoluta (*undecidability* en inglés).**

---

[43] Traducción: "El lenguaje nunca nos ofrece contacto directo con la realidad; no es un medio transparente, ni una ventana hacia el mundo. Por el contrario, el lenguaje siempre se inserta entre nosotros y el mundo –como una pantalla borrosa o un lente que distorsiona."

Regresando a la situación del principio del capítulo, recordarás que nos invitaba a imaginar una situación en la que tratas de discernir la verdad respecto al altercado entre Matías y Andrés mediante entrevistas orales con otros compañeros de clase. Seguramente asumes que ese medio es mucho más confiable que si pidieras a tus compañeros que escribieran sus impresiones. Imaginas que teniéndolos de frente, aseguras por su voz y por su cuerpo la presencia que corresponde a la verdad de su versión de los hechos. Esa confianza en la combinación entre lenguaje y presencia, que Derrida rastrea en gran parte de la tradición filosófica occidental (a la que, a propósito de estos asuntos, describe como basada en una **metafísica de la presencia**), es lo que llama **logocentrismo**. Y, más específicamente, el privilegio de la oralidad en el binomio oralidad/escritura es lo que Derrida llama **fonocentrismo**. Mediante un análisis detallado principalmente en su libro *De la Grammatologie* (*Of Grammatology*), el filósofo demuestra que la oralidad es tan poco confiable como la escritura y que, de hecho, la oralidad es en sí misma un cierto tipo de escritura.

Una tercera consecuencia del argumento de Derrida esbozado antes es que no es posible alcanzar o descubrir un origen absoluto de cualquier signo. El filósofo algeriano llama **significante trascendental** a ese (afán de poseer un) centro o punto de referencia al que todo lo demás, en última instancia, se refiere y que, a su vez, logra estabilizar mediante significativas represiones la cadena interminable y siempre cambiante del lenguaje. Derrida considera que la mayor parte de la filosofía occidental se basa en dicha construcción, que en ciertos momentos fue Dios, en otros fue la Razón, en otros el Espíritu, e incluso para los propios estructuralistas, fue la **estructura profunda**. Derrida concede que ese afán es probablemente inevitable dada la imposibilidad de controlar el lenguaje, pero estima necesario ser conscientes de su existencia y de su carácter fundamentalmente ilusorio. Si, por ejemplo, el significante trascendental es Dios dentro de la tradición occidental judeo-cristiana, entonces se genera necesariamente una **estructura binaria** en la que las culturas que no toman a ese Dios como su significante trascendental tienden a ser automáticamente consideradas inferiores, "primitivas" o ignorantes.

Esta discusión sobre los binomios, que ya has estudiado en el capítulo *Estructuralismos*, nos lleva a otra aportación importante de Derrida en cuanto a reconsiderar los supuestos estructuralistas. El pensador insiste en que la creación de binomios no es sólo una estructura cognoscitiva común en nuestras culturas —asunto que el antropólogo estructural Claude

Lévi-Strauss ya había descrito como "esencial" del ser humano–, sino que tiene implicaciones políticas tanto en cuanto los binomios son siempre jerarquías. En general, el primer término en un binomio es considerado superior y mejor, mientras que el segundo es considerado inferior y peor. Ello ha justificado, a nivel ideológico, múltiples tipos de opresión en nuestro mundo: por ejemplo, hombre/mujer; blanco/negro; norte/sur; derecha/izquierda...

Pero Derrida va más allá cuando argumenta que dicha jerarquía no implica una oposición absoluta entre los términos, como se creyó hasta entonces, sino que más bien el elemento tomado como "superior" siempre requiere la existencia, por su diferencia, del tomado como "inferior" para mantener su poder. Por ejemplo, en el caso del binomio hombre/mujer, el hombre no podría definirse ni mantener su poder dentro del sistema patriarcal, si no construye como "otro" a la mujer, y tanto la definición del hombre como la justificación de su poder dependen de la existencia de aquella. De algún modo el concepto de hombre contiene dentro de sí rastros del concepto de mujer. ¿Cómo se entendería, por ejemplo, la fantasía de nuestras culturas de que "los hombres no deben llorar" sin la correspondiente idea de que son "las mujeres las que lloran"? Si no existiera el rastro (lo que Derrida llama en francés el **supplément**) de lo que se identifica con la mujer en lo que se identifica con el hombre, el significado de este último sería sencillamente imposible de concebir. Este ejercicio de *close reading* que acabamos de hacer para el binomio hombre/mujer constituye lo que Derrida nos exhorta a hacer con cualquier texto: a deconstruir las premisas binomiales fundamentales sobre los que se basa; y a mostrar la tensión entre lo central y lo marginal en los textos. Veremos más adelante y de modo más específico las implicaciones que este ejercicio tiene para el estudio de la literatura y de otros textos culturales. Probablemente ya debe resultarte obvio que quizá el foco principal de crítica de las teorías posestructuralistas es cualquier versión **esencialista** (este término se emplea en varios capítulos, a los que te referimos para ejemplos concretos) de los textos culturales o de las relaciones sociales. Algunas de las ideas de Derrida encontraron cálida recepción en los Estados Unidos en la "Yale School of Criticism." llamada así porque los principales exponentes eran profesores en esa universidad. Con esa escuela se asocian principalmente los nombres de PAUL DE MAN (1919– 1983), J. HILLIS MILLER (1928) y BARBARA JOHNSON (1947-2009) y los conceptos de **undecidability** y **aporía**.

Los debates generados por los Posestructuralismos han perdurado hasta entrado el siglo XXI. Podría decirse que los mismos han impactado, de un modo u otro, los desarrollos de otras teorías culturales, así como otros campos del saber como la historia, la antropología y la sociología por sólo mencionar algunos.

ASUNTOS DE INTERÉS GENERAL

Como hemos visto, las teorías posestructuralistas parten del reconocimiento estructuralista de que el significado sólo es posible por su diferencia con respecto a otros significados. Pero, en muchos sentidos, radicalizan esa idea insistiendo en que los seres humanos no podemos ser "dueñas y señoras" del lenguaje porque este, de hecho, nos precede y nos constituye (en vez de al revés). La confianza estructuralista en nuestra capacidad de conocer y contener el lenguaje mediante el descubrimiento de sus estructuras profundas es absolutamente emplazada.

Del mismo modo, las teorías posestructuralistas permiten una mayor diversidad de interpretaciones y demuestran que una sola verdad sobre cualquier cosa no puede existir. Ello implica que los textos literarios y culturales son espacios profundamente **polisémicos**, con múltiples niveles de diferencia, y que albergan una inmensa multiplicidad. Vistos así, los textos son liberados de ser sometidos a una sola interpretación y –en lo que respecta a la crítica estructuralista– a una estructura profunda que reduzca tanto sus diferencias internas como aquellas externas respecto a otros textos culturales. Esta perspectiva nos ayuda a resistir cualquier versión o narrativa que, de modo autoritario, pretenda imponerse sobre todas las demás. Más todavía, nos permite percibir que cualquier narración que pretenda existir como la única posible sólo puede hacerlo precisamente mediante una operación represiva y autoritaria.

Todo ello nos permite trasladar el énfasis crítico de la figura del "Autor" a la del lector; es en este último que reside la capacidad para deconstruir las suposiciones sobre las que se basa cualquier texto (ver capítulo *Teorías sobre el rol del/de la lector@*). Esta no es solamente una operación abstracta, aunque lo parezca. No está divorciada de consideraciones sociales y políticas. Al contrario, las teorías posestructuralistas, y sus modalidades semiológicas, deconstruccionistas y de análisis del discurso, nos permiten comprender la sociedad misma como un texto constituido por el lenguaje. Ello implica que las esferas sociales y políticas también están basadas en estructuras binomiales jerárquicas que es preciso deconstruir, en "mitologías" que hacen parecer como natural e inevitable aquello que es histórico, y en ejercicios de poder atados a ciertos discursos del conocimiento.

¿QUÉ ES "LITERATURA" SEGÚN LAS TEORÍAS POSESTRUCTURALISTAS Y LA DECONSTRUCCIÓN?

Para las teorías posestructuralistas la literatura es también, como vimos en el capítulo *Estructuralismos*, un conglomerado de signos. Pero según las perspectivas que hemos estudiado en este capítulo, dicha red de signos no está regida en última instancia por una estructura profunda común a todos los textos. Por el contrario, es una función del lenguaje, y como el lenguaje nos precede y nos constituye como sujetos, la literatura es necesariamente una esfera autónoma tanto con respecto a quien la escribe como al "mundo" propiamente dicho. Su interpretación no debe basarse en análisis biográficos del autor o, incluso, en consideraciones detalladas sobre el contexto del que emerge el texto (aunque sean importantes para ciertos propósitos), sino en el texto mismo.

Por otra parte, como todo texto cultural constituido por el lenguaje, la literatura está atravesada por formaciones binarias y de poder que deben deconstruirse. El ejercicio de deconstrucción se manifiesta, las más de las veces, como *close readings*, asunto que revela una deuda metodológica significativa con los formalismos y los estructuralismos (ver capítulos correspondientes). Lo que hace particular a algunos tipos de literatura (por ejemplo, las literaturas "vanguardistas") con respecto a otros textos culturales, es que muchas veces encontramos en ella un discurso explícitamente consciente del rol constitutivo del lenguaje y, por lo tanto, una exploración abierta sobre su carácter siempre cambiante.

Por último, la literatura es necesariamente intertextual, siempre habla y es hablada a través de la infinitud de textos culturales que circulan en nuestro imaginario. Por consiguiente, tanto la demanda de ser "original" como el privilegio y el prestigio que se le otorga a semejante pretensión, son profundamente cuestionados. Una de las implicaciones principales de la intertextualidad fundamental de la literatura es que nunca, al igual que el propio lenguaje, será un sistema "cerrado." Siempre hay posibilidades de encontrar más y más pistas, diferencias, contingencias, interpretaciones…

PREGUNTAS PARA HACER A LOS TEXTOS CULTURALES

- ¿Qué significados circulan en el texto a propósito de un signo en particular? ¿Qué relaciones tiene con otros signos?

- ¿Dónde pueden encontrarse ambigüedades respecto a ese signo o rastros de otros? ¿Qué tipo de información debe suprimirse constantemente para que el signo en cuestión adquiera significado y parezca "estable" y "natural"?

- ¿Cuáles son las formaciones binarias que sostienen el significado de ese signo? ¿Qué pasa si las exponemos y deconstruimos? ¿Cómo cambia el significado del signo y de todo el texto?

- ¿Qué asuntos se asumen como "intocables" en el texto? Es decir, ¿qué elementos se toman como verdades absolutas sobre las cuales se montan diversos significados? ¿Qué pasa con el resto del texto cuando esos asuntos se traen a la luz?

- ¿Qué mitologías reproduce el texto? ¿Sobre cuáles se basa? ¿Produce mitologías resistentes a las tradicionales? ¿Cuestiona explícitamente las mitologías dominantes? ¿Cómo?

- ¿Qué discursos circulan el texto? ¿Qué relación tienen con las representaciones de poder en el texto? ¿Qué instancias en el texto pueden desvelarse como producciones de poder? ¿Con respecto a cuáles personajes?

- ¿Hay efectos del poder que parecen inesperados? ¿Cómo se articulan resistencias respecto a esos efectos? ¿De qué signos se valen? ¿Cómo se relacionan con otros signos?

FIGURAS SOBRESALIENTES

- ROLAND BARTHES
- CATHERINE BELSEY
- HOMI BHABHA
- PIERRE BOURDIEU
- MICHEL DE CERTEAU
- HÉLÈNE CIXOUS
- JONATHAN CULLER
- JACQUES DERRIDA
- MICHEL FOUCAULT
- LUCE IRIGARAY

- BARBARA JOHNSON
- JULIA KRISTEVA
- JACQUES LACAN
- JEAN-FRANÇOIS LYOTARD
- PAUL DE MAN
- J. HILLIS MILLER
- AVITAL RONELL
- GAYATRI SPIVAK
- SLAVOJ ŽIŽEK

BORRADOR DE ANÁLISIS

Texto: novela *Sirena Selena vestida de pena*
de Mayra Santos Febres[44]

Para propósitos de este borrador de análisis, nos concentraremos en la primera sección de la reciente novela puertorriqueña Sirena Selena vestida de pena, que consiste del siguiente párrafo:

> Cáscara de coco, contento de jirimilla azul, por los dioses di, azucarada Selena, suculenta sirena de las playas alumbradas, bajo un spotlight confiésate lunática. Tú conoces los deseos desatados por las noches urbanas. Tú eres el recuerdo de remotos orgasmos reducidos a ensayos de recording. Tú y tus siete moños desalmados como un ave selenita, como ave fotoconductora de

---

[44] Santos Febres, Mayra. *Sirena Selena vestida de pena* (Barcelona: Mondadori, 2000).

electrodos insolentes. Eres quien eres, Sirena Selena…
y sales de tu luna de papel a cantar canciones viejas
de Lucy Favery, de Sylvia Rexach, de la Lupe sibarita,
vestida y adorada por los seguidores de tu rastro… (7)

Por medio de un *close reading*, procuraremos contestar las siguientes preguntas: ¿qué significados circulan en el texto a propósito de un signo en particular?; ¿qué relaciones tiene con otros signos?; ¿dónde pueden encontrarse ambigüedades respecto a ese signo o rastros de otros?; ¿qué tipo de información debe suprimirse constantemente para que el signo en cuestión adquiera significado y parezca "estable" y "natural"?

El fragmento revela de inmediato dos hablantes —signos— principales: la voz externa en segunda persona y "Selena." El signo "Selena" no habla por sí mismo; al contrario, la voz externa le exige que "diga" y que "confiese." Pero si miramos con atención esos dos signos ("di" y "confiésate"), podemos ver que son explícitamente construidos mediante lo que Derrida llamaría *différance*, pues su significado (el contenido que Selena "dirá" y "confesará") está diferido; no tenemos acceso a él —al menos no en este párrafo inicial. En cierto modo, su posposición nos provoca continuar leyendo en búsqueda de lo que el signo "Selena" "dirá" y "confesará." Es un proceso que, en términos generales, apunta a los mecanismos de significación en el lenguaje según hemos visto los describen las teorías posestructuralistas. A su vez, los contenidos aplazados respecto a "Selena" le añaden una cualidad "misteriosa," "incognoscible," al signo que, paradójicamente, es el más cargado de significación en este párrafo. Veamos.

A propósito de "Selena," circulan múltiples significados, entre los cuales pueden mencionarse los relacionados con frutas (coco), colores (azul), sabores (azucarada, suculenta), conocimientos de distinto tipo (conoces los deseos…, eres el recuerdo…), y animales (ave selenita, ave fotoconductora), entre otros. Si le seguimos la pista a algunos de esos signos relacionados con el signo "Selena," descubrimos lo siguiente: la palabra "selenita," que a primera vista parece simplemente un diminutivo de Selena, es, a más de eso y de acuerdo con el DRAE, un "supuesto habitante de la Luna," asunto que explica que Selena salga de su "luna de papel" y que también se asocie con el adjetivo "lunática" que le asigna la voz en segunda persona. Ese adjetivo, también, está marcado por su significado relacionado con la locura que, también, está asociada en algunas tradiciones de conocimiento con las fases de la luna. Al mismo tiempo, la referencia a un ave "fotoconductora de electrodos insolentes" puede referirse a un elemento químico cuyo nombre es similar al de Selena, el selenio. Según el DRAE, el selenio es un "metaloide de color pardo rojizo y brillo metálico, que químicamente se asemeja al azufre y, por sus propiedades fotoeléctricas, tiene empleo en cinematografía y televisión." De inmediato, esta definición nos retrotrae a signos anteriores en el párrafo, tales como "spotlight," "recording" y el canto de estrellas famosas como Favery, Rexach y la Lupe. Asimismo, el color del metaloide, "pardo rojizo," nos indica una consideración racial que, si lees la totalidad de la novela, descubrirás juega un rol primordial en el texto.

Tenemos, pues, entre muchos otros significados que pueden extraerse con mayores niveles de análisis, un signo (Selena) lleno de rastros o *suppléments* de muchos otros. La voz externa no nos describe "directamente" el personaje (su fenotipo, su trabajo, su "personalidad") como lo haría una narración realista. Al contrario, nos invita a descubrir esas pistas (un tipo de estética novelesca que privilegia el rol del/de la lector@, como vimos insistía Barthes) mediante un análisis detallado de los signos asociados con Selena: aquellos de su trabajo/performance (conexión con el selenio usado en cine y televisión, el "spotlight," los "ensayos de recording," las canciones de Favery, Rexach y La Lupe, el estar "vestida y adorada por los seguidores de tu rastro," entre otros); los raciales (referencia al color del selenio); los de su procedencia ambigua (habitante de la luna, urbanidad), entre otros.

Esta constelación de significados que nos llevan a otros y a otros en una cadena interminable, ejemplifica las operaciones del lenguaje como un sistema abierto, inacabable, y autónomo con respecto a los seres humanos (descripción del lenguaje que hace Derrida en contraposición a la versión estructuralista). Es como si el lenguaje tuviera vida propia en vez de ser un instrumento pasivo a la espera de que lo usemos para corresponder "exactamente" con nuestros deseos de expresión.

Por otra parte, para la estrategia deconstruccionista es importante desvelar las tensiones entre lo central y lo marginal en un texto. Es decir, es importante traer a la luz los contenidos que son reprimidos para que cualquier signo adquiera la ilusión de ser estable y de estar "controlado." En ese sentido, habría que volver a nuestras observaciones iniciales respecto a las dos voces contenidas en el párrafo citado. Los contenidos reprimidos de manera más explícita son, precisamente, los que pueda aportar el propio signo "Selena." Como vimos, su descripción se nos da oblicuamente por medio de referencias y de signos que nos dan la idea de que "Selena" es cantante en algún espacio urbano y posee una capacidad de atracción significativa. Pero no tenemos acceso a lo que "Selena" piensa al respecto, a cómo se auto-describiría, a cómo consideraría su propia situación. Ello hace que el signo "Selena" se "estabilice," como dirían los posestructuralistas, en el texto. Sólo a través de una voz —lo que en este fragmento funcionaría como significante trascendental— tenemos acceso a "Selena," y esa voz es autoritaria y definitiva: "di," "confiésate," "eres quien eres."

Pero, aún así, el mecanismo deconstruccionista que acabamos de emplear para mostrar varios de los significados que pueden asociarse al signo de "Selena" nos hace ver que la "estabilización" de ese signo es, de hecho, una ilusión. Si se considera la cadena interminable de significados producida, de su propia cuenta, por el lenguaje, se descubre que el signo "Selena" desata una multiplicidad de posibilidades que al final es imposible doblegar, suprimir o "cerrar" del todo. Por ejemplo, no hablamos de las asociaciones que pueden establecerse con la "cáscara de coco," con la "jirimilla"/jiribilla, con los propios contenidos de las canciones de Favery, Rexach y La Lupe, con las sirenas, con las playas, y así sucesivamente… ¡No terminamos siquiera la cadena desatada por la exploración de signos que llevamos a cabo! El DRAE, por ejemplo, también define "selenita" como: "Yeso cristalizado en láminas brillantes, espejuelo." ¿Qué implicaciones tiene la asociación del signo "Selena" con "yeso," con "cristalización," con "láminas brillantes" o con "espejuelo"? El signo "Selena" se mantiene, pues, absolutamente "abierto" a más y más significados, lo que, por una parte, nos invita como lector@s a participar activamente en su deconstrucción y, por otra, produce un texto más "democratizado" tanto en cuanto insiste en su diferencia y en su libertad de significación.

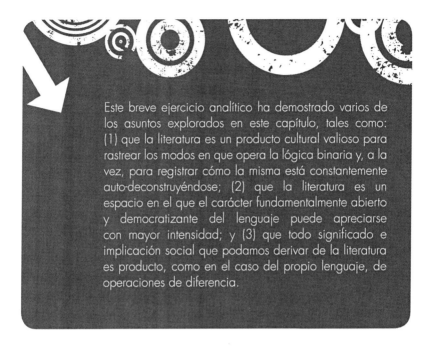

Este breve ejercicio analítico ha demostrado varios de los asuntos explorados en este capítulo, tales como: (1) que la literatura es un producto cultural valioso para rastrear los modos en que opera la lógica binaria y, a la vez, para registrar cómo la misma está constantemente auto-deconstruyéndose; (2) que la literatura es un espacio en el que el carácter fundamentalmente abierto y democratizante del lenguaje puede apreciarse con mayor intensidad; y (3) que todo significado e implicación social que podamos derivar de la literatura es producto, como en el caso del propio lenguaje, de operaciones de diferencia.

EJERCICIOS PARA ESTUDIANTES

Fase: Exploración

→ 1. Selecciona un espacio en el salón. Cada estudiante debe escribir una descripción de ese espacio en 2-3 oraciones. Compartan oralmente las descripciones del grupo. Haz un análisis cuidadoso de los elementos característicos en las descripciones. ¿Qué elementos cambian? Compara las palabras que usa cada estudiante para su descripción. ¿Cuántas versiones hay sobre el espacio seleccionado?

→ 2. Entrevista a dos personas que hayan sido testigos de un mismo evento. La entrevista debe estructurarse según se detalla a continuación (puedes añadir preguntas adicionales):

    a. Narra el evento según tu mejor recuerdo. ¿Qué te parece más importante de lo sucedido?; ¿por qué?; ¿quién o quiénes fueron los protagonistas del evento?; ¿por qué?

b. Compara las dos narraciones del evento en función de sus semejanzas y diferencias. Intenta establecer qué ocurrió realmente y analiza el porqué de tus conclusiones.

→ 3. Inventario de conocimiento previo

   a. ¿Qué conceptos, ideas o imágenes te sugiere la palabra "diferencia"?

   b. Según tu parecer, ¿cuál de los dos conceptos de los binomios a continuación es considerado superior al otro?:

   i. Bajo/Alto
   ii. Flaco/Gordo
   iii. Negro/Blanco
   iv. Paz/Guerra
   v. Afuera/Dentro
   vi. Periferia/Centro

   c. Escribe otras combinaciones antónimas que se te ocurran y señala cuál elemento es considerado superior en la cultura actual en Puerto Rico. Intenta explicar el porqué oralmente.

→ 4. Mini-investigación

   a. Investiga sobre posestructuralismo, deconstrucción, Barthes, Foucault y Derrida, entre otros.

   b. Investiga sobre la producción de Mayra Santos Febres y la literatura puertorriqueña y caribeña de finales del siglo XX y principios del XXI.

Fase: Conceptualización

→ 1. Investiga los conceptos destacados en este capítulo y todos aquellos que te sean desconocidos.

→ 2. Compara los estructuralistas con los posestructuralistas. Establece semejanzas y diferencias.

→ 3. Aplica el ejercicio de deconstrucción del *Borrador de análisis* a otro texto o a otra sección de *Sirena Selena vestida de pena*.

→ 4. Presenta oralmente la narración resultante de tu entrevista. Explica cómo podría ser estudiada por la deconstrucción.

→ 5. Investiga uno de los posestructuralistas mencionados en este capítulo y muestra otras dimensiones de sus propuestas para el estudio de textos culturales. Escribe un ensayo breve con los resultados.

Fase: Aplicación

→ 1. Analiza dos o tres (2-3) eventos de los recopilados por tus compañeros en la Fase de exploración a partir de la deconstrucción.

→ 2. Redacta un ensayo breve (2-3 páginas) en el que contestes la siguiente pregunta: ¿Cuál es la versión más "creíble" de un evento y por qué? Selecciona un evento que haya sido debatido públicamente.

→ 3. Analiza los anuncios televisivos en un periodo de tiempo del día en función de las oposiciones binarias que utilizan. Asegúrate de utilizar, por lo menos, tres anuncios como fuente primaria. ¿Cuáles son las jerarquías que emplean? ¿Por qué?

→ 4. Siguiendo las propuestas de Foucault, explora la genealogía de algún concepto (también puedes estudiar un discurso, en el sentido que la da Foucault a ese término) que sea utilizado frecuentemente en Puerto Rico.

→ 5. Investiga en Internet cómo los debates posestructuralistas han impactado otros campos del saber (como la historia, la antropología y la sociología) y prepara una presentación en Power Point.

→ ¿Quién le teme a la teoría?

TEORÍAS SOBRE EL ROL DEL/DE LA LECTOR@

→

5

For the quality and rank of a literary work result neither from the biographical or historical conditions of its origins, nor from its place in the sequence of the development of a genre alone, but rather from the criteria of influence, reception, and posthumous fame, criteria that are most difficult to grasp. (H. R. Jauss)[45]

What that destruction [that of the objectivity of the text] yields, ultimately, [...] [is] a way of conceiving texts and readers that reorganizes the distinctions between them. Reading and writing join hands, change places, and finally become distinguishable only as two names for the same activity. (Jane Tompkins)[46]

EXPLORA LO QUE SABES...

En un círculo, cuéntale un secreto a tu compañer@ de al lado. Est@, a su vez, se lo debe contar a su vecin@ y así sucesivamente. Al final de la ronda, la última persona en el círculo y tú deben decir el secreto. ¿Cuál es la versión del mismo contada por ti y cuál la segunda? ¿Cómo varía cada versión según cada persona?

---

[45] Traducción: "Porque la calidad y el rango de una obra literaria no son sólo el resultado de las condiciones biográficas o históricas de sus orígenes ni de su lugar en la secuencia del desarrollo de un género, sino también de los criterios de influencia, recepción y fama póstuma, que son criterios tan difíciles de aprehender."

[46] Traducción: "Lo que la destrucción [de la objetividad del texto] provee, en última instancia, [...] [es] un modo de concebir textos y lectores que reorganiza las distinciones entre los mismos. Leer y escribir se unen, cambian de lugar, y finalmente se vuelven distinguibles sólo como dos nombres para una misma actividad."

SITUACIONES

Imagina que tienes cuarenta años, un trabajo y un apartamento propio. Tus padres te llaman para darte la noticia de que han decidido mudarse de la casa donde creciste porque ya les resulta demasiado grande. Necesitan que vayas a recoger las cosas que quedan allí de tus años escolares pues no saben si querrás conservarlas. Al llegar a la que era tu habitación, comienzas a revisar las pertenencias y a recordar muchas cosas de tu niñez: l@s amig@s en la escuela elemental, los juegos de baloncesto, las primeras salidas al cine cuando eras adolescente, las competencias de matemáticas a las que asististe en San Juan... De repente, te topas con un texto que leíste en la escuela intermedia: *El cantar de Mío Cid*. Al inspeccionarlo, observas las secciones que subrayaste en tu adolescencia, las notas que tomaste en los márgenes, las palabras que circulaste. Ahora, a los cuarenta años, muchas de tus reacciones al texto te parecen banales o incluso absurdas. Te asombras por las cosas que en aquellos años te impresionaban o te parecían importantes. No entiendes por qué tal o cual palabra te resultó tan atractiva o tan crucial para tu comprensión del texto.

Luego de un largo rato en este ejercicio, decides llevarte el libro, junto al resto de las cosas que quieres conservar, para leerlo una vez más desde la óptica de tu situación actual. Una vez en tu apartamento, dedicas todos los ratos libres en las próximas semanas a leer *El cantar*. Al terminar, repasas lo que en esta segunda ocasión has marcado, circulado, subrayado. Comparas tus notas de ahora con las de antes. Algunas cosas corresponden exactamente; pero más bien descubres, con asombro, cuánto han cambiado tus intereses y cuán diferente es tu respuesta al texto en esta segunda ocasión.

Las teorías que estudiamos en este capítulo están fascinadas precisamente por situaciones como la que acabamos de describir. Les interesa, primordialmente, hacer énfasis y analizar cómo responden l@s lector@s a los textos, qué rol cumplen respecto a los significados, efectos e implicaciones que se le atribuyen a cualquier manifestación cultural. Exploran qué relación tiene el contexto del/de la lector@ (sus ideologías sociales y políticas, sus creencias, su procedencia, su subjetividad, entre otros asuntos) con la lectura que pueda hacer de cualquier texto. En términos generales, podría decirse que las *Teorías sobre el rol del/de la lector@* desplazan el énfasis crítico tanto del/de la autor@ como del texto en sí para concentrarse en el/la lector@.

Como veremos más adelante, eso no necesariamente significa que las teorías que estudiamos en este capítulo defiendan que la autora o el texto no cumplen ninguna función o son absolutamente prescindibles. Más bien, estas teorías defienden que los textos no son entidades absolutamente autónomas respecto a sus lector@s, ni contienen en sí mismos "la verdad" sobre su significado y sus posibles interpretaciones. Un texto literario depende absolutamente de que sea leído; de otro modo no existiría como tal. En ese sentido, pues, las teorías de la recepción se interesan por analizar la interpretación; es decir, se ocupan de los procesos que constantemente llevan a cabo l@s lector@s al enfrentarse a un texto de manera tal que puedan comprenderlo, adjudicarle significados, efectos e implicaciones.

Por lo que ya hemos dicho, quizá ya te resulta obvio que estas teorías se contraponen a las propuestas formalistas y de la Nueva Crítica que concebían el texto, generalmente, como la fuente primaria de su propio significado. Pero es importante observar que las teorías formalistas, de la Nueva Crítica e incluso las estructuralistas (ver capítulos correspondientes) no niegan la existencia del sujeto lector/a ni el hecho de que cumpla un rol importante. Después de todo, son los lectores los que podrían descubrir la estructura profunda o los mecanismos de extrañamiento en un texto en los casos, respectivamente, de las teorías estructuralistas y de las teorías formalistas rusas. Pero esas teorías insisten en que el texto tiene mayor control sobre el proceso interpretativo, que contiene todos sus posibles significados en su interior. Es decir, para esas teorías el texto juega un papel determinante respecto a los significados que pueda generar. Por otra parte, los lectores implicados para dichos procesos constituyen un grupo muy limitado: en los ejemplos que hemos empleado, ese grupo estaría constituido por los críticos que tengan la preparación intelectual y la capacidad para desvelar las estructuras profundas o los mecanismos de extrañamiento.

Es importante señalar de inmediato que, como veremos más adelante y como es el caso para todas las teorías que estudiamos en este libro, dentro de las discutidas en este capítulo hay múltiples posiciones y, a su vez, dentro de cada posición, hay diversos enfoques y debates.

También, muchos están de acuerdo en que estas teorías tienen como denominador común más un enfoque en el/la lector@ que un método concreto. Es decir, el método a seguir y las preguntas que hacer a la hora de analizar cualquier texto cultural usando estas teorías no están predeterminadas por ellas: puede utilizarse cualquier método o combinación de métodos de los que estudiamos en este libro a propósito de otras teorías siempre y cuando el análisis se interese por las respuestas del/de la lector@ y por su activa participación en la creación de significados textuales.

TENDENCIAS, DEBATES, CONCEPTOS Y FIGURAS

Las *Teorías sobre el rol del/de la lector@* cobraron auge en la academia principalmente durante los años setenta y muchos observadores, tales como Gregory Castle, Charles Bressler y Terry Eagleton, trazan su genealogía en conexión con los desarrollos de las filosofías **fenomenológicas** y **hermenéuticas**, que emergieron principalmente en Alemania después de la Primera Guerra Mundial. Para propósitos de este capítulo, baste comprender que, en términos generales, las primeras se interesaban por entender cómo la conciencia humana aprehende los **fenómenos** en el mundo y las segundas por comprender cómo operaban los procesos de **interpretación** humanos. El estudio del proceso de lectura de manera fenomenológica o hermenéutica necesariamente generó argumentos sobre la relación entre el sujeto lector y el texto, en vez de sobre el texto o el lector como entes

CONCEPTOS

hermenéutica
fenómeno
interpretación
concretización
humanista / humanismo
horizontes de expectativa
horizontes de experiencia
experiencia transaccional
modo estético
modo eferente
informado
comunidad interpretativa
lector simulado
lector implicado
lector ideal
lector informado
lector resistente
primera modernidad
caballería
pastoril
picaresca
bizantina
ciberespacio
hipertexto
narrativa moderna
barroco

autónomos entre sí. Se concibió pues al sujeto lector y al texto como involucrados en una experiencia de negociación respecto a la creación de significados.

Como parte de esta tradición, las figuras de WOLFGANG ISER (1926 – 2007) y de HANS ROBERT JAUSS (1921 – 1997) son particularmente relevantes. El primero desarrolló una teoría inspirada en la hermenéutica que proponía que los significados de un texto literario aparecen a partir de la **concretización** que de ellos hace el/la lector@. La literatura es, por definición, indeterminada e inagotable, y es el sujeto lector quien, durante el proceso de lectura, ejerce un constante esfuerzo por interpretar las "pistas" provistas por el texto, suplir información no provista explícitamente, superar bloqueos textuales que le impiden crear sentidos, generar expectativas sobre lo que va o no va a pasar y transformar sus expectativas de acuerdo con los cambios inesperados en el texto. Iser propone que durante ese activo proceso de lectura, el sujeto lector "se lee a sí mism@" tanto como lee el texto y, en el proceso, mejora como sujeto.

Esta versión de la recepción es, pues, fundamentalmente **humanista** en tanto y en cuanto implica un sujeto constituido *a priori* de su encuentro con un texto que puede mejorarlo moralmente por virtud de su interacción con el mismo. También es importante destacar que esta teoría supone, paradójicamente respecto a su premisa de que la literatura es fundamentalmente inagotable e indeterminada, que el texto es una unidad cuyo significado siempre existe en su interior, aunque sea de modo latente hasta que sea concretizado por el esfuerzo de un sujeto lector. Dicho sujeto, más aún, está siempre implicado en el texto (el cual "requiere" la lectora para que se concretice su significado), asunto que revela un remanente del argumento formalista que concibe el texto como la entidad que gobierna principalmente el proceso de significación.

Jauss, por su parte, propuso lo que vino a llamarse *teoría de la recepción*, aunque en su texto-manifiesto (*Toward an Aesthetic of Reception*) el crítico alemán usa la frase estética de la recepción. La teoría de Jauss se distingue de la de Iser principalmente por su atención a la historia y a la relación que tiene con las posibilidades y modos en que respondemos a los textos. Jauss propone su teoría como una crítica a la estética de mímesis que según él determinaba demasiado tanto ciertas aproximaciones marxistas como formalistas a la historia literaria y a la literatura en sí. Esta última no sólo ni necesariamente tiene una función imitativa respecto a la "naturaleza," al "mundo," o a la "base económica" de un momento dado, sino que tiene, en palabras de Jauss, una capacidad formativa. Asimismo, el crítico insiste en que la literatura está atada en muchos sentidos al momento histórico en el que se produce, pero que, a la vez, la literatura constituye una producción relativamente autónoma respecto a dicho momento histórico.

Para poder percibir la función formativa de la literatura y la **dialéctica** entre su historicidad y su autonomía, Jauss argumenta que el análisis literario debe llevarse a cabo haciendo énfasis en la recepción de los textos. Dicho estudio histórico debe hacerse en tres dimensiones: "diachronically in the interrelationships of the reception of literary works, synchronically in the frame of reference of literature of the same moment, as well as in the sequence of such frames, and finally in the relationship of the immanent literary development to the general process of history" (32) (ver capítulo *Estructuralismos* para una elucidación de los conceptos **diacronía** y **sincronía**).[47]

El concepto **horizontes de expectativa** propuesto por Jauss es crucial para dicho análisis de recepción. Los horizontes de expectativa no son necesariamente conscientes para la escritora o para el primer público lector de un texto, pero de todas maneras existen como parte de un momento histórico dado y, por ello, condicionan el tipo de literatura que puede concebirse y recibirse. Es decir, diferentes momentos históricos asumen como aceptables o posibles ciertos modos de hacer y de leer literatura. Estos modos tienen que ver con entendidos ideológicas, morales y políticas, pero también con reglas lingüísticas, con normas tradicionales respecto a los géneros literarios, con distinciones establecidas entre "lenguaje literario" y "lenguaje práctico," entre otros.

Que los horizontes de expectativa impacten significativamente lo que puede escribirse y cómo puede recibirse no quiere decir que la literatura esté absolutamente atada a dichos horizontes. Al contrario, en muchas ocasiones (Jauss provee el ejemplo de la novela francesa *Madame Bovary* y, en nuestro contexto inmediato, nosotros podemos

---

[47] Traducción: "diacrónicamente en las interrelaciones de la recepción de obras literarias, sincrónicamente en el marco de referencia de la literatura del mismo momento, como también en la secuencia de dichos marcos de referencia, y finalmente en la relación entre el desarrollo literario inmanente y el proceso general de la historia."

pensar en la novela puertorriqueña *La guaracha del macho camacho*), la literatura logra, a la vez, cumplir con ciertos aspectos de esos horizontes de expectativa (si no cumpliera con ninguno sencillamente no lograría comunicación alguna) mientras quiebra otros. Quiebra, es decir, no sólo convenciones exclusivamente literarias, sino también sociales y culturales, implicadas por Jauss con el concepto relacionado, horizontes de experiencia. Sólo con el tiempo, en otro momento histórico cuando muchos factores sociales y culturales hayan cambiado, ese texto literario que en su momento fue transgresor será comprendido de otro modo y habrá generado en sí mismo nuevos horizontes de expectativa que luego, a su vez, pueden volverse anticuados. En palabras de Jauss:

> In the triangle of author, work, and public the last is no passive part, no chain of mere reactions, but rather itself an energy formative of history. The historical life of a literary work is unthinkable without the active participation of its addressees. For it is only through the process of its mediation that the work enters into the changing horizon-of-experience of a continuity in which the perpetual inversion occurs from simple reception to critical understanding, from passive to active reception, from recognized aesthetic norms to a new production that surpasses them. (19)[48]

Mientras que Iser terminaba proponiendo una teoría en la cual la historia no tenía un lugar prominente o, al menos, muy esclarecido, la teoría de Jauss, en su profundo afán historicista, implica que una evaluación final y definitiva sobre el sentido de los textos literarios es imposible tanto en el momento en que aparecen como en cualquier situación futura, pues los horizontes de expectativa y de experiencia cambian constantemente. Ello explica, por ejemplo, que en diferentes momentos históricos el mismo texto pueda ser interpretado de modos muy distintos. Pero también demuestra por qué un texto que no alcanzó notoriedad en el tiempo en que fue publicado, la alcance en el futuro. Inversamente, muestra a su vez por

---

[48] Traducción: "En el triángulo autor, obra y público, el último no constituye una parte pasiva, no es una cadena de meras reacciones, sino en sí mismo energía formativa de la historia. La vida histórica de una obra literaria es impensable sin la participación activa de sus destinatarios. Porque es sólo a través del proceso de su mediación que una obra entra al cambiante horizonte-de-experiencia de una continuidad en la que se lleva a cabo la inversión perpetua de simple recepción a entendimiento crítico, de recepción pasiva a recepción activa, de normas estéticas reconocidas a una nueva producción que las supera."

qué un texto *best-seller* en su momento ha sido en gran parte olvidado en el futuro. Todas estas contingencias, entre otras, revelan que el estatus de la literatura como producto cultural es paradójico dado que puede lograr anticipaciones, revisiones e, incluso, superaciones de la historia.

Aunque con las tradiciones filosóficas fenomenológicas y hermenéuticas las teorías que estudiamos en este capítulo cobraron mayor auge en la academia estadounidense, cabe señalar que en ese contexto se había establecido una tradición cuyo enfoque principal era la/el lector/a ya desde los años treinta. Dicha tradición ha venido a llamarse la *reader-response theory*, y en sus inicios estuvo asociada principalmente con la crítica estadounidense LOUISE M. ROSENBLATT (1904 – 2005). Para Rosenblatt, el análisis de la relación entre lectora y texto es, como para Iser y Jauss, fundamental. Empleando un concepto reminiscente de actividades bancarias, la crítica propone que el/la lector@ y el texto están envueltos en una **experiencia transaccional**. Juntos, el texto y la lectora producen una nueva creación que pasa a constituir el significado del texto. Dicho proceso ocurre cuando la lectora lee de modo **estético** (así supone Rosenblatt se lee siempre la literatura) y no cuando lee de modo **eferente** (lo que quiere decir una lectura que sólo busca un significado inmediato –como por ejemplo, cuando lees recetas de cocina o una guía de teléfonos).

Posteriormente, en Estados Unidos se afianzó también una de las tendencias más extremas respecto al enfoque en el sujeto lector. Dicha tendencia, descrita como *crítica subjetiva* por algunos observadores, es relacionada con las figuras de NORMAN HOLLAND (1927), DAVID BLEICH y STANLEY FISH (1938), cuyas teorías son profundamente disímiles entre sí. En esta oportunidad, nos concentraremos en algunos aspectos de las propuestas de Fish.

Probablemente el mejor modo de describir la trayectoria de Stanley Fish sea refiriéndote al ensayo introductorio de su libro *Is There a Text in This Class?: The Authority of Interpretive Communities*. Sus argumentos se han transformado significativamente desde las elaboraciones iniciales en defensa del lector, cuando propuso que los significados de los textos aparecen por virtud de la experiencia total de la lectura (por ejemplo, la incapacidad del lector de entender alguna sección en el texto, sus preguntas respecto a esto o aquello, su constante proyección y retrospección para lograr la comprensión de un personaje o un evento en el texto, entre otros) y no solamente por virtud de lo que las palabras significan gracias a reglas gramaticales, sintácticas y ortográficas que han sido convenidas arbitrariamente en cualquier lengua (ver capítulo *Estructuralismos*). Es decir, de algún modo los lectores "crean" los textos al leerlos, no en su sentido más material —como un libro, un periódico o unos cómics que puedes sostener en tus manos—, sino en el sentido de lo que los textos puedan significar. Fish considera esa conclusión una defensa del "lector" tanto en cuanto lo libera de lo que el crítico estadounidense percibe como las necesarias limitaciones de la evaluación de un texto en nombre de su descripción de la experiencia de la lectura. A juicio de Fish, dicha experiencia inicial es "oscurecida" por la posterior interpretación de un texto. Es importante destacar de inmediato que la distinción establecida por Fish entre una inicial experiencia de lectura libre de evaluación y una posterior lectura interpretativa de los textos es en sí misma blanco de intensos debates.

La aparente subjetividad absoluta de esta posición (pues parece implicar que los significados serán tantos como cuantos lectores lean un texto dado) es amainada más adelante por Fish cuando explica que el lector que tiene en mente debe ser "**informado**" y que todo lector pertenece a alguna **comunidad interpretativa**. Este último concepto se refiere a que los lectores no pueden formular un significado absolutamente personal y subjetivo tanto en cuanto todas las comunidades comparten un sistema de reglas lingüísticas e interpretativas para la comunicación y la creación de significado. El significado de un texto literario es pues, según Fish, una responsabilidad conjunta que ocurre en vez de estar contenido en el texto en sí. En otras palabras, el significado es un evento en vez de algo que esta allí para ser encontrado.

Más adelante en su carrera, Fish parece subsumir las propias categorías de "autor," "texto" y "lector" (que en sus trabajos previos permanecían más o menos estables y diferenciables entre sí) bajo la categoría de "interpretación." Su argumento termina siendo que tanto el autor como el texto y el lector son productos de los sistemas de interpretación válidos en un momento dado dentro de una comunidad interpretativa particular. En palabras de Fish:

... formal units are always a function of the interpretive model one brings to bear (they are not "in the text"). ...The relationship between interpretation and text is thus reversed: interpretive strategies are not put into execution after reading; they are the shape of reading, and because they are the shape of reading, they give texts their shape; making them rather than, as is usually assumed, arising from them. ... it is interpretive communities, rather than either the text or the reader, that produce meanings and are responsible for the emergence of formal features. Interpretive communities are made up of those who share interpretive strategies not for reading but for writing texts, for constituting their properties. (13-14)[49]

Más recientemente, en los años ochenta y noventa, han aparecido desarrollos de algunas de las tendencias de las teorías sobre el rol del/ de la lector@ estudiadas en este capítulo en conexiones más explícitas con preocupaciones feministas, de sexualidades, de razas y etnias, y con teorías de la deconstrucción (ver capítulos correspondientes). En ese sentido, críticos interesados en enfatizar el rol del/de la lector@ han procurado estudiar los efectos de diferentes categorías de la subjetividad en la práctica de la lectura a través de diferentes contextos y momentos históricos, así como las dinámicas de grupos específicos de lectores y sus cambios a través del tiempo (por ejemplo, la aparición en Occidente de "mujeres lectoras" y las implicaciones sociales y políticas que ello conlleva).

Por su parte, las teorías posestructuralistas han tenido un gran impacto en el cambio de enfoque crítico del texto y de la escritora al/a la lector@. De hecho, como señalamos a propósito del ensayo "La muerte del autor" de Roland Barthes en el capítulo *Posestructuralismos y*

---

[49] Traducción: "[...] las unidades formales son siempre una función del modelo interpretativo que uno trae consigo (no están "en el texto"). [...] La relación entre interpretación y texto, pues, se invierte: las estrategias interpretativas no se ejecutan después de la lectura; son más bien la forma de la lectura, y dado que son la forma de la lectura, proveen a los textos su forma; hacen los textos en vez de, como se asume usualmente, emergen de los mismos. [...] son las comunidades interpretativas, en vez del texto o el lector, las que producen significados y son responsables de la aparición de las características formales. Las comunidades interpretativas están compuestas por aquellos que comparten estrategias interpretativas no para leer sino para escribir textos, para constituir sus propiedades."

Deconstrucción, las teorías posestructuralistas emplazan profundamente la idea de que el significado último de cualquier texto resida en el "genio" o en la biografía de quien lo escribió. Barthes anuncia en dicho ensayo que la "muerte del Autor" significa el "nacimiento del lector." Como consecuencia, tendencias de las teorías que estudiamos en este capítulo que emplean métodos posestructuralistas se han ocupado de cuestionar las premisas sobre el sujeto lector en las que se basan muchos de los argumentos esbozados en este capítulo, así como sobre los significados de cualquier texto que implicaban las tendencias que hemos discutido.

En dichas vertientes posestructuralistas, la lectora no es un sujeto constituido previamente al acto de lectura ni es en sí misma un ente libre de contradicciones. Al contrario, la lectora se constituye a sí misma continuamente a través de la práctica de la lectura y, del mismo modo, los significados que pueden atribuírsele a un texto en particular no están nunca constituidos o determinados del todo. Más bien, y como se ha señalado previamente en el capítulo *Posestructuralismos y Deconstrucción*, están siempre sujetos a cuestionamientos de sus estructuras binarias y de los significantes trascendentales de que dependen, entre otros asuntos.

ASUNTOS DE INTERÉS GENERAL

Como hemos visto, las *Teorías sobre el rol del/de la lector@* prestan significativa atención a la pregunta, ¿dónde están localizados los significados textuales? Su respuesta pretende identificar esa ubicación en l@s lector@s, pues los consideran agentes de producción de sentido, aunque no hay un acuerdo absoluto sobre el grado en que los mismos determinan significados textuales o sobre qué tipo de lector implican sus teorías (entre las tendencias que estudiamos en este capítulo y otras que puedes investigar por tu cuenta, aparecen múltiples categorías de lectores, tales como **lector simulado, lector implicado, lector ideal, lector informado, lector resistente**, entre otras). El énfasis en la lectura enfrenta profundamente la idea de que el texto o el autor son entidades totalmente autónomas que poseen la última "verdad" sobre lo que un texto significa. En otras palabras, la literatura no tiene sentidos en sí misma y por sí sola pues, de hecho, no podría existir sin lectores.

Asimismo, estas teorías implican que la lectura es siempre un proceso, un movimiento, en el cual se producen significados más que se encuentran, descifran o desvelan. Ese movimiento no es lineal ni directo, sino que avanza, retrocede, vuelve a avanzar y a retroceder, y así sucesivamente. Puedes observar aquí una conexión con la insistencia de Derrida en que el significado está siempre diferido, además de basarse en la diferencia —ver capítulo *Posestructuralismos y Deconstrucción*.

En muchos casos, la literatura puede retar o transgredir tanto como reflejar o reproducir los modos que tenemos de interpretar el mundo de acuerdo con las normas sociales y lingüísticas de nuestro contexto. En cualquiera de esos casos, la posibilidad de percibir uno u otro depende de la interpretación que desarrollen los lectores respecto a las "claves" provistas por el texto, como vimos a propósito de las teorías de Iser.

Por otra parte, la teoría de la recepción asociada con Jauss insiste en el carácter profundamente histórico de la lectura. Las interpretaciones posibles de un texto en particular en diferentes momentos históricos están profundamente marcadas por ese contexto y cambian constantemente. Por eso, de acuerdo con esta tendencia, la idea de que un texto literario contiene un significado trascendental, universal e inmutable a través de todos los tiempos es una falacia.

¿QUÉ ES "LITERATURA" SEGÚN LAS TEORÍAS SOBRE EL ROL DEL/ DE LA LECTOR@?

En términos generales, para las teorías que estudiamos en este capítulo la literatura no puede definirse o concebirse como un ente absolutamente autónomo. En ese sentido, la misma se constituye por virtud de su relación con l@s lector@s. Sus significados, en mayor o menor grado dependiendo de la tendencia de que se trate, no están predeterminados por el texto en sí mismo ni por sí solo, sino que se producen a través de la práctica de la lectura. Dicha producción tiene que ver no sólo con los contenidos y formas del texto en cuestión (como vimos, diferentes teóricos ponen más o menos peso en este aspecto), sino también por el contexto de l@s lector@s, por el momento histórico del que sea parte y por sus diversas dimensiones de subjetividad. No hay, pues, un significado absoluto ni predeterminado de la literatura. Todo significado posible ocurre *a posteriori* de la escritura del texto y es, por tanto, cambiante y contingente. Nuestro trabajo crítico consiste en rastrear las prácticas interpretativas (o de producción de significado) en cada dinámica de lectura particular.

PREGUNTAS PARA HACER A LOS TEXTOS CULTURALES

De algún modo, las teorías estudiadas en este capítulo retan la premisa sobre la que se basa esta sección: más que preguntas para hacer directa y únicamente a los textos, las siguientes son preguntas para hacerte a ti como lector o lectora y para hacer a la relación que se genera entre tu lectura y el texto en cuestión.

- ¿Parece "implicar" el texto un tipo de lector? ¿Cómo? ¿Qué pistas provee el texto para llegar a esa conclusión?

- ¿Parece exigir el texto un "lector ideal"? ¿Cómo? ¿Qué pistas provee el texto para llegar a esa conclusión? ¿Cómo describirías semejante lector?

- ¿Provee la escritora direcciones explícitas de cómo debe ser leído su texto? ¿Qué impacto crees que ello tiene en tu interpretación del mismo?

- ¿Cómo vas creando un significado de algún aspecto del texto (una imagen, metáfora, símbolo, entre otros) a medida que lo lees? ¿Cambian tus expectativas o permanecen inalterables? ¿Cómo trabajas con algún aspecto del texto que de primera intención no entiendes?

- ¿Qué tipos de bloqueos, momentos confusos, faltas de información contiene el texto? ¿Cómo las manejas? ¿Cómo logras proveer o concretizar significados en semejantes momentos? ¿Cómo difieren las lecturas en este particular? ¿Qué implicaciones tienen las diferencias?

- ¿Puedes articular algunos aspectos de los *horizontes de expectativa* de tu momento histórico? ¿Cómo impactan tu lectura e interpretación de este texto? ¿De qué modos el texto parece confirmar o retar dichos aspectos? ¿Genera el texto nuevos horizontes de experiencia? ¿Cómo?

- ¿Puedes articular las estrategias interpretativas que usas o las transacciones de las que participas para analizar un texto? ¿Cómo comparan con las de tus compañeros de clase? ¿Qué tipos de acuerdos se generan en el salón de clase, tu comunidad interpretativa?

- ¿Cómo cambia la recepción de un texto dado a través del tiempo o en diversos sectores sociales en un mismo momento dado? ¿Qué implicaciones tienen dichos cambios? ¿Qué nos dicen de su contexto, del texto mismo y de sus interpretaciones?

- ¿Qué lecturas se privilegian en un momento dado? ¿Qué nos dicen del contexto de lectura?

FIGURAS SOBRESALIENTES

- ROLAND BARTHES
- DAVID BLEICH
- ROGER CHARTIER
- UMBERTO ECO
- JUDITH FETTERLEY
- STANLEY FISH
- WALKER GIBSON
- NORMAN HOLLAND
- ROMAN INGARDEN
- WOLFGANG ISER
- MARY JACOBUS
- HANS ROBERT JAUSS
- BARBARA JOHNSON
- STEVEN MAILLOUX
- PAUL DE MAN
- GEORGES POULET
- GERALD PRINCE
- JANICE RADWAY
- MICHEL RIFFATERRE
- LOUISE M. ROSENBLATT
- NAOMI SCHOR
- JANE TOMPKINS

BORRADOR DE ANÁLISIS

Texto: novela *El ingenioso hidalgo Don Quijote de la Mancha*
de Miguel de Cervantes Saavedra[50]

La novela escrita por Miguel de Cervantes Saavedra (1547–1616) a comienzos del siglo XVII (1605 y 1615 respectivamente) puede ser considerada uno de los libros más leídos de todos los tiempos. Gracias a una infinidad de traducciones, ha sido leída por personas de épocas y geografías muy distintas. Al mismo tiempo, su propio argumento, peripecias, personajes y estructura narrativa (compuesta por dos partes y con varias narraciones intercaladas en cada una) invitan, especialmente, a un análisis desde las teorías del rol del/de la lector@.

Por un lado, cabe señalar que *Don Quijote* es una novela sobre la lectura y l@s lector@s. No sólo el ingenioso hidalgo es un lector voraz de novelas de caballerías, sino que múltiples personajes demuestran que la lectura es una de sus actividades de ocio preferidas. El escrutinio de la biblioteca del protagonista a cargo del cura y del barbero es un ejemplo paradigmático de la lectura y de la crítica como asunto recurrente en esta novela. A su vez, la segunda parte demuestra cómo la mayoría de los personajes han sido lectores de la primera entrega de las peripecias del Quijote y, automáticamente, se convierten en pretextos para analizar las diversas interpretaciones que ha generado la propia novela. Por su parte, múltiples personajes dan cuenta de sus lecturas y preferencias, a la vez que se convierten en críticos de las tradiciones literarias en boga durante la **primera modernidad** española (novelas de **caballería, pastoril, picaresca** y **bizantina**, entre otras).

Por su parte, gracias a la popularidad y al tiempo transcurrido, *Don Quijote* facilita un estudio de cómo han cambiado sus lecturas e interpretaciones a través del tiempo. Hoy te sorprendería saber que en el siglo XVIII, en algunos contextos ilustrados fascinados por el neoclasicismo, esta novela fue desdeñada. También es curioso pensar cómo fue "transformada" y reapropiada por lector@s en contextos coloniales en América o recuperada al calor de la celebración de sus contenarios. Precisamente, hace apenas unos años (2005), se celebró su cuarto siglo

---

[50] de Cervantes Saavedra, Miguel. *El ingenioso hidalgo Don Quijote de la Mancha.* (Buenos Aires: Kapelusz, 1973).

de publicación, y esa coyuntura hizo posible proyectos de relectura y análisis desde el siglo XXI. Por todo lo dicho y más, *Don Quijote* puede ser un texto clave para la evaluación y la aplicación de las teorías que nos ocupan en este capítulo.

En esta oportunidad, nos vamos a concentrar en preguntas que proceden de las propuestas de Jauss a este marco teórico. Específicamente, vamos a abordar las siguientes interrogantes en el contexto de ciertas "lecturas" que se han hecho a propósito del IV centenario de la publicación de la primera parte de *Don Quijote*: ¿cómo ha cambiado y variado la recepción del texto en el siglo XXI?; ¿qué lecturas se privilegian en un momento dado?; y ¿qué nos dicen del contexto de lectura?

En primer lugar, es preciso describir brevemente la metodología seguida para identificar las referencias que vamos a utilizar en este breve estudio. Este proceso puede ser de gran ayuda como preparación para el análisis y el uso de cualquiera de las teorías de este manual, pero en este caso es particularmente relevante.

Después de hacer una búsqueda en la base de datos de la *Modern Languague Association* (*MLA International Bibliography*) utilizando como palabras claves el título de la novela (*Don Quijote*), seleccionamos cinco referencias entre los años 2004 y 2006 que fueron escritas por mujeres y hombres, críticos y escritores en diversos contextos. Todas las referencias escogidas, de un modo u otro, aluden a la celebración del IV centenario de la publicación de la primera parte por lo que ese fue otro de los criterios de selección.[51]

La primera referencia, escrita colectivamente por un grupo del *Proyecto Cervantes* en el 2004, expone la iniciativa de la Biblioteca Digital cervantina y, en particular, analiza la *Edición Variorum Electrónica* (EVE) como uno de los elementos destacados para la celebración del más reciente centenario. Esta edición crítica permite, gracias a los avances tecnológicos del presente y al potencial de los archivos hipertextuales, hacer accesible a toda persona en el mundo que pueda conectarse a la red las ediciones existentes del manuscrito de *Don Quijote* en todas sus

---

[51] A continuación las cinco referencias utilizadas para este borrador de análisis: Eduardo Urbina et al., "Hacia el Quijote en su IV centenario (1605-2005): hipertextualidad e informatización," *Bulletin of Spanish Studies* LXXXI.4-5 (2004): 553-567; Mario Vargas Llosa, "A Novel for the Twenty-First Century," Johanna Liander (trans.), *Harvard Review* 28 (January 1, 2005); Julio Ortega, "Cervantes y Sor Juana: la hipótesis del barroco," *Hispanic Review* (Spring 2006): 165-180; Lisa Vollendorf, "Cervantes and His Women Readers," *Romance Quarterly* 52.4 (Fall 2005): 312-327; y, Rachel Schmidt, "Women in the 1905 and 1916 Cervantes Centenary Activities," *Romance Quarterly* 52.4 (Fall 2005): 294-311.

variantes. El ensayo destaca que, a diferencia de las ediciones críticas tradicionales (impresas), la *EVE* permite establecer enlaces con una multiplicidad de archivos y bases de datos que, a su vez, enriquecen el acervo documental para el análisis de los textos de Cervantes. Las conveniencias que ofrece el **ciberespacio** y los **hipertextos** para la crítica literaria y cultural aún están por ser analizados. Pero esta publicación demuestra no sólo las actividades que genera el IV centenario de la novela cervantina, sino la revolución que tiene lugar en la lectura gracias a los avances tecnológicos del siglo XXI.

La propia manera en que leemos en la pantalla tiene sus particularidades respecto a la lectura en formato impreso. Este ensayo destaca el potencial de los enlaces y la multiliniaridad del hipertexto, lograda gracias a la diversidad de líneas textuales, visuales y auditivas. Por consiguiente, el *Quijote* que puede leerse en la *EVE*, de seguro, transformará y revisará múltiples interpretaciones. Al mismo tiempo, permitirá hacer preguntas y contar con la información necesaria para explorar nuevas rutas de análisis de la novela tras su cuarto siglo de existencia. En buena medida, y según afirmarían algunos de los teóricos de este capítulo, leeremos un nuevo *Quijote* en el siglo XXI.

En esa misma línea, pero no pensando específicamente en el potencial hipertextual, sino en la revolución literaria que supuso la narración cervantina del siglo XVII, Mario Vargas Llosa afirma, en el 2005, que se trata de una novela del siglo XXI. Desde su óptica de escritor, identifica los elementos narrativos que hacen de esta novela un texto de la presente centuria. Se fija, especialmente, en las conexiones que establece la novela entre la literatura y la vida, sus técnicas **narrativas modernas** y su vocación altruista de pluralidad y defensa de los marginados. Para Mario Vargas Llosa los escritores experimentales del presente tienen una deuda con Cervantes; asimismo, los lectores de hoy siguen encontrando dimensiones de actualidad en la lógica fantástica del Quijote.

Por otra parte, en el 2006 el crítico latinoamericanista Julio Ortega, se dedica a establecer las conexiones barrocas entre Cervantes y Sor Juan Inés de la Cruz. Su interpretación se fundamenta en trazar las filiaciones existentes entre estos dos escritores en contextos disímiles (la España imperial y el México colonial a medio siglo de distancia temporal). Para Cervantes la cárcel y para Sor Juana el convento fueron escenarios propicios para el desarrollo de su escritura. Las Indias, a pesar de suponer experiencias distintas para ambos, se convierten en el imaginario que les tiende puentes. A su vez, la lectura, propone Ortega, puede ser vista como espacio de liberación para ambos ("También en una página, en su ámbito barroco, podríamos imaginar que el Ángel de la Comedia cervantina y el Ángel de la Retórica sorjuaniana se cruzan entre una orilla y otra, por encima de su tiempo, libres en la lectura" 178). El crítico literario latinoamericanista pone su acento en establecer un puente imaginario entre Cervantes y Sor Juana cuyo material primario es la estética barroca cultivada por ambos.

El mismo año, Lisa Vollendorf analiza, precisamente, el rol de las lectoras y de la lectura en la novela de Cervantes. Esta interpretación combina investigaciones recientes sobre las mujeres y sus roles en los tiempos de la publicación de *Don Quijote* y dos personajes femeninos paradigmáticos de la narración: Marcela y Zoraida. Tras un repaso cuidadoso del público lector femenino de la época y la vocación lectora demostrada por Marcela y Zoraida, concluye que el texto cervantino plantea una mirada realista sobre la situación de la lectura y las mujeres en el siglo XVII temprano, al mismo tiempo que resiste algunas de los convencionalismos discriminatorios al uso. Según la crítica, la novela cervantina demuestra los usos estratégicos de la lectura en dos mujeres que demuestran su participación de la cultura y su manejo del conocimiento como salvoconducto a las convenciones del género sexual de su contexto.

Finalmente, también en el 2006, Rachel Schmidt analiza cómo algunas publicaciones conmemorativas del tercer centenario de la primera parte de *Don Quijote* (1905) y de la muerte de Cervantes (1916), re-escribieron los modelos de mujer a la imagen y semejanza de los que quería promover el régimen de comienzos del siglo XX. Los mismos personajes que en otras épocas habían sido considerados problemáticos por sus ideas de avanzada respecto a los roles e imágenes de la mujer, son revisados al calor de los modelos propicios para el proyecto nacional del presente (por ejemplo, un personaje como Marcela ahora se convierte en el arquetipo del "ángel del hogar"). Schmidt analiza ilustraciones y publicaciones significativas del momento para concluir que pese a la re-escritura de figuras de mujer bastante convencionales, las propias actividades conmemorativas facilitaron cierta esfera de acción intelectual y pública para algunas mujeres.

Un análisis somero de las cinco interpretaciones expuestas permite concluir que responden a las posibilidades documentales y tecnológicas del siglo XXI, así como a perspectivas que cuentan con la distancia histórica para establecer ciertas conexiones que en su momento no serían evidentes. Por otra parte, estas lecturas también evidencian los intereses analíticos de los críticos en cada caso y sus particularidades. La lectura y su pertinencia a la hora de analizar *El Quijote* son constantes de un modo u otro, pero varían sus énfasis en función del foco de cada ensayo. A su vez, el contexto de las celebraciones centenarias demuestra ser propicio para estudiar las lecturas críticas que generan y los intereses que destacan. En definitiva, cada aproximación insiste en aquellos elementos del texto cervantino que mejor explican su pertinencia y su actualidad. Al final, son lecturas del siglo XXI.

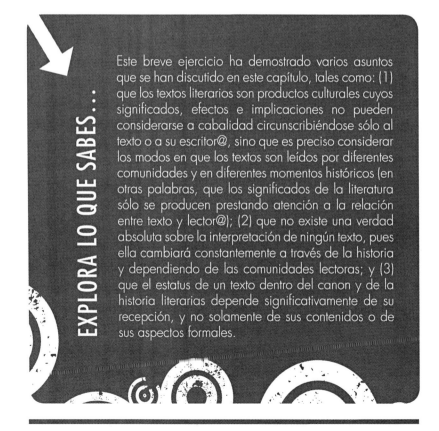

EXPLORA LO QUE SABES...

Este breve ejercicio ha demostrado varios asuntos que se han discutido en este capítulo, tales como: (1) que los textos literarios son productos culturales cuyos significados, efectos e implicaciones no pueden considerarse a cabalidad circunscribiéndose sólo al texto o a su escritor@, sino que es preciso considerar los modos en que los textos son leídos por diferentes comunidades y en diferentes momentos históricos (en otras palabras, que los significados de la literatura sólo se producen prestando atención a la relación entre texto y lector@); (2) que no existe una verdad absoluta sobre la interpretación de ningún texto, pues ella cambiará constantemente a través de la historia y dependiendo de las comunidades lectoras; y (3) que el estatus de un texto dentro del canon y de la historia literarias depende significativamente de su recepción, y no solamente de sus contenidos o de sus aspectos formales.

EJERCICIOS PARA ESTUDIANTES

Fase: Exploración

→ 1. En un círculo, cuéntale un secreto a tu compañer@ de al lado. Est@, a su vez, se lo debe contar a su vecin@ y así sucesivamente. Al final de la ronda, la última persona en el círculo y tú deben decir el secreto. ¿Cuál es la versión del mismo contada por ti y cuál la segunda? ¿Cómo varía cada versión según cada persona?

→ 2. Inventario de conocimiento previo
   a. Describe los roles de l@s lector@s de un texto o de los espectador@s de un espectáculo.
   b. ¿Qué entiendes por la palabra "recepción"?
   c. ¿Por qué crees que un mismo texto (ej. película o cuento) es analizado de maneras tan distintas a través del tiempo?

→ 3. Mini-investigación
   a. Buscar información sobre el modelo de comunicación de Jackobson.
   b. Buscar información sobre la figura del autor y la crítica literaria.
   c. Investiga sobre las teorías sobre los roles del/de la lectora, también conocidas como teorías de la recepción.

→ 4. Trae la noticia de primera plana de un periódico particular. Lee la noticia en clase. Cada estudiante debe escribir dos párrafos en los que analice la noticia. Lee las interpretaciones al grupo. Analiza las diferentes interpretaciones, sus semejanzas, sus diferencias y sus implicaciones.

→ 5. Relee un cuento, poema o drama que hayas leído previamente. Escribe aquellos aspectos que llamaron tu atención ahora y compáralos con tu recuerdo de la primera lectura.

Fase: Conceptualización

→ 1. Investiga los conceptos destacados en este capítulo y todos aquellos que te sean desconocidos.

→ 2. Analiza diversos ensayos críticos que consideran un mismo texto en una época específica (sincronía) o a través del tiempo (diacronía).

→ 3. Explica las tendencias estudiadas en este capítulo y compáralas con otras estudiadas en otros capítulos de este manual. Sugerimos que estudies las relación de estas teorías con las Formalistas, Marxistas y Feministas.

→ 4. Investiga alguna de las figuras de este capítulo y procura utilizar su propuesta para llevar a cabo un análisis.

Fase: Aplicación

→ 1. Aplica a un texto cultural (vídeo-juego, telenovela, anuncio publicitario, entre otros) las prácticas críticas estudiadas en este capítulo. Escribe un ensayo y prepara una presentación oral.

→ 2. Escoge tres trabajos críticos que se han escrito en Puerto Rico para las mismas fechas de los artículos analizados en el Borrador de análisis. Compara sus interpretaciones a partir de semejanzas y diferencias.

→ 3. Escoge un texto. Dáselo a leer o a ver a tres personas de distinta edad, nivel educativo y profesión. Pídele que escriban su interpretación en un máximo de tres párrafos. Analiza sus interpretaciones y compáralas. Haz una exposición oral y escrita con los resultados.

→ 4. Identifica lagunas, silencios o ambigüedades en un texto. ¿Cómo las llenarías o completarías? Analiza en qué tipo de asuntos o elementos te concentras. Trata de clasificar tus respuestas. Dale el mismo texto a un compañero de clase y pídele que haga tu mismo ejercicio. Compara sus respuestas con las tuyas.

→ 5. Especula cuál es el "horizonte de expectativas" sobre la novela en el Puerto Rico de la actualidad. Haz una exposición oral al respecto.

→ 6. Navega por tres blogs de crítica literaria que analicen el mismo texto y haz una comparación de los mismos siguiendo alguno de los acercamientos de este capítulo. Prepara una presentación oral a partir de tus conclusiones.

→ 7. Lee la misma noticia en tres periódicos digitales y compara sus perspectivas a partir de las consideraciones de este capítulo. Redacta un ensayo con tus conclusiones.

→ ¿Quién le teme a la teoría?

TEORÍAS SICOANALÍTICAS

6

It goes without saying that a civilization which leaves so large a number of its participants unsatisfied and drives them into revolt neither has nor deserves the prospect of a lasting existence. (Sigmund Freud)[52]

The memory of gratification is at the origin of all thinking, and the impulse to recapture past gratification is the hidden driving power behind the process of thought. (Herbert Marcuse)[53]

EXPLORA LO QUE SABES...

Anoche tuviste un sueño largo que puedes recordar al despertar. Narra el sueño a una compañera e intenta explicarle sus elementos. ¿Qué aprendes de la narración?

---

[52] Traducción: "Es obvio que una civilización que deja a un número tan grande de sus participantes insatisfechos y los obliga a rebelarse no tiene ni merece la perspectiva de una larga existencia."
[53] Traducción: "La memoria de la gratificación está en el origen de todo pensamiento, y el impulso por recapturar gratificaciones pasadas es el escondido poder impulsor detrás del proceso de pensamiento."

SITUACIONES

A veces despiertas sudando por motivo de una pesadilla desconcertante; otras, despiertas sonriendo porque tuviste un sueño agradable. Te complacería poder contarle a tus amig@s en la escuela el sueño o la pesadilla que tuviste, pero, al tratar de reproducirlo, te das cuenta que lo has olvidado. En otras ocasiones lo recuerdas con viveza y cada vez que lo cuentas alteras un poco los detalles para hacerlo más intrigante. Quisieras entender qué conexión tienen tus sueños con el resto de tu vida, porque a veces las referencias se te hacen obvias (sueñas con personas o lugares que conoces), pero otras parecería que inventas mundos paralelos cuando duermes.

Los sueños humanos han sido una (entre muchas otras que iremos mencionando y explicando a través de este capítulo) de las pistas que el sicoanálisis ha empleado para demostrar y analizar la existencia de esferas emocionales y mentales que no se manifiestan explícitamente en nuestra vida diaria. En general, el nombre que se le asigna a dichas esferas es el de **inconsciente**. Existen much@s teóric@s relacionados con diferentes tendencias sicoanalíticas que han propuesto diversidad de teorías para explicar el modo en que el inconsciente aparece y opera a través de nuestras vidas. Estas, a su vez, han intentado entender los modos en que los seres humanos, desde su nacimiento y a través de su infancia y adultez, negocian sus propios deseos y las reglas con las que son socializados por su familia y por la sociedad en pleno. Generalmente, dichos procesos son referidos como la **constitución del sujeto**, que ocurre por medio de la interacción y de la negociación entre el inconsciente y el consciente, y entre los impulsos individuales y las normas colectivas pre-establecidas.

En palabras sencillas, pues, el sicoanálisis intenta comprender la mente humana y sus interacciones con el mundo. Ello implica, como indica Skura, que el sicoanálisis "no es sólo una práctica clínica/terapéutica, sino también una teoría sobre la mente y una metodología de investigación/interpretación."[54] A diferencia de otras teorías estudiadas en este libro (*Feminismos, Anti-, Pos- y De- coloniales* y *Teorías sobre sexualidades fuera de la norma*, entre otras), las teorías sicoanalíticas no

---

[54] Meredith Anne Skura, *The Literary Use of the Psychoanalytic Process* (New Haven y London: Yale UP, 1981): 13-14.

surgen directamente de las necesidades y reclamos de sectores sociales que han sido tradicionalmente oprimidos en las sociedades occidentales. Además, a diferencia de otras de las teorías estudiadas en este libro (*Estructuralismos*, *Formalismos*), las teorías sicoanalíticas no parten de una necesidad de analizar y describir textos literarios como tal. Más bien, las teorías sicoanalíticas son ramificaciones, tendencias y, en muchos casos, quiebres con el trabajo de SIGMUND FREUD (1856 – 1939), quien fue un sicoanalista austriaco que revolucionó la profesión y, gracias a que escribió gran parte de sus descubrimientos y especulaciones, cambió para siempre el modo en que entendemos el sujeto humano.

Este capítulo se concentrará en varios de los aspectos más sobresalientes de las teorías de Freud, así como en algunos de los trabajos y propuestas de CARL GUSTAV JUNG (1875 – 1961) y de JACQUES LACAN (1901 – 1981). Es necesario insistir en que nuestra presentación de dichas figuras no es exhaustiva; es decir, no incluye todos los aspectos de su trabajo, que, además, en múltiples ocasiones cambió significativamente a través de sus respectivas carreras. Del mismo modo, los elementos que se incluyen no están descritos y analizados en todas sus dimensiones y posibilidades. Por otra parte, nuestra descripción de los usos de las teorías sicoanalíticas para el análisis de textos culturales es limitada y selectiva. Hemos intentado incluir otras figuras sobresalientes que han hecho aportaciones ineludibles, así como mencionar otros posibles modos de hacer análisis sicoanalíticos de textos. Nuestro propósito es que las uses como pistas para continuar aprendiendo por tu cuenta tanto sobre aspectos de las teorías sicoanalíticas que no cubrimos aquí, como de aquellos que cubrimos.

TENDENCIAS, DEBATES, CONCEPTOS Y FIGURAS

I. Sigmund Freud

Aunque Freud no es el primer proponente del sicoanálisis como práctica clínica, con él se asocia la sistematización y descripción de conceptos del sicoanálisis —y, a su vez, el afán de convertir al sicoanálisis en una ciencia empírica que sirviera de complemento a la biología—, la preocupación por la relación entre la mente humana y el lenguaje, y, sobre todo, la adjudicación al inconsciente de un papel activo y central en la vida humana, tanto individual como colectiva. Principalmente por medio del análisis de pacientes, Freud concluyó que el inconsciente participa de un modo dinámico con el consciente y, más aún, tiene un campo de acción mayor que el consciente. En opinión de Freud, el inconsciente se crea a partir de la represión, otro concepto crucial en su sistema. Para poder explicar el mecanismo mediante el cual ocurre la **represión**, es preciso exponer brevemente la teoría de Freud sobre el desarrollo humano.

Para el sicoanalista austriaco, nuestra interacción con la familia (que Freud presumía era, universalmente, el conjunto de seres humanos más inmediatos a partir de nuestro nacimiento) y, en particular, con la madre, es crucial en nuestro desarrollo y en nuestra vida posterior. Asimismo, Freud adjudicó a la infancia un extraordinario rol en el desarrollo posterior del cuerpo y de la sique humanas. Argumentó que nuestros **instintos biológicos** de supervivencia y autoconservación (necesidad de

CONCEPTOS

inconsciente
constitución del sujeto
represión
instintos biológicos
impulsos o energías libidinales/ l
placentera / placer
heteronormatividad
principio de placer
principio de realidad
consciente
preconsciente
inconsciente
id
parapraxis
ego
super-ego
consciente personal
inconsciente personal
inconsciente colectivo
arquetipo
individuación / individuo
sombra
anima
animus
persona
Orden Imaginario
etapa del espejo
Otro
otro
Orden Simbólico
Orden Real
méconnaissance
split subject
nombre del Padre
Falo
falocéntrico / falocentrismo

alimento, de cobijo, etc.; es decir, instintos que no tienen, en rigor, ningún sustrato "sexual") se entremezclan muy pronto con impulsos o energías libidinales. Los últimos tienen (o adquieren) un sustrato "sexual"[55] en la medida en que la satisfacción de los instintos biológicos resulta placentera para el infante (como veremos más adelante, oralmente mediante el consumo de leche, analmente mediante el control sobre la retención o la liberación de las heces fecales, etc).[56] Precisamente porque le otorgaba un rol tan importante para nuestra subjetividad adulta, Freud desarrolló una teoría sobre el desarrollo infantil.

La experiencia que vamos teniendo con nuestros propios cuerpos a través de nuestra infancia es el aspecto central de la teoría freudiana sobre nuestro desarrollo. Como tal, Freud creía que todos (mujeres y hombres) tenemos inicialmente una sexualidad bisexual y polimorfa, y que pasamos por tres etapas principales asociadas con partes del cuerpo de las que derivamos placer:

1. *fase oral*: derivamos placer oral principalmente por ingerir alimento y leche materna. En este momento nos sentimos absolutamente conectados a la madre y no tenemos una noción de nosotros mismos como entes diferenciados y separados de la madre. [0-2 años aproximadamente]

2. *fase anal*: derivamos placer de la posibilidad de controlar las funciones de desecho del sistema digestivo. Esta fase nos da una primera sensación de separación de nuestros cuerpos con respecto al de la madre. [2-4 años aproximadamente]

3. *fase fálica*: descubrimos placer generado por la manipulación genital. Esta fase provoca nuestra sensación de separación de la madre e inicia el proceso de negociación de las rivalidades que Freud entendía existen entre el niño o la niña y las figuras materna y paterna. [4-7 años aproximadamente][57]

---

[55] Es importante señalar que el término "sexualidad" para Freud era mucho más abarcador que las relaciones sexuales como tal. Wright lo explica del siguiente modo: "Él [Freud] llama 'libido' a toda la energía disponible del instinto sexual, y es esencial reconocer que esta energía no se dirige solamente a objetivos sexuales por sí. La sexualidad debe entenderse como algo no limitado específicamente al proceso de reproducción [...]." Eva E. Wright, *Psychoanalytical Criticism: A Reappraisal* (New York: Routledge, 1998): 12.

[56] Observa que la satisfacción de los impulsos no tiene objetos fijos predeterminados.

[57] Debemos nuestra breve exposición de las fases al resumen de las mismas que hace Hall (107).

El bebé experimenta la separación de su cuerpo y el de la madre (su principal foco de asociación con el placer) como una pérdida, pues la previa sensación de no diferenciación entre sí y el mundo le daba la ilusión de un control absoluto. Dicha pérdida, según Freud, activa el mecanismo del deseo. Por lo tanto, el deseo puede definirse como aquello que surge constantemente para aliviar esa pérdida primigenia y recuperar lo que ha sido perdido (devolver placer al cuerpo cuando ha experimentado por primera vez el dolor). Al mismo tiempo, se genera la represión porque el/la niñ@ comienza a percibir que su deseo no siempre es plenamente satisfecho, pues tiene que ser negociado con las normas familiares y sociales. Todo lo que reprimimos se aloja en nuestro inconsciente (del que hablaremos más adelante). Por lo tanto, puede decirse que el inconsciente se crea en nosotros a partir de la primera represión.

Luego de la primera pérdida, el niño, que ya se concibe como un ente diferenciado del resto del mundo y de la madre, experimenta lo que Freud llama "miedo a la castración" o "complejo de Edipo."[58] El niño ha comenzado a percibir la autoridad del padre en la familia y la ha asociado con el pene que sabe tiene el padre y que no encuentra en el cuerpo de la madre. Por lo tanto, según Freud, el niño se concibe en competencia con el padre por el amor de la madre y teme perder su propio pene (como lo ha "perdido," para él, la madre y, si la/s tiene, su/s hermana/s) a manos del padre. Como resultado, en opinión de Freud, el niño pierde el interés erótico que ha tenido hasta entonces por la madre. El miedo a la castración tiene tal intensidad, según Freud, que provoca que el niño quiera imitar al padre en vez de suplantarlo como compañero sexual de la madre. Como resultado, el niño asume la autoridad social vinculada con el padre y comienza a desear otras mujeres (en otras palabras, se convierte en un ser humano heterosexual).

El proceso que Freud describe para el caso de la niña es significativamente más tortuoso y menos claro. La niña también experimenta, según Freud, la fase edípica, pero a ella le provoca una especie de inadecuacidad consigo misma por su falta de pene. Desilusionada por ese descubrimiento y el de que su madre tampoco tiene pene, la niña

---

[58] Esta frase creada por Freud se refiere al personaje principal de la tragedia griega *Edipo Rey*, escrita por Sófocles. En ésta, Edipo está predestinado a tener sexo con su madre y a matar a su padre. Durante los intentos de Edipo por escapar a la profecía, termina cumpliéndola sin darse cuenta.

vuelve su atención al padre e inicia una rivalidad con la madre por el amor de aquel. Según Freud, el deseo por el pene (lo que llamó "envidia del pene") es transformado posteriormente por un deseo de tener hijos (y si son hombres, mejor) como una especie de sustituto del pene que la niña nunca tendrá (así se convierte también en un ser humano heterosexual).[59]

Es crucial insistir en que estas teorías de Freud partían de una serie de suposiciones que hay que relacionar con el escenario en que Freud trabajaba. La crítica feminista a la misoginia de Freud ha sido prolífica. Observa que Freud parte de la premisa del padre y del pene como centros de su teoría (como "significantes trascendentales" en el vocabulario de Derrida –ver capítulo *Posestructuralismos*), de los que luego deriva el resto del desarrollo humano. Aunque Freud toma la asociación entre poder y padre/pene como un asunto "natural," la crítica feminista ha demostrado que dicha relación es una construcción social relacionada con el sistema patriarcal (veremos, además, cómo Jacques Lacan cuestiona implícitamente la "naturalidad" con que Freud trata estos asuntos). Como resultado, Freud no puede entender a la mujer como otra cosa que una versión (o derivación) inferior con respecto al hombre. Por lo tanto, la mujer está marcada, a juicio de Freud, por la envidia de la parte genital que se toma como "presencia" de manera tal que pueda adjudicarse a la mujer la "ausencia de" y, como consecuencia, el mecanismo de compensación mediante la reproducción heterosexual.

Críticas más atentas a las complicaciones y a las paradojas de los numerosos textos de Freud, por otra parte, han insistido en que los mismos exhiben la lucha entre sus teorías y las constricciones de su contexto histórico (recuerda que Freud escribió gran parte de su obra a finales del siglo XIX y a principios del XX). Lo que Freud describe explícitamente como asuntos "biológicos" y "naturales" se pueden interpretar como asuntos "sociales" y "culturales," sobre todo porque Freud exploró incansablemente los modos en que los deseos e impulsos humanos son, simultáneamente, permitidos y constreñidos por las normativas sociales.[60] Considera, por ejemplo, el modo en que el niño asocia el padre con la autoridad de la familia. Ese resultado puede entenderse como un proceso de socialización (y no como un asunto "biológico") si se considera la asignación social de autoridad

---

[59] La sección precedente se ha nutrido de la exposición de Bertens (157-160).
[60] Por ello a Freud se le califica como un pensador materialista (ver capítulo *Teorías materialistas*) (Eagleton 141).

y poder al hombre bajo el sistema patriarcal en el que vivimos (otra vez, ver capítulo *Feminismos*).

Por otra parte, algunas tendencias de las teorías *queer* han insistido en que las propuestas de Freud toman la heterosexualidad como la norma y lo "normal" (el término empleado es **heteronormatividad** –ver capítulo *Teorías sobre sexualidades fuera de la norma*). Esta crítica parte del análisis de la idea de Freud que todos somos bisexuales al nacer, y luego, por medio de las fases explicadas previamente, nos "convertimos" en adultos "normales" (heterosexuales). Cualquier otro resultado es una "desviación" o "perversión" del desarrollo adecuado y de la superación del "complejo de Edipo." Sin embargo, como hemos indicado para la crítica feminista, es también posible observar que los propios textos de Freud permiten una lectura de sus paradojas que contradice lo que el sicoanalista escribe explícitamente. La heterosexualidad, según la teoría de Freud, no es "natural" y "normal;" no nacemos con ella. Es una sexualidad a la que se llega (una sexualidad que se construye) por medio de mecanismos de represión.

Veamos ahora con más detalle las teorías de Freud sobre la sique humana una vez se ha formado el inconsciente. El sicoanalista austriaco concibió nuestra sique de diferentes modos a través de su carrera. Específicamente, pueden identificarse tres modelos:

1. dinámico: enfatiza las interacciones de fuerzas dentro de la mente. Las interacciones son provocadas por las tensiones que se generan entre los impulsos instintivos del cuerpo humano y las necesidades de la realidad externa. Esta interrelación y negociación de impulsos está inevitablemente conectada a sentimientos de placer y de dolor.

2. económico: considera que el placer resulta de una reducción del nivel en que el cuerpo es perturbado por cualquier estímulo; por el contrario, el dolor (no-placer) es generado por un aumento en la perturbación del cuerpo por parte de cualquier estímulo. Bajo este modelo, Freud considera al cuerpo humano en lucha con el mundo exterior. Esa lucha es expresada por Freud como aquella entre el **principio de placer** y el **principio de realidad**. El instinto del cuerpo humano es reducir cuanto sea posible la perturbación de sí mismo por estímulos externos (principio de placer), pero los estímulos externos no cesan de estar presentes y de perturbar el cuerpo humano

(principio de realidad). Para Freud, la búsqueda de placer del cuerpo humano tiene que aprender a posponerse o a restringirse de manera que pueda cumplir con las exigencias mínimas de la civilización (en otras palabras, tiene que aprender a experimentar cierto nivel de dolor o de no-placer si es que quiere vivir en sociedad).

3. topográfico: en este modelo la sique se concibe como dividida en sub-sistemas, que, mediante su acción conjunta, negocian el conflicto de energías. De este modelo hay dos versiones que explicamos a continuación:

    a. subdivisión entre **consciente** (percepciones, sentidos, organización mental del mundo externo); **preconsciente** (cubre los elementos de la experiencia que pueden ser llamados a la conciencia por medio de la voluntad); **inconsciente** (todo aquello que se ha almacenado fuera del alcance del preconsciente y del consciente y que no puede ser convocado fácilmente por el consciente)[61]

    b. subdivisión entre **id** (se refiere a los impulsos instintivos que se producen por la necesidad de generar placer que tiene el cuerpo humano; una fuerza amoral, algo misteriosa y caótica que sólo considera su propio deseo de búsqueda de placer; logra burlar el control del super-ego [que explicamos a continuación] y sale a la superficie por medio de estrategias parecidas a las del lenguaje figurativo, tales como las metáforas y las metonimias, y por medio de chistes y expresiones dichas "por equivocación" [lo que Freud llama **parapraxis**]); **ego** (se crea a partir del id y es la agencia de la sique que regula y se opone a aquellos impulsos que estén en absoluta contradicción con las demandas del

---

[61] Por ejemplo, en tu consciente se encuentran estas palabras que lees ahora utilizando tus sentidos físicos. Si aprendiste a correr bicicleta cuando eras pequeñ@ y hace mucho tiempo que no lo haces, puedes descubrir que "olvidaste" la estrategia si intentas ahora dicha actividad. Pero con un poco de práctica, logras "recordar" la estrategia y correr bicicleta nuevamente. Ese contenido se alojó, por lo tanto, en el preconsciente. El inconsciente recoge todo aquello que tu sique reprime porque es demasiado doloroso o incómodo como para manejarlo conscientemente; por ejemplo, el sufrimiento o el coraje que te generó la muerte de un ser querido.

[62] Este es el último modelo que Freud usó para describir la sique humana. La diferencia fundamental con los modelos anteriores es que Freud llegó a concluir que el "id" existe antes que el "ego," mientras que antes concebía al "ego" como la parte de la sique humana con la que nacemos.

mundo externo);[62] **super-ego** (el representante de las influencias autoritarias de los padres y de la sociedad sobre los impulsos instintivos; una especie de policía moralista y cruel).[63]

Es importante insistir en que estos modelos no están necesariamente opuestos entre sí y que Freud no necesariamente descartó el anterior a medida que desarrolló el próximo. Por ejemplo, la lucha entre el principio de placer y el principio de realidad es parte del modelo topográfico. El id constituye la división de la sique asociada con el principio de placer y el super-ego con el principio de realidad. El ego funciona aquí como mediador o negociador entre el id y el super-ego.

II. Carl Gustav Jung

C. G. Jung fue un estudiante de Freud que forjó una concepción de la sique y del desarrollo humano significativamente distintas a las del sicoanalista austriaco. Jung, al igual que Freud, otorgó un rol crucial al inconsciente en la vida humana. Pero la sique, a diferencia de los modelos de Freud, se subdivide en las siguientes tres partes según el sicoanalista suizo:

1. **consciente personal:** imágenes, pensamientos, frases que creamos en nuestras mentes constantemente al interactuar con el mundo, y que cambian según nuestras diversas experiencias diarias

2. **inconsciente personal:** almacena todos los pensamientos, frases, imágenes que son suplantados por otros en nuestro consciente durante nuestra vida diaria; sirve como nuestra memoria

3. **inconsciente colectivo:** precede al inconsciente personal; almacena el conocimiento, las experiencias, las imágenes, entre otros, acumuladas por toda la especia humana; son transferidas como parte de la propia estructura de la sique y no como herencias culturales que se enseñan o transmiten de una generación a otra.[64]

---

[63] Explicamos los modelos freudianos principalmente a partir de la exposición de Wright (9-10).
[64] Debemos esta exposición a la de Bressler (126-127).

Las memorias, experiencias y conocimientos que se alojan en el inconsciente colectivo, según Jung, existen como lo que este llama **arquetipos**. Estos pueden definirse más específicamente como patrones o imágenes de experiencias humanas que se han repetido y se continúan repitiendo universalmente y a través del tiempo (puedes concebirlos como símbolos universales). Los arquetipos se manifiestan, argumenta Jung, en nuestros cuentos populares, nuestros sueños, nuestras religiones, nuestras fantasías. Los arquetipos, es importante señalar, funcionan como predisposiciones universales que nos causan cierta respuesta a determinado estímulo externo (ver Guerin et al. 201-204 y Bressler 126-128).

Observa que tanto Jung como Freud otorgan a sus teorías aires de universalismo; es decir, las proponen como asuntos que ocurren en el desarrollo y en la sique de todos los humanos, aunque haya variaciones significativas dependiendo del contexto específico en el que nace y se desarrolla cada persona. Asimismo, pensaba, a diferencia de Freud, que nuestro libido no está necesariamente y en todo caso motivado por instintos sexuales subyacentes, sino que puede estar relacionado con cualquier esfera de actividad.

Exploremos ahora la teoría del desarrollo humano según Jung, y sus diferencias con respecto a la teoría freudiana. Jung llamó individuación tanto al proceso de desarrollo como al resultado al que deben llegar las personas. Para Jung, el ser humano no pasa por las etapas libidinales que Freud postuló y que discutimos en la sección anterior. El proceso de individuación se refiere a una serie de transformaciones a través de la vida humana, que comienza con la separación del infante del inconsciente colectivo (representado en ese momento por la familia) y su llegada a un "yo" individualizado (separado). Jung considera al ser humano a través de su vida como alguien que lucha, en primera instancia, con imágenes arcaicas de un "yo" omnipotente, y, en segunda, con las exigencias de las normativas sociales. Puedes considerar que este proceso de separación (que es también uno de reconocimiento de nosotros mismos como personas diferentes de todas las demás), aunque se vive por etapas muy distintas a las propuestas por Freud, es similar al proceso freudiano de separación del niño y de la niña de su familia inmediata (ver Wright 59-61)

Dentro de los arquetipos jungianos que brevemente hemos explicado, hay tres muy importantes que se refieren al proceso de **individuación** de cada persona, y que están estructuralmente contenidos en nuestra sique:

1. la **sombra**: la parte más "oscura," menos placentera, de nuestro inconsciente y de nuestra personalidad; aquello que buscamos suprimir

2. el **anima**: el espíritu, la fuerza o la energía vital que se encuentra, según Jung, en cada ser humano; el hombre la proyecta en la mujer y la mujer en el hombre (por tanto, Jung usa el concepto *animus* para el caso de la mujer); también funciona como una especie de mediador entre el consciente y el inconsciente

3. la **persona**: mediador entre nuestro consciente y el mundo externo; es el "yo" que mostramos al mundo, algo como una "máscara" de nuestra personalidad que no necesariamente es la "verdadera"[65]

Al igual que como indicamos para el caso de Freud, Jung asume la heterosexualidad como la norma y el resultado del desarrollo humano, aunque, originalmente, la sique es bisexual tanto para Jung como para Freud. Asimismo, observa el modo en que Jung refuerza en su teoría, quizá involuntariamente, los arquetipos que argumenta son parte estructural de nuestra sique. ¿Por qué, por ejemplo, asocia las partes desagradables de nuestra personalidad con la "sombra," "lo oscuro," "lo negro"? ¿Qué implicaciones socio-culturales tiene esa asociación?

Por otra parte, cabe destacar que la interpretación de sueños individuales era tan importante para Jung como lo era para Freud; pero, a diferencia de Freud, Jung entendía los sueños como manifestaciones del inconsciente individual y como creaciones derivadas de un almacén común de "imágenes primordiales" que se pueden percibir a través de las culturas (ver Wright 60).

Finalmente, es preciso señalar dos diferencias adicionales con respecto a las teorías de Freud que son importantes para comprender las aportaciones de Jung. El sicoanalista suizo provee una teoría de armonía, unidad e integridad entre los impulsos y deseos del inconsciente colectivo y del personal (propone un sujeto que puede lograr su total consolidación

---

[65] Nuestra descripción de estos arquetipos se basa primordialmente en la de Guerin et al. (204-207).

y unificación), mientras que Freud propuso una teoría de contradicción y conflicto entre las partes de la sique humana y las exigencias del mundo social (propone un sujeto dinámico, en constante conflicto). Al mismo tiempo, en el sistema de Jung la influencia colectiva (del mundo en pleno) en el individuo es mucho más significativa y temprana que la que el sistema freudiano permite concebir.

III. Jacques Lacan

Jacques Lacan fue un sicoanalista francés que propuso un "retorno" a Freud, pues pensaba que la práctica sicoanalítica (especialmente la llamada "sicología del ego" y la "teoría de las relaciones de los objetos" asociada con MELANIE KLEIN [1882 – 1960) se había desviado demasiado de las teorías freudianas. Lo curioso es que Lacan terminó proponiendo teorías significativamente diferentes de las de Freud, especialmente en lo que se refiere a la relación de la sique y del desarrollo humanos al lenguaje. Ello es principalmente el resultado de la conexión que hace Lacan entre el sicoanálisis y otros campos del conocimiento, tales como la lingüística, la antropología y la etnología, entre otros. Una de las principales aportaciones de Lacan es su afirmación de que el inconsciente tiene una estructura que funciona análogamente a la estructura del lenguaje. Por tanto, es posible identificar y analizar dicha estructura (para más detalles sobre estudios del lenguaje, su estructura, y los modos en que se ha imaginado la relación de este con el mundo, ver capítulos *Estructuralismos* y *Posestructuralismos*). Observa que Lacan, aunque termina proponiendo una visión del rol del lenguaje mucho más radical que la de Freud, estaba insistiendo en los descubrimientos que se referían a la práctica sicoanalítica como una práctica del lenguaje y a las manifestaciones del inconsciente como accesibles sólo por medio del lenguaje (recuerda el énfasis de Freud en el lenguaje figurativo [metáfora, metonimia, entre otros], en los chistes, en las parapraxis), aunque siempre en conflicto con este. El énfasis en el lenguaje permite a Lacan concluir, de manera más explícita y abarcadora que Freud, que los valores, prejuicios y diferenciaciones por motivo de género son productos de cada cultura y, por lo tanto, son transmitidos históricamente en vez de "naturalmente."

Es importante destacar de inmediato que para Lacan la subjetividad humana no existe inherentemente en cada cuerpo que nace. La subjetividad humana emerge, se construye, mediante la interacción de cada ser humano con su ambiente. Por ello, el modelo de Lacan puede ser denominado como relacional, y, como tal, permite la diferencia más fácilmente que el modelo freudiano (ver Bertens 160). Pero dicha interacción no es, en la teoría lacaniana, una relación directa, sencilla y sin problemas. La subjetividad nunca está del todo acabada ni fija (ver capítulo *Posestructuralismos*). Todo ser humano, según el sicoanalista francés, pasa por tres etapas (Lacan las llama "órdenes") que no debes entender como trascendentes; es decir, una etapa no suplanta la anterior, sino que las tres conviven e interactúan de modos complejos a través de la vida humana.

1. **Orden Imaginario**: se refiere al mundo de la/el niñ@ cuando aún no ha aprendido el lenguaje; el bebé no puede diferenciarse a sí mism@ ni a su cuerpo del resto del mundo; se concibe como un conjunto indiferenciado de fragmentos que tiene una especie de control absoluto, que no conoce límites ni fronteras; como en Freud, su principal objeto de deseo es la madre

- **etapa del espejo**: se refiere al momento en que el bebé se ve en un espejo (el espejo puede ser literal o simbólico: la/el niñ@ se ve a sí mismo gracias a la imagen que le lanza el mundo [el **Otro** en la terminología lacaniana], que puede o no incluir personas concretas de su ambiente [el **otro**]) y se descubre como un ente y un cuerpo diferenciado y separado del resto del mundo. Es un momento de reconocimiento de sí, pero en Lacan no produce la sensación de armonía que imaginaba Jung. Al contrario, es el momento en que la/el niñ@ entra en el próximo orden que propone Lacan y que discutimos a continuación:

2. **Orden Simbólico**: puedes pensarlo como el mundo según lo percibimos y creamos por medio del lenguaje; la/el niñ@ entra en el orden simbólico una vez aprende el lenguaje; es el momento en que la/el niñ@ sólo puede aprehenderse a sí mism@ y al resto del mundo por medio del lenguaje; ello confirma para la/el niñ@ que su previa sensación de control absoluto es ilusoria; la entrada al

orden simbólico asegura, además, que al niñ@ se le coloque (y se coloque a sí mism@) en todas las categorías previamente constituidas socialmente (de género, de clase y de edad, entre otras); por medio de la entrada al orden simbólico, la/el niñ@ "internaliza" las reglas de organización social, los límites impuestos socialmente en la conducta y en las manifestaciones del deseo, entre otros

3. **Orden Real**: es el orden al que nunca tendremos acceso y nunca podremos conocer porque se refiere al mundo y a nosotr@s mism@s no filtrados por el lenguaje (y sólo por medio del lenguaje conocemos al mundo, según Lacan).[66]

Como quizá has notado, el orden simbólico es particularmente importante dentro del modelo lacaniano. Vale la pena, por tanto, abundar más en el mismo. La descripción previa puede sonar dolorosa y terrible, y quizá te estés preguntando si no hay algún modo de evitarla. La respuesta de Lacan sería, "no." Los seres humanos sólo podemos asegurar nuestra existencia individual y colectiva por medio de la adquisición del lenguaje. Ese proceso es también el que asegura una sensación, no empece cuán provisional y fragmentada, de subjetividad. Nota que si la subjetividad sólo es posible por medio del lenguaje, entonces Lacan está proponiendo que la subjetividad es una construcción, y no algo dado "por naturaleza." Observa, además, que nuestra subjetividad (lo que podrías concebir como el "yo") depende, para Lacan, de nuestra relación con los otros (concretos y simbólicos). Y esa relación –que presupone un "yo" diferenciado de los demás– puede ocurrir, según el sicoanalista francés, una vez pasamos la "etapa del espejo" y entramos en el orden simbólico. La imagen de nosotr@s mism@s que recibimos de parte del espejo (ya sea concreto, simbólico, o ambos) es siempre un *méconnaissance* (*misrecognition* en una usual traducción al inglés; algo así como un desconocimiento de algo de lo que, no obstante, se tiene algún tipo de conocimiento en la trastienda), pues ya está irremediablemente mediado por el lenguaje –está en el orden simbólico. Recuerda que, en el sistema de Lacan, el (re)conocimiento absoluto y sin mediación sólo es posible en el orden real al que, una vez insertos en el lenguaje, no podemos tener acceso. No obstante, según Lacan, entrar al orden del lenguaje (simbólico) es la única posibilidad que tenemos de constituirnos como una subjetividad (ver Bertens 161). Es

---

[66] La exposición de Bertens es la principal fuente de la nuestra respecto a los órdenes lacanianos (160-163).

decir, en términos lacanianos, la individuación de la que hablaba Jung es totalmente ilusoria pero, a la vez, absolutamente necesaria para poder entrar en y participar del mundo social.

La sensación de pérdida que experimentamos en la etapa del espejo y luego de nuestra entrada al orden simbólico es lo que provoca (como en Freud, la separación de la madre) la represión y el deseo. El deseo que experimentamos el resto de nuestras vidas por diversas cosas es un mecanismo de compensación por esa "falta" (un intento de "llenar el vacío" por medio de símbolos temporeros) que nos acompañará para siempre porque, en realidad, nunca podrá ser satisfecho. La diferencia fundamental de esta propuesta con respecto a la de Freud es que la de este último estaba limitada a y era resultado de la interacción con la familia nuclear, mientras que a juicio de Lacan la "falta" es provocada por la entrada al orden simbólico, o al lenguaje, en términos mucho más generales.

Esta situación responde, principalmente, a que Lacan, como l@s posestructuralistas, reconoce al lenguaje como algo que no está bajo nuestro control. Nosotr@s entramos al lenguaje que ya está previamente convenido (no creamos el lenguaje acorde con nuestras propias necesidades), pero, simultáneamente, es el lenguaje el único medio para constituirnos como sujetos sociales. Es decir, como sujetos que pueden comunicarse y representar el mundo y su propia experiencia mediante el lenguaje. Así las cosas, sólo por medio del lenguaje podemos intentar llenar la "falta" primigenia de la que hablamos en la sección previa. Pero como el lenguaje designa ausencia tanto en cuanto los significantes representan objetos, personas, paisajes, etc. que no están físicamente presentes,[67] la "falta" nunca puede ser "llenada:" somos sujetos fundamentalmente "en necesidad," atrapados en una cadena

---

[67] Esto quedará más claro si consultas el capítulo *Posestructuralismos*; en especial las diferencias entre estas teorías y las de los *Estructuralismos* respecto a la relación entre *significante, significado* y *signo*. Pero, por lo pronto, imagina el siguiente ejemplo: "Mañana iré a la playa." Esta oración crea un sujeto, un "yo," una temporalidad ("mañana") y un espacio ("playa") que no "existen" concretamente a la hora de hacer la enunciación. El lenguaje provee la ilusión de que el sujeto que emite esta oración corresponde directamente al "yo" implícito en la oración, pero lo que ocurre realmente es que el lenguaje "divide" el sujeto (o "crea" dos sujetos) entre el que enuncia (que no existe de manera concreta en la oración) y el sujeto que está enunciado (el "yo" que irá a la playa). En el caso de la temporalidad y el lugar, este argumento es más obvio: puedes estar en la escuela hoy y decir que irás a la playa mañana y tanto la temporalidad como el espacio son "creados" por el lenguaje de manera tal que tanto el día de mañana como la playa puedan ser evocados por los sujetos que escuchen la enunciación y por ti mism@.

interminable de significantes que remiten a otros significantes, y así sucesivamente. Es como si la "falta" fuera eternamente sustituida por más y más "faltas" o vacíos. Somos sujetos "divididos" (el *split subject* de Lacan) entre el uso del lenguaje para subsanar nuestra "pérdida" y la imposibilidad de lograrlo porque el lenguaje no hace más que reproducir "ausencias" (ver Eagleton 142-151).

Veamos ahora, más específicamente, la relación que tiene todo esto con asuntos de género, aspecto que explicará el atractivo que ha supuesto Lacan, a diferencia de Freud, para muchas feministas que mencionamos en el capítulo *Feminismos*. La configuración de la autoridad social que opera por medio del lenguaje (es decir, el orden simbólico en su totalidad) es llamado por Lacan el **nombre del Padre**, pues este reconoce el carácter patriarcal de las culturas occidentales dominantes. A partir de allí, Lacan propone al **Falo** como el significante absoluto (o trascendental en el vocabulario de Derrida —ver capítulo *Posestructuralismos*) que le da significado al orden patriarcal en general.[68] Es crucial indicar de inmediato que cuando Lacan habla del "Falo" no habla de "pene" en el sentido concreto e individual en el que se manifiesta corporalmente y que puede observarse, por ejemplo, en las teorías de Freud. El "Falo" lacaniano es una especie de referente absoluto, un significante siempre simbólico, como Dios puede serlo para las personas creyentes. De ahí el término **falocéntrico** que se emplea en las teorías feministas para denominar el carácter general de cualquier evento, texto o manifestación humana que reproduce y confirma el orden patriarcal.

ASUNTOS DE INTERÉS GENERAL

A través de nuestras exposiciones de las teorías de Freud, Jung y Lacan, hemos establecido semejanzas y diferencias entre ellos que ya deben darte una idea de los asuntos de interés general para las teorías sicoanalíticas. A continuación las listamos a modo de recapitulación:

1. importancia del inconsciente como un ente activo en la vida individual y colectiva
2. importancia de reconocer el deseo como un aspecto crucial del desarrollo y de la vida humana

---

[68] Otra vez, ver capítulos *Estructuralismos* y *Posestructuralismos* para explicaciones sobre *significantes, significados* y *signos.*

3. énfasis en la construcción de la subjetividad por medio de la interacción del individuo con la sociedad (vs. sujeto innato, previo al encuentro con el mundo); esto puede observarse aún en las etapas de desarrollo freudianas que requieren una compleja interacción de la/del niñ@ con su entorno

4. interés en la niñez y en sus manifestaciones sexuales o libidinales para entender los procesos posteriores de la sique

5. relevancia del lenguaje en los procesos sicoanalíticos y en la estructura de la sique humana

6. reconocimiento del sicoanálisis como una interpretación de textos/discursos (la sique humana, el discurso del/de la paciente, los arquetipos y mitos, entre otros)

¿QUÉ ES "LITERATURA" SEGÚN LAS TEORÍAS SICOANALÍTICAS?

El último de los aspectos listados en la sección anterior sirve como puente para explorar la relación del sicoanálisis con la literatura. Hay varias tendencias o tradiciones críticas asociadas con el trabajo de las tres figuras estudiadas en este capítulo. Existen, además, teorizaciones tanto de Freud como de Jung y de Lacan sobre las posibilidades del sicoanálisis a la hora de interpretar los textos y sobre la relevancia de la literatura, y del arte en general, para la práctica sicoanalítica. La relación, pues, entre el sicoanálisis y la literatura es mutuamente incluyente o, si se prefiere, dual.

En el caso de las teorías freudianas, podemos identificar las siguientes respuestas a la pregunta, ¿qué es literatura?:

1. la literatura es análoga a, funciona como los sueños: la literatura emplea mecanismos que muestran algo que luego debe ser interpretado (es decir, no dice todo explícitamente) (ver Bressler 126); la literatura es análoga a y funciona como los sueños: como el inconsciente, la literatura emplea mecanismos figurativos para no decir todo explícitamente.

2. la literatura funciona como una manifestación del inconsciente o del id del/de la escritor@. Este tipo de crítica parte de la premisa de que l@s escritor@s son significativ@s y, en algunos casos, completamente, inconscientes de los significados subyacentes en sus textos; esta idea refuerza la necesidad de aproximarse al texto literario como si fuera un sueño a ser interpretado;

3. el texto y la/el escritor@ fungen como "pacientes" y el/la crític@ literario y el/la lector@ fungen como "analistas;" (a propósito de los primeros dos incisos, observa el énfasis que hace esta aproximación en la figura del Autor y en la necesidad de "descifrar" sus intenciones, asunto que ha sido profundamente emplazado por las teorías posestructuralistas –ver capítulo correspondiente)

4. la literatura presenta síntomas, condiciones y fases sicoanalíticas (ej. fases oral, anal y fálica, entre otros).[69]

Las teorías de Jung, a su vez, revelan las siguientes respuestas:

1. la literatura, y el arte en general, constituye una manifestación de los arquetipos alojados en el inconsciente colectivo universal;

2. ello explica, según la crítica jungiana, por qué lector@s en contextos muy distintos tienen reacciones similares ("predisposiciones," como ha sido explicado previamente) a determinados estímulos en la literatura;

3. la insistencia en los arquetipos lleva a Jung a concluir que los textos preceden a quien los escribe, pues los arquetipos universales (que preceden el lenguaje, versus lo que diría Lacan) sencillamente se manifiestan por medio de la/del escritor@ (la/el escritor@ funge como vehículo de los arquetipos) (ver Wright 62);

4. una de las tendencias críticas más importantes es la que se refiere al estudio de los mitos, motivos y personajes arquetípicos recurrentes en la literatura. Figuras como NORTHROP FRYE (1912 – 1991) y JOSEPH CAMPBELL (1904 – 1987) son importantes en esta tradición. La crítica feminista temprana también ha trabajado en estos asuntos en lo que se refiere a los arquetipos de mujer (ver capítulo *Feminismos*).

Las teorías lacanianas, finalmente, son un poco más complejas a la hora de responder a la pregunta que nos ocupa. Lo importante es recordar que Lacan adjudica al lenguaje un rol constitutivo del mundo. Por lo tanto, la literatura es, en primera instancia, un mecanismo creador del mundo. El resultado, contrario a Freud, es que el texto se convierte en el analista que precede y analiza al escritor@ y al lector@ por igual.

---

[69] Ver la exposición de Barry (105) y de Eagleton (155-158) para más detalles. Este último argumenta que los modelos más útiles de análisis sicoanalítico son aquellos que prestan mayor atención a la constitución formal (cómo se dice lo que se dice y lo que no se dice; cómo se calla lo que se calla, etc.) del texto (o sea, al #1 en nuestra lista) y a l@s lectores, en vez de al/a la autor@ y al contenido como tal (155). Ello parece ser avalado por la propensión a la trivialización de los últimos tipos de crítica: por ejemplo, el afán de buscar y encontrar símbolos fálicos en una novela o la conclusión de que este o aquel texto se escribió así porque el autor no superó el complejo de Edipo (asunto que es siempre absolutamente especulativo a partir de información biográfica).

A continuación encontrarás más posibilidades de las teorías lacanianas para el análisis de textos culturales:

1. los textos literarios tienen la capacidad de darnos la ilusión de un retorno al orden imaginario;

2. la literatura funge también como un mecanismo para satisfacer el deseo de compensación de la "falta" o "pérdida" que nos acompaña siempre; en palabras sencillas, la literatura funciona como un mecanismo que genera placer;

3. en ese proceso, la literatura nos sirve como un "otro" que provee "méconnaissance;"

4. la crítica lacaniana, como la freudiana, también se interesa por los contenidos inconscientes, pero pone énfasis en los del texto propiamente, en vez de en los del/de la escritor@ o de los personajes; (aquí puedes observar su deuda y simultaneidad histórica con las teorías posestructuralistas –ver capítulo correspondiente)

5. demuestra la existencia de síntomas o fases lacanianos (ej. "la etapa del espejo," "Falo" como significante absoluto, entre otros).

PREGUNTAS PARA HACER A LOS TEXTOS CULTURALES

Las preguntas críticas que puedes hacer a los textos culturales dependen en gran medida de los modelos teóricos sicoanalíticos que decidas emplear, según han sido descritos en la sección anterior.
A continuación sugerimos algunos ejemplos:

• ¿Qué aspectos, signos, palabras, momentos narrativos puedes observar que aparentan/pueden tener significados diferentes a los explícitos, pueden ser ambiguos o contradictorios? ¿Cómo interpretas dichos significados implícitos, ambigüedades y contradicciones? ¿Por qué? ¿Qué implicaciones tienen para el resto del texto? Fíjate, particularmente, en el lenguaje figurativo (metáforas, símiles, metonimias, etc.).

• Describe los procesos por los que pasan los personajes, los ambientes o las cosas en el texto que estudias utilizando conceptos de las teorías sicoanalíticas. ¿Qué significados puedes atribuirle a dichos procesos dentro del contexto del producto cultural y dentro de tu propio contexto?

- Examina tus reacciones al texto o a diferentes secciones del texto. Consulta con tus compañer@s de clase sobre sus reacciones. ¿Son similares? ¿Cómo pueden relacionarse las mismas con conductas aprendidas culturalmente? ¿Hay alguna reacción que experimentes como nueva e inesperada? Trata de proveer interpretaciones de los motivos de tu sorpresa.

- Busca en el texto elementos simbólicos/arquetípicos que puedes reconocer sin buscar información más allá del texto bajo estudio. ¿Qué significados crees que tiene ese símbolo/arquetipo? ¿Qué reacción te provoca? Consulta con tus compañer@s sobre los mismos símbolos/arquetipos y sobre sus reacciones. ¿Qué implicaciones socio-culturales tienen esos símbolos/arquetipos dentro de tu contexto y de aquel del producto cultural que analizas?

- ¿Qué aspectos puedes observar en el texto que constituyen alternativas al mundo dominante tal como lo conoces? ¿Qué mecanismos emplea el texto para crear un mundo alternativo y distinto? ¿Qué implicaciones socio-culturales tienen dichas creaciones textuales?

FIGURAS SOBRESALIENTES

- ALFRED ADLER
- HAROLD BLOOM
- JOSEPH CAMPBELL
- ELIAS CANETTI
- NANCY CHODOROW
- HÉLÈNE CIXOUS
- JOAN COPJEC
- SHOSHANA FELMAN
- SIGMUND FREUD
- ANNA FREUD
- ERICH FROMM
- NORTHROP FRYE

- JANE GALLOP
- NORMAN N. HOLLAND
- KAREN HORNEY
- LUCE IRIGARAY
- CARL GUSTAV JUNG
- MELANIE KLEIN
- JULIA KRISTEVA
- JACQUES LACAN
- PIERRE MACHEREY
- HERBERT MARCUSE
- CHRISTIAN METZ
- WILHELM REICH
- PAUL RICOEUR
- WILHELM STEKEL

BORRADOR DE ANÁLISIS

Textos: obra de teatro El público de Federico García Lorca[70]
y poema "A Julia de Burgos" de Julia de Burgos[71]

En este capítulo, proveemos dos aplicaciones breves empleando diferentes aspectos de las teorías sicoanalíticas que hemos explorado. Primero estudiaremos un fragmento (Cuadro Segundo) del texto dramático *El público*, cuya primera versión manuscrita encontrada data de 1930, del escritor español Federico García Lorca y luego, analizaremos el poema "A Julia de Burgos" de la escritora puertorriqueña Julia de Burgos.

i. El público

El análisis del texto de Lorca se llevará a cabo tomando como punto de partida las siguientes preguntas listadas previamente a propósito de las posibilidades de análisis literario basado en las teorías de Freud y de Lacan: ¿Qué aspectos, signos, palabras, momentos narrativos puedes observar que aparentan/pueden tener significados diferentes a los explícitos, pueden ser ambiguos o contradictorios?; ¿Cómo interpretas dichos significados implícitos, ambigüedades y contradicciones?; ¿Qué impacto tienen para el resto del texto?; Describe los procesos por los que pasan los personajes, los ambientes o las cosas en el texto que estudias utilizando conceptos de las teorías sicoanalíticas. ¿Qué significados puedes atribuirle a dichos procesos?

El primer rasgo evidente de *El público* es su carácter experimental. Ello permite una lectura sicoanalítica más o menos evidente, pues el texto literario se complace en explorar asuntos generalmente reprimidos en las literaturas dominantes mediante juegos retóricos y alusivos que emplean el lenguaje como herramienta principal. De modo general, podemos partir de la premisa que *El público* es, además de muchas otras interpretaciones posibles, una alegoría literaria de los procesos complejos y contradictorios de la mente humana en sus interacciones con el mundo, según han insistido las teorías sicoanalíticas desde Freud.

---

[70] García Lorca, Federico. *El público*. (Madrid: Cátedra, 1988).
[71] de Burgos, Julia. *Cuadernos de Poesía* (San Juan: Instituto de Cultura Puertorriqueña, 1995).

En términos lacanianos, podemos decir que en el texto se observa la preeminencia (o irrupción) del orden Imaginario sobre el orden Simbólico, pues las distinciones entre personajes y entre variaciones del mismo personaje no están (y no pueden ser) del todo claras o delimitadas. No obstante, es importante señalar que, según argumenta Lacan, es imposible escapar del orden Simbólico pues es sólo mediante el uso (aunque de modos transgresores y heterodoxos) del lenguaje, es decir, mediante el orden Simbólico, que el texto de Lorca puede lograr los efectos experimentales que persigue. El lenguaje es, además, la única estructura o herramienta posible que el texto puede emplear para negociar las interacciones con el orden Imaginario y con el Real (que puede asociarse en el texto con la homosexualidad, el teatro o ambos).

Analicemos ahora con más detalle el Cuadro Segundo del texto. En el mismo se representa el encuentro entre dos personajes llamados Figura de Pámpanos y Figura de Cascabeles. Una posible lectura de ese encuentro, que seguiremos en esta ocasión, es la de dos versiones interiores del personaje del Director. Ambas versiones se encuentran en lucha porque representan dos paradigmas de masculinidad (en términos de género; ver capítulo *Feminismos*). Uno de estos corresponde, según las normativas sociales, al "hombre" y lo que se presume es su rol en la práctica sexual, pero el otro es su antípoda:

> FIGURA DE PÁMPANOS. Si tú te convirtieras en pez luna, yo te abriría con un cuchillo, porque soy un hombre, porque no soy nada más que eso, un hombre, más hombre que Adán, y quiero que tú seas aún más hombre que yo. [...] Pero tú no eres hombre. (132)
>
> [...]
>
> FIGURA DE CASCABELES. [...] porque no eres hombre. Yo sí soy un hombre. Un hombre, tan hombre, que me desmayo cuando se despiertan los cazadores. Un hombre, tan hombre, que siento un dolor agudo en los dientes cuando alguien quiebra un tallo, por diminuto que sea. Un gigante. Un gigante, tan gigante, que puedo bordar una rosa en la uña de un niño recién nacido. (134)

Asimismo, el conflicto entre las versiones interiores del Director y las normativas sociales se agudiza cuando consideramos que la práctica sexual se asume socialmente como heterosexual, pero el texto da numerosas pistas de que la relación entre las Figuras es homosexual (ver capítulo *Teorías sobre sexualidades fuera de la norma*). A través del Cuadro, además, ambos paradigmas de masculinidad son intercambiados entre los personajes, asunto que refuerza la propuesta tanto del texto dramático como de las teorías sicoanalíticas de la gran complejidad y fluidez de la sique humana.

En términos freudianos, podríamos aducir que el Cuadro Segundo representa una lucha del id por irrumpir en el nivel explícito del consciente con los contenidos reprimidos por el personaje del Director. Las represiones tienen que ver, primordialmente, con la homosexualidad, que, como adelantamos, no parece poder reconciliarse ni con las expectativas sociales ni con los diferentes paradigmas de masculinidad que se contienen en el mismo personaje. En diferentes momentos, la Figura de Cascabeles y la de Pámpanos funcionan como el id y el super-ego (el ente que censura el id) entre sí, asunto que refleja la insistencia de Freud en la complejidad de la interacción entre las diversas funciones de la mente humana y en el hecho de que no puede hacerse una distinción clara, definitiva y fija entre los niveles inconscientes y conscientes del ser humano.

Al mismo tiempo, el personaje del Emperador, representado por su Centurión hacia el final del Cuadro funge como un ente represor (como super-ego) que pretende determinar cuál de las dos figuras es "el Uno;" es decir, cuál de los dos es, "realmente," el personaje del Director (137). Esa distinción resulta imposible de hacer, pues ambas figuras reclaman ser "el Uno" (138). Precisamente porque es imposible concebir al sujeto como "una" sola de sus posibilidades o versiones, la determinación, al final del Cuadro, de que "el Uno" es la Figura de Pámpanos sólo puede hacerse de modo violento y humillante respecto a la Figura de Cascabeles: "CENTURIÓN. ¡Cállate, rata vieja! ¡Hijo de la escoba!" (139). Ello resulta en reclamos de "¡Traición!" (139) por parte de la Figura de Cascabeles, aquella que, por su paradigma de masculinidad más "débil" y "vulnerable," el "super-ego" logró reprimir para que sólo emergiera a la superficie del consciente la Figura de Pámpanos.

ii. "A Julia de Burgos"

Por otra parte, mediante el análisis del poema de Burgos responderemos a preguntas formuladas por una de las modalidades jungianas de análisis literario: las que se refieren a la identificación y el análisis de arquetipos y a la interpretación de algunas de sus implicaciones socio-culturales. Prestaremos particular atención a los arquetipos jungianos *sombra*, *anima* y *persona*.

Una lectura inicial del poema revela inmediatamente que está estructurado como un binomio (ver capítulo *Estructuralismos*) entre dos "Julias de Burgos," entre "yo" y "tú," que, a simple vista, pueden identificarse, respectivamente, como el *anima* y la *persona*. La identificación del "yo" con el *anima* se sostiene tanto en cuanto las características que se le asignan al "yo" pueden describirse como el "espíritu, la fuerza o la energía vital que se encuentra, según Jung, en cada ser humano." Por ejemplo: "la esencia soy yo;" "yo, viril destello de la humana verdad;" "yo soy la vida, la fuerza, la mujer;" "yo soy Rocinante corriendo desbocado/olfateando horizontes de justicia de Dios;" "en mí manda mi solo corazón;" "yo, la flor del pueblo;" "yo, mi vida a nadie se la debo;" entre otros.

Sin embargo, es crucial señalar que dicha identificación es problemática con respecto al modelo jungiano, que insiste en que esa energía vital es proyectada en otra persona, específicamente en una del sexo opuesto (esta es una instancia de "heteronormatividad" que puede observarse en Jung; ver capítulo *Teorías sobre sexualidades fuera de la norma*). En el caso del poema, el *anima* no se proyecta en otra persona, sino que se persigue asimilarla en el modelo más liberador de la propia voz poética. Visto desde otro ángulo, no obstante, podría argumentarse que el *anima* se proyecta al modelo de mujer (a una "otra" persona, pero en este caso a otra mujer) que constituye, simultáneamente, lo que se encuentra tras la máscara del "tú" y la meta de liberación a la que se aspira.

La persona es de más fácil identificación, pues el "tú" es, a través de todo el poema, la máscara y el *performance* (ver capítulo *Teorías sobre sexualidades fuera de la norma*) que se muestra en las esferas públicas y sociales: "tú eres ropaje;" "Tú eres fría muñeca de mentira social;" "Tú, miel de cortesanas hipocresías;" "Tú eres de tu marido, de tu amo;" "Tú eres dama casera, resignada, sumisa,/atada a los prejuicios de los hombres;" "Tú en ti misma no mandas;" "Tú, flor de aristocracia;" entre otros.

La *sombra*, por su parte, puede constituir la propia lucha entre las dos "Julias de Burgos:" el hecho de que haya exigencias sociales opresoras con respecto a las mujeres genera ese desdoblamiento de la voz poética, esa sensación de división en dos, que constituye, en el contexto del poema, el aspecto que quisiera suprimirse (es decir, la *sombra*). Por otra parte, no obstante, la *sombra* es también la persona, pues el "tú" es el aspecto sistemáticamente cuestionado y acusado por la voz poética. Es útil observar, además, que la sombra puede interpretarse como el "yo" del poema si se considera que esa es la dimensión constantemente reprimida por las normativas sociales respecto a la conducta y a la apariencia de las mujeres.

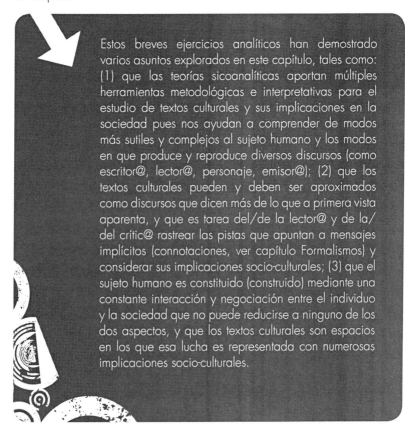

Estos breves ejercicios analíticos han demostrado varios asuntos explorados en este capítulo, tales como: (1) que las teorías sicoanalíticas aportan múltiples herramientas metodológicas e interpretativas para el estudio de textos culturales y sus implicaciones en la sociedad pues nos ayudan a comprender de modos más sutiles y complejos al sujeto humano y los modos en que produce y reproduce diversos discursos (como escritor@, lector@, personaje, emisor@); (2) que los textos culturales pueden y deben ser aproximados como discursos que dicen más de lo que a primera vista aparenta, y que es tarea del/de la lector@ y de la/del crític@ rastrear las pistas que apuntan a mensajes implícitos (connotaciones, ver capítulo Formalismos) y considerar sus implicaciones socio-culturales; (3) que el sujeto humano es constituido (construido) mediante una constante interacción y negociación entre el individuo y la sociedad que no puede reducirse a ninguno de los dos aspectos, y que los textos culturales son espacios en los que esa lucha es representada con numerosas implicaciones socio-culturales.

EJERCICIOS PARA ESTUDIANTES

Fase: Exploración

→ 1. Anoche tuviste un sueño largo que puedes recordar al despertar. Narra el sueño a una compañera e intenta explicarle sus elementos. ¿Qué aprendes de la narración?

→ 2. Escribe un diario de sueños durante una semana. Intenta establecer alguna explicación o interpretación de los mismos y trae algunas notas a clase.[72]

→ 3. Mini-investigación
    a. Busca información sobre el sicoanálisis
    b. Busca información sobre Freud, Jung y Lacan
    c. Busca información sobre Federico García Lorca
       y Julia de Burgos

→ 4. Inventario de conocimiento previo: ¿Qué palabras vienen a tu mente cuando piensas en: consciente, inconsciente, super-ego y arquetipos, entre otras?

Fase: Conceptualización

→ 1. Investiga los conceptos destacados en este capítulo
    y todos aquellos que te sean desconocidos.

→ 2. Mini-investigación
    a. Haz una mini-investigación sobre algunos de los conceptos desarrollados por alguna de las tres figuras discutidas en este capítulo. Puedes escoger conceptos que se explican aquí y abundar más sobre ellos, pero debes buscar conceptos que no encuentras aquí. Por ejemplo, busca información sobre los conceptos freudianos, "sublimación," "transferencia," "proyección," "desplazamiento," "perversión," y "condensación." Luego, explica cómo dichos conceptos pueden funcionar para una crítica literaria sicoanalítica o cómo pueden ser aplicadas a la literatura. Redacta un ensayo breve con los resultados de tu investigación

---

[72] En este capítulo no abordamos explícitamente las teorías freudianas sobre la compleja constitución de los sueños por medio de las operaciones del inconsciente. Te recomendamos hagas una mini-investigación al respecto y, si posible, te refieras al texto de Freud, *The Interpretation of Dreams*. Oxford: Oxford UP, 1999 [1899].

b. Haz una mini-investigación sobre la literatura experimental y las vanguardias en Europa e Hispanoamérica (en especial, Puerto Rico). Prepara una presentación oral que vincule tus hallazgos con las teorías sicoanalíticas.

→ 3. Busca ejemplos de arquetipos que Jung identificó. Puedes comenzar por los listados en el texto de Guerin et al. Luego, argumenta a favor o en contra de la idea de Jung de que los arquetipos forman parte estructural de nuestra sique y no son transmitidos culturalmente; es decir, no son aprendidos. ¿Qué implicaciones tiene cada posición?

→ 4. Lleva a cabo un análisis feminista del poema de Julia de Burgos, empleando herramientas de este y del capítulo *Feminismos*.

→ 5. Compara las propuestas sicoanalíticas de Freud, Jung y Lacan a partir de los contenidos de este capítulo. Puedes incorporar información adicional obtenida de tus mini-investigaciones.

→ 6. Analiza otros textos del curso utilizando preguntas analíticas de este capítulo. Asegúrate de usar preguntas que no se manejaron en el ejercicio de *Aplicación*.

→ 7. ¿Cómo Freud, Jung o Lacan interpretarían tus sueños del diario? Escribe un ensayo breve al respecto.

Fase: Aplicación

→ 1. Redacta un cuento breve a partir de los sueños de tu diario. Se sugiere que reproduzcas la secuencia de eventos de los sueños tal y como la recuerdas.

→ 2. Analiza los personajes de una telenovela a partir de las propuestas de Lacan.

→ 3. Interpreta uno de tus vídeo-juegos preferidos a partir del modelo de Jung.

→ 4. Analiza tu programa de televisión favorito a partir de algún aspecto de las teorías de Freud.

→ 5. Haz un documental breve en el que haces la siguiente pregunta a cinco de tus compañer@s de clase: ¿Cuál ha sido el sueño más impactante de tu vida? ¿Con cuánta frecuencia lo sueñas? Describe los personajes de ese sueño o qué relación tienen con tu vida.

→ 6. Escribe un ensayo que analice los puntos de contacto y las diferencias de los sueños de tu documental (si no puedes llevar a cabo un documental, puedes hacer el ejercicio a manera de encuesta). Establece relaciones con las perspectivas sicoanalíticas estudiadas en este capítulo.

→ ¿Quién le teme a la teoría?

FEMINISMOS

The very act of stating the problem ["what is a woman?"] at once suggests to me a first answer. It is significant that I raise it. A man would never think of writing a book on the specific situation of males in the human race. But if I want to define myself, I must first of all declare: "I am a woman;" this truth is the background from which all further claims will stand out. A man never begins by affirming that he is an individual of a certain sex: that he is a man goes without saying. [...] man represents both the positive and the neutral, as is indicated by the common use of man to designate human beings in general; whereas woman represents only the negative, defined by limiting criteria, without reciprocity.
(Simone de Beauvoir)[73]

Writing: a commitment of language. The web of her gestures, like all modes of writing, denotes a historical solidarity (on the understanding that her story remains inseparable from history). She has been warned of the risk she incurs by letting words run off the rails, time and again tempted by the desire to gear herself to the accepted norms. But where has obedience led her? At best, to the satisfaction of a 'made-woman,' capable of achieving as high a mastery of discourse as that of the male establishment of power. Immediately gratified, she will, as years go by, sink into oblivion, a fate she inescapably shares with her foresisters. How many, already, have been condemned to premature deaths for having borrowed the master's tools and thereby played into his hands? Solitude is a common prerequisite [...] (Trinh T. Minh-ha)[74]

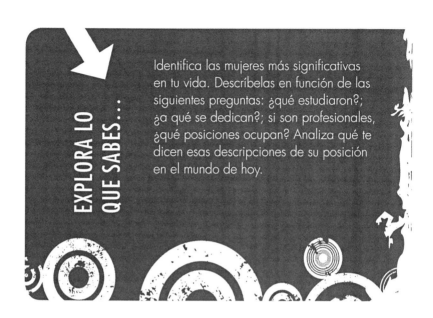

EXPLORA LO QUE SABES…

Identifica las mujeres más significativas en tu vida. Descríbelas en función de las siguientes preguntas: ¿qué estudiaron?; ¿a qué se dedican?; si son profesionales, ¿qué posiciones ocupan? Analiza qué te dicen esas descripciones de su posición en el mundo de hoy.

[73] Traducción: "El propio acto de establecer el problema ["¿qué es una mujer?"] me sugiere de inmediato una primera respuesta. Es significativo que yo lo formule. Un hombre jamás pensaría en escribir un libro sobre la situación específica de los varones en la raza humana. Pero si quiero definirme a mí misma, debo declarar primero que nada: "Soy una mujer;" esta verdad constituye el fondo desde donde toda afirmación futura resaltará. Un hombre nunca empieza por afirmar que es un individuo de cierto sexo: el que sea un hombre se da por sentado. … hombre representa tanto lo positivo como lo neutral, tal como lo indica el uso común de "hombre" para designar los seres humanos en general; en contraste, "mujer" representa sólo lo negativo, definido por criterios limitantes, sin reciprocidad." Hasta el momento, la única traducción disponible del francés al inglés del libro de Beauvoir es muy problemática. La versión de la cita que usamos aquí es la revisada en Toril Moi, *What Is a Woman? And Other Essays* (Oxford and New York: Oxford UP, 1999): 191.

[74] Traducción: "Escribir: un compromiso del [con el] lenguaje. La telaraña de sus gestos, como todos los modos de escritura, denota una solidaridad histórica (con el acuerdo de que su cuento permanece inseparable de la historia). Ella ha sido advertida del riesgo que incurre por dejar que sus palabras se salgan de los rieles, una y otra vez tentada por el deseo de acomodarse a las normas establecidas. Pero, ¿a dónde la ha llevado la obediencia? En el mejor de los casos, a la satisfacción de una "mujer hecha y derecha," capaz de lograr un dominio del discurso tan grande como el del sistema de poder masculino. Inmediatamente gratificada, ella se hundirá, a medida que pasen los años, en el olvido, destino que comparte, irremediablemente, con sus predecesoras. ¿Cuántas han sido condenadas ya a muertes prematuras por haber tomado prestadas las herramientas del amo y, por ello, jugado su juego? La soledad es un prerrequisito común …"

SITUACIONES

Has llegado agotado de la escuela y estás muy cómodo viendo televisión. Al poco rato, escuchas lo que parecen gemidos de una mujer intercalados con gritos de un hombre. Se escuchan muy cerca porque vives en una típica urbanización de clase media puertorriqueña. No es la primera vez que esta situación ocurre, pero en el pasado has decidido mantenerlo en secreto pues te han enseñado que en esos asuntos de familia no debes inmiscuirte. Tratas de ignorar lo que ocurre, pero las voces continúan cada vez a mayor volumen, a tal punto que te cuesta escuchar la televisión. No puedes evitar pensar en lo que sucede y debatirte entre varias posibilidades de acción. ¿Qué harías? ¿Continuarías ignorando lo que pasa en casa de l@s vecin@s y subirías el volumen de la tele? O, alarmado por la recurrente situación, ¿te valdrías de todos los mecanismos a tu alcance para denunciar el caso y repudiar todo tipo de agresión contra las mujeres?

En palabras sencillas, a lo que se dedican mujeres y hombres feministas es a lo segundo. Teóricamente, los feminismos han comenzado por preguntarse por qué ocurre cualquier tipo de opresión contra las mujeres alrededor del mundo. Descartando que la misma sea algo "natural" (es decir, algo que ocurre inevitablemente y que no está bajo nuestro control, tal como la necesidad de respirar o de pestañear), los feminismos se aventuran a contestar esa pregunta mediante diversos caminos. En el proceso, diferentes variantes o tendencias feministas proponen vías para transformar las prácticas socio-culturales, las instituciones y las auto-concepciones que perpetúan la subordinación de las mujeres.

Desde hace siglos, la existencia de cuerpos humanos diferentes ha sido motivo de debate y preocupación. No obstante, en muchas culturas e instituciones dominantes, dentro de las cuales los hombres han sido protagonistas, las diferencias entre mujeres y hombres se han entendido como manifestaciones de inferioridad (mental, emocional o corporal) y, como tal, han llegado a constituir la base de un mundo en el que las mujeres han sido oprimidas, abusadas (en todos los sentidos posibles), negadas y segregadas. Aun cuando los esfuerzos denominados "feministas" se pueden trazar hasta los albores de la historia escrita, figuras como MARY WOLLSTONECRAFT (1759 – 1797), VIRGINIA WOOLF (1882 – 1941) y SIMONE DE BEAUVOIR (1908 – 1986) son consideradas por much@s como figuras **fundacionales** de los feminismos que trataremos en este capítulo.

Dentro de los esfuerzos por lograr que las mujeres a través de todo el mundo tengan la voz y el margen de acción que por siglos les han sido negados, existen múltiples tendencias. Muchas de estas se han complementado, depurado y hasta refutado desde sus inicios hasta hoy. En este sentido, no es acertado decir que existe sólo un tipo de feminismo y un tipo de feministas (ya sean mujeres u hombres). Del mismo modo, podemos convenir que en la medida que los debates se mantengan vivos, se mantiene viva la necesidad, la pertinencia y la inmediatez de los feminismos a través del tiempo. En este capítulo, esbozaremos algunas de las tendencias feministas manifiestas principalmente durante el siglo XX, pero es de notar que, como en el resto de los casos en este manual, los trabajos de las diversas figuras que mencionamos son mucho más extensos y complejos que lo que podemos recoger en esta oportunidad. Te invitamos, por tanto, a que explores por tu cuenta todo aquello que sea de tu interés, exhortación que aplica igualmente a los demás capítulos de este libro.

TENDENCIAS, DEBATES, CONCEPTOS Y FIGURAS

Las teorías feministas cobraron cohesión y fuerza internacional a partir de la segunda mitad del siglo XX. Las primeras mujeres que comenzaron a estudiar las culturas desde el cuestionamiento de la opresión contra las mujeres, se dedicaron a la reconsideración de los mitos claves de las civilizaciones clásicas griega y romana. La **mitología** grecorromana, como texto cultural fundacional para las culturas occidentales, es imprescindible para analizar los modos en que las mujeres se representan. Así, las teóricas hicieron un redescubrimiento y recuento de la mitología **matriarcal pre-olímpica** (antes del dominio de Zeus), escudriñaron los arquetipos (ver capítulo *Teorías sicoanalíticas*) supuestamente universales que pueden encontrarse en los clásicos, y utilizaron los textos como medios para comprender cómo se manifiesta y se justifica la opresión contra las mujeres.

Más adelante, las críticas feministas comenzaron a hacer énfasis político en las injusticias evidentes del **patriarcado** –concepto que se empleó para referirse a la dominación de las mujeres por parte de los hombres, pero que ha sido debatido posteriormente– mediante las denuncias de la ausencia de escritoras en el **canon literario** que se enseña en círculos académicos. Entre otras, KATE MILLET (1934), GERMAINE GREER (1939) y ADRIENNE RICH (1929) se han destacado en dicho esfuerzo. Otras feministas se concentraron en analizar la representación de las mujeres en literatura escrita por hombres y, mediante estudios de recepción (ver capítulo *Teorías sobre el rol del/ de la lector@*), en las "imágenes de mujer" que los textos construyen (por ejemplo, la mujer como ama de casa, la mujer como fuente de seducción, la mujer como madre, la mujer como esposa, la mujer como amante y la mujer como bruja, entre otras). Entre las pioneras en este tipo de análisis se encuentran JOSEPHINE DONOVAN (1941) y JUDITH FETTERLEY (1938). Otras críticas como ELAINE SHOWALTER (1941), SANDRA GILBERT (1936), SUSAN GUBAR (1944) Y TORIL MOI (1953) han prestado atención a los problemas que enfrentan las mujeres escritoras y en el análisis, desde perspectivas distintas a las tradicionales (que han sido en sí mismas diseñadas y orientadas principalmente por hombres), de textos escritos por mujeres.

Oleadas de teóricas feministas posteriores han identificado la opresión hacia las mujeres inherente al propio lenguaje. Así, han dedicado sus esfuerzos a cuestionar categorías lingüísticas-culturales como "mujer," "hombre," "sexo," "género," "igualdad" y "diferencia," entre otros. Ello quizá parezca un esfuerzo insignificante, pero esta tarea se asume porque se parte de la premisa de que el lenguaje no es meramente una herramienta que usamos y que está absolutamente bajo nuestro control. Al contrario, estas tendencias teóricas entienden el lenguaje como un medio que "tiene vida propia" y que "construye" el mundo en la medida en que es empleado. En otras palabras, no hay "realidad" sin la mediación del lenguaje (para una explicación más amplia de este tema,

CONCEPTOS

fundacional
mitología
matriarcal / matriarcado
pre-olímpica
patriarcado
canon literario
logocentrismo
politizar
estructural / estructura
reformista / reforma
radical / radicalismo

ver capítulo *Posestructuralismos y Deconstrucción*). Por lo tanto, si pudieran transformarse los significados y las implicaciones de muchas categorías lingüísticas-culturales, podrían transformarse, a su vez, el lenguaje y las cosas que designa en el mundo.

Para lograr dicho propósito, las feministas convencidas por dicho argumento posestructuralista sobre el lenguaje han seguido múltiples rutas. Algunas han insistido en la *diferencia* fundamental que constituyen las mujeres con respecto a los hombres. Sus exponentes principales –que agrupamos aquí para propósitos explicativos, pero cuyas teorías no son iguales– son la algeriana HÉLÈNE CIXOUS (1937), la belga LUCE IRIGARAY (1932) y la búlgara JULIA KRISTEVA (1941). Escribiendo primordialmente en Francia, sus teorías cobraron prominencia, por primera vez, a mediados de los setenta. En general, dichas teóricas se valen de algunas vertientes del sicoanálisis –al que, a su vez, examinan críticamente– y del posestructuralismo (ver capítulos correspondientes) para proponer que, primero, hay una diferencia fundamental entre las mujeres y los hombres, y, segundo, el medio para lograr una sociedad más justa para las mujeres es identificar y defender lo que se entiende como particular a las mujeres (el término empleado en francés es usualmente *féminité*). Por lo tanto, estas tendencias teóricas ponen el acento sobre los aspectos y las experiencias de las mujeres que son distintos de los de los hombres (por ejemplo, la menstruación, el parto y la lactancia, entre otros).

Según Kristeva, quien propone una combinación entre ciertos aspectos del sicoanálisis de Lacan y la semiología (ver capítulo de *Teorías sicoanalíticas* y *Estructuralismos*), dichas particularidades de las mujeres preceden –existen antes de– los lenguajes y los signos que estos crean (en el vocabulario de Lacan, vienen antes que el orden simbólico y pertenecen más bien al orden imaginario –ver capítulo *Teorías sicoanalíticas*). Esos aspectos salen a relucir constantemente como retos al orden simbólico, asociado en términos sicoanalíticos con el Padre, en manifestaciones como el lenguaje de l@s niñ@s y la poesía. Cixous, por otra parte, valiéndose del análisis posestructuralista de las estructuras binarias (ver capítulo de *Teorías estructuralistas*), insiste en que todos los binomios que rigen nuestro pensamiento pueden trazarse en última instancia al de masculino/femenino. El énfasis en nuestras culturas en la palabra hablada –lo que Derrida llama **logocentrismo**– está profundamente atado al falocentrismo, que no es nada más que el régimen patriarcal en el cual el símbolo masculino del falo opera, para usar los términos de la deconstrucción, como el significante trascendental (ver capítulo *Posestructuralismos y Deconstrucción*). Irigaray, por su parte, lleva a cabo una crítica profunda de dicho binomio, especialmente en sus manifestaciones en los trabajos de Freud. "Hombre/mujer" implica, según la teórica belga, que el término "mujer" se encuentra, en las tradiciones occidentales por lo menos, absolutamente fuera de la representación. La mujer no puede representarse porque de antemano se imagina como ausencia, como falta, como negación de lo que se toma como presente, como afirmación, es decir, de lo masculino.

L@s feministas construccionistas sociales o materialistas, dentro de las cuales destacan MICHÈLE BARRETT, TERESA EBERT (1951), MARIAROSA DALLA COSTA, SELMA JAMES (1930), MARTHA GIMÉNEZ, entre otras, adoptan vertientes de la tradición marxista (ver capítulo *Teorías materialistas*). De ese modo, han postulado que la insistencia en los rasgos que hacen "diferentes" a las mujeres y que apelan a una particularidad femenina universal no debe ser el principal enfoque de los feminismos. Al contrario, argumentan que es preciso poner más atención sobre el sistema de clases y las instituciones económicas y sociales en el poder que, conjuntamente, construyen, más que meramente reflejan, identidades de mujeres a su conveniencia. Es importante destacar que esta perspectiva puede trazarse hasta los esfuerzos de Simone de Beauvoir, quien ya en su extenso análisis socio-cultural *El segundo sexo*, insistió en que: "One is not born, but rather becomes, a woman. No biological, psychological, or economic destiny defines the figure that the human female acquires in society; it is civilization as a whole that develops this product [...] Only the mediation of another can establish an individual as an Other" (267).[75]

---

[75] Traducción: "Una no nace, sino que se hace, una mujer. No hay destino biológico, sicológico o económico que determine la figura que el humano femenino adquiere en la sociedad; es la civilización en pleno la que desarrolla ese producto. [...] Sólo la mediación de otra persona puede establecer un individuo como un Otro." Como en el caso del epígrafe, tomamos la versión enmendada de esta cita (Moi 77).

Por su parte, las tendencias materialistas han argumentado que los tipos de opresión que sufren las mujeres son específicos respecto a los roles sociales que se le asignan en sociedades capitalistas patriarcales: la perpetuación de dicho sistema depende de que una gran parte de la población reproduzca sus valores e ideologías en la familia y de que sostenga con su trabajo doméstico dicha esfera "privada." El reconocimiento de la explotación capitalista de las mujeres en una esfera –la "privada" o "personal"– hasta entonces vedada en las discusiones políticas alimentó el desarrollo durante los años sesenta y setenta de la idea feminista, "lo personal es político." Con ello, los feminismos lograron deconstruir el binomio "público/privado" y **politizar** las vidas "privadas" de las mujeres, hasta entonces tenidas por "naturales" e insignificantes a la hora de generar alternativas políticas al sistema capitalista-patriarcal.

A la vez, hay que tomar en cuenta que a partir de logros que muchos movimientos feministas han tenido a través del mundo, muchas mujeres han podido salir a trabajar –es decir, han podido, aparentemente, irrumpir en la esfera "pública." Pero ello ha generado nuevos tipos de opresión porque la mayor parte de la sociedad sigue exigiendo que las mujeres –especialmente las mujeres trabajadoras que no pueden sufragar cuidos o niñer@s privados y a las que, generalmente, los estados de hoy no proveen alternativas asequibles económicamente– se encarguen principalmente de la crianza de los hij@s y de los asuntos domésticos, por lo que se genera una "segunda" y "triple jornada" de trabajo. Más profundamente, las propias suposiciones de que las mujeres deben ser madres y esposas en relaciones heterosexuales siguen profundamente arraigadas en nuestras sociedades.

Por otra parte, existen teorías feministas que trabajan en combinación con otras teorías recogidas en este manual (por ejemplo, decoloniales, de raza y etnia, de sexualidades) en su esfuerzo por transformar las condiciones de opresión en las que viven millones de personas. Evidentemente, los contextos de las mujeres alrededor del mundo son muy diversos, a la vez que cada uno tiene sus particularidades, pero ello es ignorado, argumentan las feministas de estas posturas, por las vertientes feministas que hemos discutido hasta aquí. Las tendencias previas tienen un enfoque en los países, formas culturales y modos de gobierno principalmente europeos y estadounidenses. Asimismo, tienden a considerar primordialmente la situación de mujeres heterosexuales y de raza blanca. Ello produce un olvido ineludible de las diferencias con respecto a la situación de las mujeres en contextos colonizados y aquellas de razas, etnias y sexualidades oprimidas dentro y fuera de los contextos europeos y estadounidenses. El reclamo es efectivamente condensado por AUDRE LORDE (1934-1992), figura fundamental en dichos esfuerzos: "It is a particular academic arrogance to assume any discussion of feminist theory in this time and in this place [1979, EE.UU.] without examining our many differences, and without a significant input from poor women, black and third-world women, and lesbians" (106).[76] De modo que la diferencia constituye, en estas corrientes feministas, una fuente de riqueza política en vez de una fuente de separación: "Difference is that raw and powerful connection from which our personal power is forged" (Lorde, 107).[77]

GAYATRI SPIVAK (1942), CHELA SANDOVAL (1956), GLORIA ANZALDÚA (1942 -2004), CHERRÍE MORAGA (1952), CHANDRA TALPADE MOHANTY (1955) Y TRINH T. MINH-HA (1952) trabajan por la justicia para las mujeres en contextos marcados por experiencias coloniales y poscoloniales (ver capítulo *Teorías Anti-, Pos- y De-coloniales*) y por procesos de racialización y etnificación (ver capítulo *Teorías sobre Razas y Etnias*). Entre las feministas ocupadas con asuntos de razas y etnias históricamente discriminadas, también se destacan bell hooks (1952), BARBARA SMITH (1946) Y ANGELA Y. DAVIS (1944). Aun otras teóricas como BONNIE ZIMMERMAN, ADRIENNE RICH y JUDITH BUTLER (1956) cifran sus energías en la reivindicación de mujeres queer (ver capítulo *Teorías sobre sexualidades fuera de la norma*).

En años más recientes, se ha hecho evidente que el sistema capitalista-patriarcal, con el propósito de expandir su poder a todos los rincones del planeta, ha echado mano de cierta versión de la identificación y defensa de la diferencia en sus discursos de "globalización" y "multiculturalismo." Como resultado, much@s teóric@s han comenzado a insistir en la necesidad de reconsiderar la discusión sobre la diferencia ante este nuevo momento histórico, pues el discurso sobre la diferencia tal como se empleó de modo efectivo en los sesenta y en los setenta ha

---

[76] Traducción: ""Es una particular arrogancia académica llevar a cabo cualquier discusión de teoría feminista en este momento y en este lugar [1979, EE.UU.] sin examinar nuestras múltiples diferencias, y sin contar con significativas contribuciones de mujeres pobres, negras, del tercer mundo ni lesbianas."
[77] Traducción: ""la diferencia es esa conexión cruda y poderosa desde donde nuestro poder personal es forjado."

perdido el impacto que suponía entonces. Ahora, argumentan algun@s, es preciso expandir en otras direcciones el concepto de "diferencia" para retar la exigencia capitalista-patriarcal de catalogar y organizar a su conveniencia todas las gentes del planeta de acuerdo con categorías de diferencia étnica, racial, socio-económica y de género, entre otras.

ASUNTOS DE INTERÉS GENERAL

De entre las tendencias feministas esbozadas, se desprenden varios asuntos y preocupaciones que, a pesar de las diferentes aproximaciones, son comunes entre los feminismos. A continuación encontrarás breves explicaciones de algunos de ellos.

Las categorías "sexo" y "género" no significan ni designan lo mismo. El "género" es una construcción social que se logra mediante la sistemática asignación de roles diferenciados (quedarse en la casa o salir...), maneras de vestir (pantalones o faldas, tacones o zapatos cerrados...), de llevar el cuerpo (afeitarse o no y cuáles partes, maquillarse o no, sacarse las cejas o no, llevar prendas o no...), entre otros. "Sexo," por otra parte, se refiere al sexo biológico con el que se nace. Sin embargo, es importante subrayar que teóricas como Judith Butler retan dicha diferenciación porque implica que la biología y el "sexo" son destinos inescapables y están ajenos a intervenciones culturales (ver capítulo *Teorías sobre sexualidades fuera de la norma* para cuestionamientos más detallados a esta dicotomía de "sexo" y "género;" capítulo *Estructuralismos* para una explicación más amplia sobre estructuras binarias; y capítulo *Posestructuralismos y Deconstrucción* para una panorámica de los retos más significativos a la lógica binaria).

Otro asunto que los feminismos reconocen es que las mujeres como escritoras y como lectoras han sido históricamente excluidas del canon literario y de los currículos en la academia. Por lo tanto, es necesario revisar la construcción del canon que ha estado tradicionalmente dominada por los hombres. Esto implica no sólo "incluir" a mujeres en la lista de textos a leerse, sino también revisar los propios criterios y fundamentos que se emplean para decidir que un texto es digno de pertenecer al canon o no. Más aún, deben cuestionarse y revalorarse, tomando en cuenta consideraciones contextuales concretas, los textos y los géneros literarios (cartas, memorias, diarios...) que tradicionalmente han empleado las mujeres por razones históricas que pueden y deben ser analizadas.

Por otro lado, las tendencias feministas estudiadas en este capítulo reconocen unánimemente que las mujeres han sido históricamente oprimidas en todos los órdenes de la vida social bajo el sistema capitalista-patriarcal. Cuando se trata de proponer alternativas para cambiar dicha situación, diferentes feminismos oscilan entre posibilidades más **humanistas** (las mujeres son sujetos cuyas habilidades y potencial han sido limitados, pero es posible construir mecanismos de apoderamiento para que puedan manifestarse a plenitud) y posibilidades más **estructurales** (las mujeres son consistentemente "colocadas" en posiciones específicas dentro del sistema capitalista-patriarcal, por lo que mecanismos de apoderamiento no serán suficientes a no ser que se cambie la estructura subyacente que exige su constante opresión y su reclusión a ciertos roles sociales); entre versiones políticas **reformistas** (es posible cambiar el sistema existente mediante legislación y otros mecanismos para lograr la equidad de las mujeres respecto a los hombres) y versiones políticas **radicales** (el sistema tal cual existe requiere la situación desventajada y oprimida de las mujeres; por tanto, el único modo de asegurar cambios verdaderos es construyendo un sistema social absolutamente diferente al capitalista-patriarcal existente). Es, pues, motivo de intensos debates los modos en que puede cambiarse el mundo en beneficio de las mujeres.

¿QUÉ ES "LITERATURA" SEGÚN LOS FEMINISMOS?

En cuanto a los textos literarios, las diversas tendencias feministas parten de diferentes definiciones del concepto "literatura." Las preguntas de análisis que se le harán a un texto dependen en gran medida de la definición de "literatura" que se avale.

Por una parte, la "literatura" es un reflejo de las luchas de poder en la sociedad o cultura en que se inscribe el texto, o un discurso aliado de las instituciones dominantes y formador de identidades a su conveniencia. "Literatura" puede ser también un discurso alternativo, resistente a dichas instituciones, un vehículo de transformación. Esta concepción de la literatura generalmente se asocia con las feministas que tienen filiaciones marxistas o con otras militancias relacionadas con aspectos de la subjetividad humana.

Por otra parte, "literatura" puede ser una manifestación de la *écriture féminine* (término en francés para referirse no necesariamente a un modo de escribir exclusivo de las mujeres, sino más bien a un tipo de escritura asociada en términos sicoanalíticos con el orden Imaginario), y como tal hay que estudiarla. Es preciso rastrear momentos inestables en el lenguaje literario que manifiestan resistencia ante el orden simbólico del lenguaje y evaluar sus conexiones con la situación de las mujeres en el texto y con relaciones sociales más amplias.

Al mismo tiempo, es preciso identificar y evaluar las estructuras binarias sobre las que se basa cualquier texto, sobre todo en lo que se refiere al binomio hombre/mujer o masculino/femenino. Es necesario estudiar las asociaciones económicas, sociales y culturales que son reproducidas en el texto en conexión con dicho binomio de manera que pueda deconstruirse su poder. Dichas nociones se asocian usualmente con las feministas de alguna vinculación sicoanalítica y posestructuralista.

Es importante recordar que la "literatura" también puede considerarse un lugar de encuentros y desencuentros de todas las anteriores, así como un producto cultural que debe estudiarse en sintonía con otros (para los debates respecto a las jerarquías entre productos culturales, ver capítulo *Estudios Culturales*).

PREGUNTAS PARA HACER A LOS TEXTOS CULTURALES

• ¿Hay personajes femeninos? ¿Cuántos personajes son mujeres (vs. cuántos hombres)? ¿Cómo están representad@s? ¿Cuándo aparecen en el texto y con qué propósito? ¿Se reivindican las mujeres o se implica complicidad con el sistema patriarcal? ¿Se condenan o se apoyan visiones alternativas a la opresión de las mujeres?

• ¿Cómo se desvelan los personajes femeninos? ¿Hablan por sí mismas o son narradas? ¿De qué modos y con cuáles presupuestos avanza la narración?

• Las representaciones femeninas, ¿son convencionales, alternativas o una mezcla diversa? ¿Desean o son deseadas? ¿Cómo, por qué y con qué implicaciones o consecuencias?

• ¿Cómo responden las mujeres representadas a prácticas opresivas o a prácticas reivindicativas? ¿los hombres?

• ¿Hay diferencia entre el empleo del lenguaje por parte de hombres y de mujeres? O, más aún, ¿parecen existir estructuras de lenguaje distintas en cada sexo? ¿Cómo opera/n la/s voz/ces narradora/s cuando narran situaciones de mujeres en comparación con situaciones de hombres? ¿Qué estructuras binarias sirven de base para la construcción del texto? ¿Cuáles son las asociaciones que implica el texto respecto a los términos "femenino" o "mujer" y "masculino" u "hombre"?

• ¿Cómo se describen los cuerpos (y las sicologías) de mujeres y hombres en el texto? ¿Se hace con una suposición de identidad fija y "normal," o aparecen contradicciones, paradojas, ambigüedades… en un mismo personaje? ¿Cómo se transforman y cómo terminan las mujeres en comparación con los hombres?

• ¿Cuál es la situación socio-económica de las mujeres en el texto? ¿Qué impacto tiene la situación material de los personajes en sus posibilidades y en el desarrollo del texto? ¿Cuáles son las expectativas sociales respecto a los personajes femeninos?

• ¿Qué tipos de mujeres hay en el texto? Describe sus subjetividades y explora las diferencias y similitudes en el modo en que el texto representa mujeres de diferentes razas y etnias, de diferentes sexualidades, de diferentes procedencias sociales y económicas.

FIGURAS SOBRESALIENTES

- GLORIA ANZALDÚA
- MICHÈLE BARRETT
- SIMONE DE BEAUVOIR
- JUDITH BUTLER
- HAZEL V. CARBY
- REY CHOW
- HÉLÈNE CIXOUS
- MARIAROSA DALLA COSTA
- ANGELA Y. DAVIS
- CHRISTINE DELPHY
- JOSEPHINE DONOVAN
- TERESA EBERT
- MARY ELLMAN
- JUDITH FETTERLEY
- SANDRA GILBERT
- MARTHA GIMENEZ
- GERMAINE GREER
- SUSAN GRIFFIN
- ELIZABETH GROSZ
- SUSAN GUBAR
- ROSEMARY HENNESSY
- BELL HOOKS
- CHRYS INGRAHAM
- LUCE IRIGARAY
- SELMA JAMES
- JULIA KRISTEVA
- ANNETTE KUHN
- AUDRE LORDE
- MARÍA LUGONES
- KATE MILLET
- CHANDRA TALPADE MOHANTY
- TORIL MOI
- CHERRÍE MORAGA
- SALLY MUNT
- ADRIENNE RICH
- GAYLE S. RUBIN
- CHELA SANDOVAL
- ELAINE SHOWALTER
- BARBARA SMITH
- GAYATRI SPIVAK
- TRINH T. MINH-HA
- MARY HELEN WASHINGTON
- MARY WOLLSTONECRAFT
- VIRGINIA WOOLF
- BONNIE ZIMMERMAN

BORRADOR DE ANÁLISIS

Texto: carta "Respuesta a la Muy Ilustre Sor Filotea de la Cruz" de Sor Juana Inés de la Cruz[78]

Antes de la "Respuesta," texto del siglo XVII escrito en México en el contexto de la sociedad colonial bajo imperio español, Sor Juana Inés de la Cruz había escrito una primera carta en la que hacía una crítica a un sermón ofrecido por el jesuita Antonio Vieira. Sor Filotea de la Cruz, seudónimo del obispo de Puebla, cuyo nombre verdadero era Fernández de Santa Cruz, respondió con otra carta en la que reprendía a la monja. En su mensaje, el obispo de Puebla exhortaba a Sor Juana Inés a concentrarse en asuntos religiosos en vez de en asuntos profanos: "No es poco el tiempo que ha empleado V. md. en estas ciencias curiosas; pase ya, como el gran Boecio, a las provechosas, juntando a las sutilezas de la natural, la utilidad de una filosofía moral." Más adelante, el obispo argumenta que, "Lástima es que un tan gran entendimiento, de tal manera se abata a las rateras noticias de la tierra, que no desee penetrar lo que pasa en el Cielo; y ya que se humille al suelo, que no baje más abajo, considerando lo que pasa en el Infierno." Sor Juana, un excepcional caso de una mujer "nativa" que, por aquellos tiempos, logra tener una voz y perfil públicos mediante su literatura, escribió entonces la "Respuesta" a Sor Filotea de la Cruz, en la cual defiende su búsqueda de conocimiento y aboga por cambiar la situación de opresión de las mujeres en el México del siglo XVII.

Analizaremos la "Respuesta" desde una perspectiva feminista usando tres de las preguntas que se listaron previamente: (1) Los personajes femeninos, ¿hablan por sí mismos o son narrados por otra voz?; (2) ¿el texto reivindica las mujeres o es cómplice del sistema patriarcal de opresión?; y (3) ¿cómo responden las mujeres representadas a prácticas opresivas contra ellas?

En respuesta a la primera pregunta, es importante señalar que quien escribe el texto bajo estudio es una *mujer*. El hecho de ser quien escribe, implica que la mujer ha encontrado los recursos para poder leer

---

[78] "Respuesta a la Muy Ilustre Sor Filotea de la Cruz" (1691) se encuentra en: http://www.ensayistas.org/antologia/XVII/sorjuana/sorjuana2.htm.

y escribir (cosa que no era en absoluto común para la mayoría de la población, mucho menos para las mujeres en el siglo XVII mexicano). Ello supone que Sor Juana Inés ha reclamado para sí misma una voz dentro de un contexto en el que, por lo general, sólo escribían y publicaban hombres. Eso le permite hablar desde su propia experiencia, en sus propios términos y con su propio manejo del lenguaje.

A través de la historia, muchos hombres han escrito textos con representaciones de mujeres, o sea, con "imágenes" de mujeres construidas por ellos. Esa práctica resulta en una representación de mujeres filtrada, es decir, pasada por el embudo de la experiencia masculina y de sus preferencias.[79] Por ello, que Sor Juana fuera una prolífica escritora de su tiempo y que sus textos fueran publicados constituyen ya, en sí mismos, actos de resistencia. Como puede observarse en la "Respuesta," la voz narradora hace énfasis constante en su propia experiencia de vida, en sus posibilidades y en sus pensamientos: "Yo no estudio para escribir, ni menos para enseñar (que fuera en mí desmedida soberbia), sino sólo por ver si con estudiar ignoro menos. Así lo respondo y así lo siento" (829).

Para responder a la segunda pregunta, hay varias instancias en el texto que permiten aseverar que la "Respuesta" reivindica a las mujeres y acusa, aunque con mucho cuidado (recuerda el momento histórico en que Sor Juana escribe y su situación como figura subordinada al obispo), el sistema opresivo contra ellas. La voz narradora declara que sentía "total negación al matrimonio" (831), que prefería "vivir sola" (831) y que no quería "tener ocupación obligatoria que embarazase la libertad de mi estudio, ni rumor de comunidad que impidiese el sosegado silencio de mis libros" (831). En una sociedad colonial que obligaba a las mujeres a dos únicos destinos, el matrimonio o el convento, las declaraciones hechas por la voz narradora son, sin lugar a dudas, reivindicativas de muchas mujeres que no necesariamente querían dedicar sus vidas a dichos roles.

La voz narradora también acusa a quienes la han perseguido por "amor a la sabiduría y a las letras" (837), lo que implica una defensa de la educación para las mujeres. Es aún más enfática en la denuncia del tratamiento educativo desigual de hombres y de mujeres en pasajes como los siguientes:

---

[79] Es importante señalar que la escritura de una mujer sobre sus propias experiencias es también *filtrada* por su conciencia y por las estructuras del lenguaje de que hace uso. El hecho de la "mediación" (o la "filtración") no es necesariamente un problema en sí, sino más bien el hecho de que las mujeres no puedan ejercer sus propias mediaciones.

[…] Y esto es tan justo que no sólo a las mujeres, que por tan ineptas están tenidas, sino a los hombres que con sólo serlo piensan que son sabios, se había de prohibir la interpretación de las Sagradas Letras, en no siendo muy doctos y virtuosos y de ingenios dóciles y bien inclinados; porque de lo contrario creo yo que han salido tantos sectarios y que ha sido la raíz de tantas herejías; porque hay muchos que estudian para ignorar, especialmente los que son de ánimos arrogantes, inquietos y soberbios […] (840); y,

[…] Demás de que aquella prohibición cayó sobre lo historial que refiere Eusebio, y es que en la Iglesia primitiva se ponían las mujeres a enseñar las doctrinas unas a otras en los templos; y este rumor confundía cuando predicaban los apóstoles y por eso se les mandó a callar; como ahora sucede, que mientras predica el predicador no se reza en alta voz. (842)

El texto también defiende la libertad de pensamiento para las mujeres: "Mi entendimiento tal cual ¿no es tan libre como el suyo, pues viene de un solar?" (844).

Dada la posición vulnerable de la monja ante la autoridad eclesiástica a la que respondía, la "Respuesta a sor Filotea de la Cruz" demuestra que la mujer representada responde de manera revolucionaria a las prácticas que la oprimen. Ella cuestiona los motivos por los que se le acusa de dedicar demasiado tiempo a "las noticias de la tierra," y en el proceso aboga porque se le permita la libertad para escoger lo que quiere hacer con su vida. Desea dedicarse al estudio y, por lo tanto, defiende la educación para las mujeres mientras acusa a los hombres que las han hecho callar y que las llaman "ineptas." El texto aduce que eso se debe, precisamente, a que a ellas no se les permite buscar conocimiento. A su vez, el texto acusa audazmente a muchos hombres de creerse sabios sólo porque tienen la oportunidad de estudiar, cuando son, más bien, ignorantes.

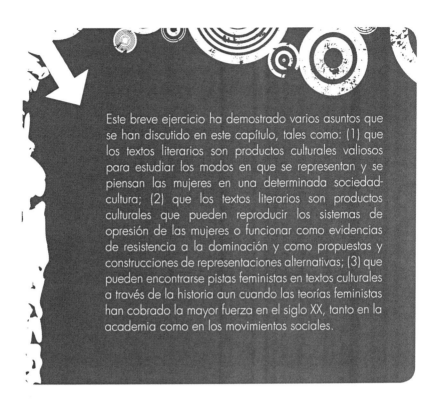

Este breve ejercicio ha demostrado varios asuntos que se han discutido en este capítulo, tales como: (1) que los textos literarios son productos culturales valiosos para estudiar los modos en que se representan y se piensan las mujeres en una determinada sociedad-cultura; (2) que los textos literarios son productos culturales que pueden reproducir los sistemas de opresión de las mujeres o funcionar como evidencias de resistencia a la dominación y como propuestas y construcciones de representaciones alternativas; (3) que pueden encontrarse pistas feministas en textos culturales a través de la historia aun cuando las teorías feministas han cobrado la mayor fuerza en el siglo XX, tanto en la academia como en los movimientos sociales.

EJERCICIOS PARA ESTUDIANTES

Fase: Exploración

→ 1. Identifica las mujeres más significativas en tu vida. Descríbelas en función de las siguientes preguntas: ¿qué estudiaron?; ¿a qué se dedican?; si son profesionales, ¿qué posiciones ocupan? Analiza qué te dicen esas descripciones de su posición en el mundo de hoy.

→ 2. Escoje dos o tres mujeres de tu entorno y entrevista. Se sugiere que redactes un bosquejo o guión de preguntas previo a la entrevista. La entrevista puede incluir las partes que se detallan a continuación (puedes añadir preguntas adicionales):

a. Datos demográficos: edad, estatus civil (si aplica), grado educativo alcanzado, lugar de nacimiento, lugar de residencia, trabajo y funciones.

b. Preguntas abiertas: ¿cuáles han sido los momentos más importantes de su vida?; ¿cuáles han sido las situaciones o retos mayores?; ¿qué aspiraciones no ha podido conseguir?; ¿qué se lo ha impedido?; ¿qué condiciones harían su vida y la de otras mujeres más fáciles?; ¿qué ayudaría a que consiga las aspiraciones que tiene pendientes?

c. Lleva los datos a clase en formato enumerativo.

→ 3. Inventario de conocimiento previo

a. Enumera mujeres que han sido personajes históricos y literarios conocidos.

b. Explica la situación de la mujer contemporánea.

c. ¿Qué sabes de los movimientos feministas? ¿Cuáles fueron sus objetivos, logros y fracasos?

→ 4. Mini-investigación

a. Busca información sobre los movimientos feministas.

b. Busca información sobre la escritura de mujeres en general y de mujeres latinoamericanas en particular.

c. Busca información sobre Sor Juana Inés de la Cruz.

d. Investiga en el Internet cuáles son los debates feministas del siglo XXI. Prepara un blog con un foro de discusión para que puedas explorar cuáles son las perspectivas más actuales sobre los mismos.

Fase: Conceptualización

→ 1. Investiga los conceptos destacados en este capítulo y todos aquellos que te sean desconocidos.

→ 2. Analiza un texto escrito por una mujer siguiendo como punto de partida una selección de las preguntas de este capítulo (este ejercicio puede hacerse con otro texto de la unidad del curso).

→ 3. Haz una exposición oral en la que compares la vida de las tres mujeres entrevistadas en la Exploración. Explica cómo las teorías feministas estudiarían sus testimonios.

→ 4. Redacta un ensayo elaborando alguno de los siguientes temas:
   a. Mujer, educación, literatura ayer y hoy
   b. Sor Juana Inés de la Cruz y Julia de Burgos:
      voces subversivas
   c. Canon literario, escritoras y la trampa de ser mujer
   d. Tema libre (ej. literatura, feminismo y educación)

→ 5. Debate sobre las diversas tendencias feministas. Tres grupos representan cada sector y defienden sus postulados y preguntas de análisis (se sugiere investigación adicional previa).

→ 6. Investiga tres de las figuras feministas sobresalientes y presenta oralmente sus aportaciones principales a los feminismos.

Fase: Aplicación

→ 1. Edita las entrevistas de la Fase de exploración y analiza sus testimonios a partir de las preguntas críticas de los feminismos. Al final, sugiere soluciones para las condiciones que limitaron sus aspiraciones.

→ 2. Identifica tres personajes femeninos de tu entorno y produce un vídeo o una presentación en Power Point que testimonie sus vidas o una faceta de las mismas (puede ser un fotomontaje). Puedes utilizar las mismas mujeres del primer ejercicio de la Fase de exploración.

→ 3. Analiza los personajes femeninos de una telenovela siguiendo alguna de las sugerencias críticas de este capítulo. Redacta un ensayo breve y diseña una presentación oral.

→ 4. Analiza los personajes femeninos de tu juego electrónico favorito utilizando algunas de las preguntas críticas de este capítulo. ¿A qué conclusiones puedes llegar?

→ ¿Quién le teme a la teoría?

TEORÍAS ANTICOLONIALES, POSCOLONIALES Y DECOLONIALES

8

[…] the essential thing here is to see clearly, to think clearly –that is, dangerously– and to answer clearly the innocent first question: what, fundamentally, is colonization? To agree on what it is not: neither evangelization, nor a philanthropic enterprise, nor a desire to push back the frontiers of ignorance, disease, and tyranny, nor a project undertaken for the greater glory of God, nor an attempt to extend the rule of law. To admit, once and for all, without flinching at the consequences, that the decisive actors here are the adventurer and the pirate, the wholesale grocer and the ship owner, the gold digger and the merchant, appetite and force, and behind them, the baleful projected shadow of a form of civilization which, at a certain point in its history, finds itself obliged, for internal reasons, to extend to a world scale the competition of its antagonistic economies.

(Aimé Césaire)[80]

---

[80] Traducción: "[…] el asunto esencial aquí es ver claramente, pensar claramente –esto es, peligrosamente– y contestar claramente la inocente primera pregunta: ¿qué, fundamentalmente, es la colonización? Estar de acuerdo en lo que no es: ni evangelización, ni un deseo de superar las fronteras de la ignorancia, la enfermedad, y la tiranía, ni un proyecto llevado a cabo en nombre de una mayor gloria para Dios, ni un intento por extender el imperio de la ley. Admitir, de una vez y por todas, sin estremecerse ante las consecuencias, que los actores decisivos aquí son el aventurero y el pirata, el tendero al por mayor y el dueño de barcos, el excavador de oro y el mercader, apetito y fuerza, y, tras de ellos, la torva sombra proyectada de una forma de civilización que, en un cierto punto de su historia, se encuentra a sí misma obligada, por razones internas, a extender a escalas mundiales la competencia de sus economías antagónicas."

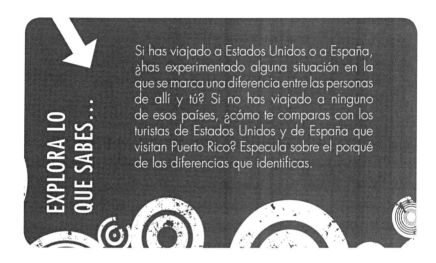

Si has viajado a Estados Unidos o a España, ¿has experimentado alguna situación en la que se marca una diferencia entre las personas de allí y tú? Si no has viajado a ninguno de esos países, ¿cómo te comparas con los turistas de Estados Unidos y de España que visitan Puerto Rico? Especula sobre el porqué de las diferencias que identificas.

SITUACIONES

En tiempos recientes, el debate sobre los lenguajes castellano (español) e inglés en Puerto Rico y en las **diásporas** establecidas en Estados Unidos ha cobrado auge. Además de los aspectos relacionados con el lenguaje que se exploran en otros capítulos tales como *Estructuralismos*, *Posestructuralismos* y *Teorías sicoanalíticas*, el asunto puede abordarse, específicamente en el caso de Puerto Rico, como un producto del paradigma colonial dominante en la isla desde 1492. Tanto las discusiones sobre primera y segunda lengua y sobre el *spanglish*, así como las elucidaciones sobre qué lenguaje debe enseñarse en las escuelas y bajo qué estructura, son un producto directo de la imposición de lenguaje que ha acompañado los proyectos imperiales/colonizadores de Europa desde finales del siglo XV: castellano en el caso del imperio español e inglés en el caso del imperio estadounidense.

Sin embargo, el argumento general precedente no pretende implicar que ambos paradigmas imperiales sean iguales. El mundo ha cambiado significativamente desde 1492, y ello no ha sido la excepción para el imperio español ni para el estadounidense. Las particularidades de cada proyecto, los modos en que se concibe y en que se manifiesta tanto en las **colonias** como en las **metrópolis** imperiales, las historias oficiales y las alternas, los efectos en relaciones **identitarias** tanto para colonizad@s como para colonizador@s, son algunos de los asuntos que las teorías anti-, pos- y de- coloniales identifican y analizan críticamente. Por ello, este capítulo se plantea sobre la inmediatez de estas teorías respecto a la estructura política imperante en nuestra isla, y persigue ayudarte a comprender la multiplicidad de asuntos que pueden abordarse como consecuencias de las peculiaridades de ambos imperios.

En esta oportunidad, introduciremos varios focos de las teorías anti-, pos-, y de-coloniales. Las hemos dividido empleando dichos términos porque, como veremos, no se refieren exactamente a las mismas posiciones intelectuales y políticas. No obstante, es importante señalar que los imperialismos occidentales son los que han tenido mayor alcance en toda la historia humana: "Modern European colonialism was distinctive and by far the most extensive of the different kinds of colonial contact that have been a recurrent feature of human history. By the 1930s, colonies and ex-colonies covered 84.6 per cent of the land surface of the globe. Only parts of Arabia, Persia, Afghanistan, Mongolia, Tibet, China, Siam and Japan had never been under formal European government" (Loomba 3). Sin embargo, en términos generales podemos señalar que a todas estas teorías las une su atención principal a las historias y a las consecuencias de las múltiples prácticas imperialistas occidentales que pueden identificarse desde el primer viaje de Colón en 1492 hasta hoy.[81] Esa preocupación fundamental no conoce demarcaciones de disciplinas académicas ni de discursos o textos a analizarse. Por consiguiente, las teorías que estudiamos en este capítulo pueden verse manifestadas tanto en el análisis literario, como en el histórico, el cultural, el político, el ideológico, el antropológico, el etnológico y el pictórico, entre muchos otros.

Antes de esbozar los diferentes focos aludidos, es preciso comenzar con algunas definiciones provisionales de los principales términos que guían este capítulo: **colonialismo** e **imperialismo**. El DRAE define

---

[81] Hacemos esta delimitación porque las prácticas imperialistas y coloniales no se circunscriben a aquellas dentro de este marco temporal (hubo muchas antes de 1492) ni geográfico (hubo muchas relacionadas con otras partes del mundo que no son Europa y, más recientemente, Estados Unidos). Traducción: "El colonialismo moderno europeo fue, por mucho, el más extenso de los diferentes tipos de contacto colonial que han sido una característica recurrente en la historia humana. Para la década del 1930, colonias y excolonias cubrían 84.6% de la superficie territorial del globo. Sólo partes de Arabia, Persia, Afganistán, Mongolia, Tibet, China, Siam y Japón no habían estado formalmente bajo un gobierno europeo" (Loomba 3).

"colonialismo" como, "tendencia a mantener un territorio en el régimen de colonia" (1992, 510). Las definiciones de "colonia" que provee el mismo diccionario y son pertinentes a la acepción que empleamos aquí son las siguientes: "conjunto de personas procedentes de un país que van a otro para poblarlo y cultivarlo, o para establecerse en él;" "país o lugar donde se establece esta gente;" "territorio fuera de la nación que lo hizo suyo, y ordinariamente regido por leyes especiales;" "territorio dominado y administrado por una potencia extranjera" (1992, 510).

Con respecto a "imperialismo," el DRAE provee las siguientes definiciones pertinentes a este capítulo: "sistema y doctrina de los imperialistas;" "actitud y doctrina de un Estado o nación, o de personas o fuerzas sociales o políticas, partidarios de extender el dominio de un país sobre otro por medio de la fuerza o por influjos económicos y políticos abusivos" (1992, 1145). "**Imperio**" según el mismo diccionario se refiere a: "acción de imperar o mandar con autoridad;" "organización política del Estado regido por un emperador;" "Estados sujetos a un emperador;" "Por ext., potencia de alguna importancia, aunque su jefe no se titule emperador" (1992, 1145).[82]

Observa que la mayoría de las definiciones provistas se centra en el lado **opresor** de la relación imperialista y colonialista. Debemos suponer que los sujetos colonizados están en una posición precaria cuando el diccionario emplea términos como "fuerza" o "influjos [...] abusivos." Las teorías que estudiamos en este capítulo persiguen hacer la operación exactamente contraria; es decir, considerar las prácticas imperialistas y colonialistas desde la perspectiva de l@s colonizad@s.

Asimismo, quizá te preguntas cuál es la relación entre imperialismo y colonialismo, ya que las definiciones provistas por el DRAE no hacen ninguna conexión entre ambos términos. Algunas tradiciones marxistas (ver capítulo *Teorías materialistas*) han sido útiles por su distinción entre imperios pre-capitalistas e imperios capitalistas. Específicamente, Lenin teorizó el capitalismo colonialista como imperialismo, o, en otras palabras, imperialismo es un término muy general a aplicarse a la expansión global del capitalismo, de modo que colonialismo es una, entre muchas,

---

[82] Discusiones más amplias y muy útiles de ambos conceptos, colonialismo e imperialismo, también pueden encontrarse en los textos de Ania Loomba, *Colonialism/Postcolonialism* (London y New York: Routledge, 1998): 7-90; Peter Childs y Patrick Williams, *An Introduction to Post-Colonial Theory* (London y New York: Prentice Hall, 1997): 1-25 y Robert J.C. Young, *Postcolonialism: An Historical Introduction* (Oxford y Malden: Blackwell Publishers, 2001): 15-43.

modalidades de imperialismo (ver Loomba 10-11). Esta idea se basa en que el capitalismo, una vez el mercado de fuerza laboral interno (es decir, en su país) se ha agotado, necesita expandirse a otros países en busca de fuerza laboral barata que explotar, razón por la cual establece una relación colonialista con los países que ocupa. Pero Loomba indica que esta definición es insuficiente, pues no toma en consideración los imperios occidentales pre-capitalistas que también establecieron colonias, tales como el imperio español (ver Loomba 9-10). Según dicha crítica, un modo útil en que podemos imaginar estos conceptos es que imperialismo se refiere a lo que ocurre en la metrópolis, pues puede haber prácticas imperialistas sin la necesidad de un gobierno directamente colonial (abundaremos sobre esto más adelante, particularmente en cuanto a prácticas recientes que muchos comentaristas llaman neocoloniales). Por su parte, colonialismo se refiere a lo que ocurre en los territorios ocupados y explotados por la potencia imperialista. Es decir, no hay colonialismo sin colonias, pero puede haber imperialismo sin ellas (12).

Es preciso indicar que para las prácticas imperialistas que no tienen ya el dominio político formal de colonias, se ha propuesto el término **neocolonialismo**, el cual indica diferentes formas de explotación que continúan a pesar de que el territorio en cuestión tiene formalmente un estado independiente. Más aún, se han formulado críticas al paradigma marxista para entender el imperialismo, pues tiende a privilegiar el sistema económico por sobre el resto de las manifestaciones, justificaciones y resultados de las múltiples prácticas imperialistas y colonialistas occidentales (esto quedará más claro a medida que vayamos esbozando los principales debates y tendencias de las teorías en cuestión).

Esta discusión nos trae a otra más específicamente relacionada con los nombres que se han empleado para designar las teorías propiamente. En cada uno de los focos que estudiamos a continuación, proveemos una discusión breve de los usos y de los debates respecto a los nombres anti-, pos- y de- coloniales. Además, recordamos que la identificación y el análisis de tendencias teóricas y políticas, así como de diversas figuras y de sus trabajos, son necesariamente limitados. Al mismo tiempo, nuestra discusión en algún detalle de algun@s crític@s no pretende indicar preeminencia de un@s sobre otr@s ni tampoco dar parte de las complejidades y transformaciones de los trabajos de dichos teóricos a través de sus respectivas carreras. Te invitamos a que tomes nuestra exposición como un punto de partida para exploraciones ulteriores, dependiendo de tus intereses, y no como un punto de llegada.

TENDENCIAS, DEBATES, CONCEPTOS Y FIGURAS

I. Teorías anticoloniales

En cierto sentido, todas las teorías que estudiaremos en este capítulo pueden ser referidas como **anticoloniales** en la medida en que todas tienen como premisa fundamental el estudio y la denuncia de las estructuras coloniales y sus consecuencias en diversos contextos. De modo más específico, no obstante, anticoloniales se emplea para referirse a los textos que intelectuales y activistas de diferentes partes del mundo produjeron, principalmente en las décadas durante y después de la Segunda Guerra Mundial, como denuncias de los sistemas coloniales en sus países y, en muchos casos, como programas para la constitución de la nación una vez se lograra la independencia del imperio en cuestión.

El trabajo de FRANTZ FANON (1925–1961) y de AIMÉ CÉSAIRE (1913–2008), ambos de Martinica (colonia francesa), es seminal en las teorías anticoloniales. El primero, principalmente mediante sus textos, *Los condenados de la tierra* (1961) y *Piel negra, máscaras blancas* (1952), proveyó una teorización influida por las filosofías fenomenológica y **existencialista** así como por la práctica sicoanalítica sobre la relación entre la figura del **colonizador** y la figura del **colonizado**. Fanon, además, es una figura fundamental para pensar las relaciones entre consideraciones coloniales y consideraciones raciales, pues fue el primero en indicar que la preeminencia del ámbito económico en las teorías marxistas las limitaba significativamente a la hora de entender e impactar los contextos coloniales. Dicha limitación, según Fanon, responde a que en los contextos coloniales las consideraciones de raza y las de clase están íntimamente ligadas:

> Looking at the immediacies of the colonial context, it is clear that what divides this world is first and foremost what species, what race one belongs to. In the colonies the economic infrastructure is also a superstructure. The cause is effect: You are rich because you are white, you are white because you are rich. This is why a Marxist analysis should always be slightly stretched when it comes to addressing the colonial issue. [...] It is not the factories, the estates, or the bank account which primarily characterize the "ruling class." The ruling species is first and foremost the outsider from elsewhere, different from the indigenous population, "the others." (*The Wretched of the Earth* 5)[83]

El hecho de que Fanon fuera un sicoanalista le permitió tener, además, una crucial perspectiva de los efectos sicológicos del colonialismo, de modo que pudo articular una teoría que atendiese, simultánea y dialécticamente (para una discusión de este concepto, ver capítulo *Teorías materialistas*), los problemas sociales o colectivos y los individuales.

Césaire, por su parte, por medio de su prolífica poesía (en especial su "Retorno al país natal," 1939, 1947 [2], 1956) y de su ensayo *Discurso sobre el colonialismo* (1955), denunció el colonialismo como una práctica de "cosificación," según la llamó en el último de los textos aludidos (42). Asimismo, argumentó que la relación colonial no sólo afecta, como podría parecer, al sujeto colonizado, sino también al sujeto colonizador: "[...] colonization works to **decivilize** the colonizer, to **brutalize** him in the true sense of the word [...]" (35).[84] Más radicalmente

---

[83] Al mirar el contexto colonial, está claro que lo que divide el mundo es, primordialmente, a qué especie, a qué raza uno pertenece. En las colonias, la infraestructura económica es también una superestructura. La causa es el efecto: eres rico porque eres blanco, eres blanco porque eres rico. Por esto un análisis marxista tiene que ser modificado a la hora de considerar el problema colonial. [...] Las fábricas, las haciendas, o las cuentas bancarias no caracterizan primordialmente a la "clase dominante." La especie dominante es, primero que nada, el extranjero de otro lugar, diferente de la población nativa, de "los otros." (5)

aún, nombró el nazismo como la primera manifestación de colonialismo interno, y argumentó que fue ferozmente resistido precisamente porque se practicó contra los propios europeos.[85]

Dichas figuras, además de otras tales como MOHANDAS KARAMCHAND GANDHI (Mahatma Gandhi) (1869 – 1948), C.L.R. JAMES (1901 – 1989), AMÍLCAR CABRAL (1924 – 1973), entre otras, son consideradas por much@s como predecesoras de las teorías poscoloniales y decoloniales. En general, las teorías anticoloniales fueron pioneras en su preocupación por, (1) el modo en que se había escrito la historia hasta entonces (desde la perspectiva imperial), y su inversión de dicho paradigma;[86] (2) los efectos, tanto estrictamente económicos, como sicológicos, culturales, entre otros, del colonialismo en el sujeto colonizado; (3) la propuesta de proyectos de liberación principalmente por medio del desarrollo de las culturas nacionales (ello implicó, a su vez, importantes teorizaciones sobre el rol y el estatus de la cultura en términos generales); y (4) la denuncia absoluta del colonialismo como una práctica de opresión, injusticia y subyugación.

II. Teorías poscoloniales

El nombre **poscoloniales**, a diferencia de anticoloniales, implica mucho más debate. En general, puede decirse que el término se refiere a cuerpos teóricos e intelectuales generados y cultivados principalmente dentro de esferas académicas y en asociación dialéctica con las teorías posestructuralistas (ver capítulo correspondiente). Varios comentaristas,

---

[84] "[…] la colonización opera para descivilizar al colonizador, brutalizarlo en el verdadero sentido de la palabra […]" (35).

[85] "[…] before they [the European bourgeoisie] were its victims, they were its accomplices; that they tolerated that Nazism before it was inflicted on them, that they absolved it, shut their eyes to it, legitimized it, because, until then, it had been applied only to non-European peoples; that they have cultivated that Nazism, that they are responsible for it, and that before engulfing the whole edifice of Western, Christian civilization in its reddened waters, it oozes, seeps, and trickles from every crack" (36). Traducción: "[…] antes que ellos [la burguesía Europea] fueran sus víctimas, fueron sus cómplices; que ellos toleraron ese Nazismo antes de que se les aplicara a ellos, que lo absolvieron, cerraron sus ojos ante él, lo legitimaron, porque, hasta entonces, solo se había aplicado a gentes no Europeas; que ellos han cultivado ese Nazismo, que ellos son responsables de su existencia, y que antes de que engulla todo el edificio de la civilización Occidental, Cristiana en sus aguas enrojecidas, ha estado colándose, filtrándose y goteándose a través de todas las grietas" (36).

[86] La historia alternativa de la Revolución Haitiana propuesta por C.L.R. James en su *The Black Jacobins. Toussaint L'Ouverture and the San Domingo Revolution* (New York: Random House, 1963) es fundamental a este respecto, precisamente porque se cuenta desde la perspectiva de los sujetos colonizados que se sublevaron contra el imperio francés.

---

pues, ubican el texto *Orientalismo* (1978) de EDWARD SAÏD (1935 – 2003) como fundacional de las teorías poscoloniales (por ej., Culler 131; Barry 193). Este término es el que generalmente se aplica, también, a las literaturas y textos culturales (y, en ciertas ocasiones, a los propios artistas) que proceden de lugares que fueron colonias y de aquellos que hasta hoy viven bajo estructuras **neocoloniales**. Por extensión, poscolonial también se aplica al estudio de dichas literaturas y textos culturales.

Esta descripción general de los usos del término poscolonial no debe darte la impresión de que hay un acuerdo absoluto sobre su uso y sus posibles interpretaciones. Al contrario, el concepto poscolonial (y, por consecuencia, poscolonialismo) ha sido objeto de intensos debates que pueden esbozarse en las siguientes posiciones:

a. poscolonial como indicador de periodización histórico-temporal; es decir, "pos" se refiere en este caso a "después de." La crítica principal a esta interpretación es que invisibiliza los modos en que el colonialismo opera aún después del fin de la estructura política colonial. Es decir, el colonialismo no ha terminado y, como tal, no puede decirse que existe un "después" de este.

b. poscolonial como un término que describe todo aquello que ha trascendido o superado el colonialismo, aunque éste aún exista en términos formales. En este sentido, el término se parece a anticolonial. La crítica principal a esta interpretación es que presume que es posible colocarse en una posición radicalmente distinta de las estructuras coloniales, cuando, según este argumento, las historias coloniales marcan demasiado profundamente nuestros modos de percibir e interpretar el mundo, a nosotr@s mism@s y a l@s otr@s.

c. poscolonialismo como un concepto anticipatorio, es decir, como un signo que apunta a algo que aún no ha ocurrido (o sea, el fin absoluto de las prácticas coloniales), pero que se desea y se declara como posible. La crítica principal a esta acepción es que confunde más de lo que aclara, pues si de todos modos apunta a algo que aún no ha ocurrido, no hay motivo para emplear el prefijo "pos."[87]

Con las teorías poscoloniales se asocian, además de Edward Saïd, los nombres de HOMI K. BHABHA (1949) y GAYATRI CHAKRAVORTY SPIVAK (1942), entre much@s otr@s; y, al menos en cuanto a las figuras mencionadas se refiere, el escrutinio del imperio británico y sus colonias. En términos generales, el trabajo de las tres figuras aludidas está íntimamente relacionado con varias tendencias posestructuralistas, especialmente en lo que se refiere al cuestionamiento del sujeto racional moderno, al impacto del lenguaje en la constitución del sujeto y del mundo, y a la exploración de la dialéctica occidental de "lo uno" y de "lo otro" (ver capítulo *Posestructuralismos*).

Saïd ha contribuido, en quizá su libro más conocido, *Orientalismo*, a una identificación y análisis de las representaciones occidentales de Oriente. Las mismas, argumenta Saïd, constituyen un discurso (en el sentido que da Foucault a este término —ver capítulo *Posestructuralismos*) que el teórico palestino llama **orientalismo**. Dicho discurso permite crear un "otro" (un "allá," un "ellos") al que se le proyectan las características que se suponen insatisfactorias o indeseables del "uno" (irracionalidad, ilógica, sensualidad, perversión, etc.), toda vez que se construye un "uno" (un "acá," un "nosotros") con características que se suponen deseables y satisfactorias (racionalidad, lógica, sanidad, etc.). Saïd logra esta operación analítica principalmente por medio de una revisión de muchos títulos canónicos de la literatura inglesa, así como de multiplicidad de documentos históricos, entre otros textos. La aportación de Saïd fue crucial para que los círculos académicos comenzaran a pensar los textos literarios en conjunción con otros discursos culturales. Además, impulsó estrategias radicales de revisión y reconsideración de los textos canónicos mediante el análisis de pistas sobre relaciones imperiales y coloniales.

Por su parte, los trabajos de Bhabha han aportado teorizaciones, en muchas ocasiones influidas por el pensamiento de Lacan (ver capítulo *Teorías sicoanalíticas*), sobre los encuentros entre los sujetos colonizadores y los colonizados en términos del lenguaje y de su impacto en la construcción de normativas sociales. En este sentido, Bhabha reconsidera las teorizaciones iniciales de Fanon, en las cuales el encuentro entre colonizador y colonizado se concebía en términos monolíticos. Es decir,

---

[87] Para panorámicas más detalladas respecto a estos debates, remitimos a los trabajos de Ania Loomba, *Colonialism/Postcolonialism* (London y New York: Routledge, 1998); Peter Childs y Patrick Williams, *An Introduction to Post-Colonial Theory* (London y New York: Prentice Hall, 1997) y Robert J.C. Young, *Postcolonialism: An Historical Introduction* (Oxford y Malden: Blackwell Publishers, 2001).

precisamente porque el sujeto colonizador y el sujeto colonizado eran imaginados, en las formulaciones más recurrentes de Fanon, como entes totalmente diferenciados entre sí, el encuentro resultaba en detrimento absoluto para el sujeto colonizado y en conveniencia absoluta para el sujeto colonizador. Para dicha reconsideración, Bhabha ha generado conceptos tales como **hibridez** y **mimetismo** (*mimicry*), que pretenden dar parte de las complejidades y ambigüedades de las relaciones entre la infinita diversidad de colonizador@s y colonizad@s.

Spivak, finalmente, ha producido múltiples textos que emblematizan relaciones entre teorías feministas, posestructuralistas y poscoloniales. Quizá su ensayo más famoso, "Can the Subaltern Speak?," es un llamado a las teorizaciones poscoloniales a no asumir que hay un sujeto colonizado monolítico, fijo y único, cuya voz puede recuperarse y representarse "auténticamente" sin las profundas marcas de las prácticas coloniales. Esta situación es mucho más pronunciada para las mujeres colonizadas, argumenta Spivak, pues su opresión es doble: no pueden ser escuchadas por el sistema político del imperio ni por el sistema político local.[88]

I. Teorías decoloniales

En última instancia, las teorías **decoloniales** están relacionadas al trabajo de figuras como ANÍBAL QUIJANO, WALTER MIGNOLO (1947), MARÍA LUGONES, ENRIQUE DUSSEL (1934), RAMÓN GROSFOGUEL y NELSON MALDONADO-TORRES, entre otr@s. Esta formación teórica, también en deuda con esferas académicas, es de cuño relativamente reciente y, en sus inicios, se concentró (a diferencia de las teorías poscoloniales, principalmente concernidas con el imperialismo británico y sus colonias) en los casos coloniales latinoamericanos. Dichos casos generalmente quedan fuera del encuadre de las discusiones poscoloniales porque no se refieren a las prácticas imperialistas con claras señales capitalistas que tuvieron auge en el siglo XIX, principalmente en India y en África. Recientemente, no obstante, las teorías decoloniales también se han estado ocupando de casos de colonialismo interno en lugares como Estados Unidos y Rusia.

---

[88] El trabajo de Spivak ha dado lugar a múltiples debates y desarrollos. Destaca el campo de los llamados Estudios Subalternos o Subaltern Studies. Explorar el trabajo de Ranajit Guha para más detalles.

La suposición principal de las teorías decoloniales es que la **colonialidad** es "la otra cara" de la historia occidental según nos la han enseñado los libros convencionales. En otras palabras, según l@s crític@s decoloniales, no habría **Occidente** tal como se ha desarrollado por lo menos desde la época conocida como **Renacimiento** hasta hoy si no hubiese habido prácticas coloniales que, no obstante, son constantemente elididas de las discusiones históricas tradicionales.[89] Cuando decimos que sin colonialidad no hubiese habido Occidente tal como lo conocemos, nos referimos a asuntos muy concretos: los recursos monetarios para crear las grandes ciudades europeas y las obras de arte que tanto admiramos en libros y museos, por ejemplo, fueron generados, en gran medida, mediante la explotación de seres humanos y de tierras que los imperios llevaron a cabo principalmente en el llamado "Nuevo Mundo." También nos referimos a asuntos más ideológicos y simbólicos: por ejemplo, visto desde la perspectiva de l@s colonizad@s, los grandes ideales liberadores de un discurso como el de la **Ilustración** sólo fueron posibles porque ya existían por lo menos dos siglos de explotación y opresión de seres humanos al otro lado del mundo (tanto de aquell@s "nativ@s" de los territorios colonizados que, en muchos casos, fueron exterminados completamente por el trabajo y las enfermedades introducidas por l@s colonizador@s, así como de los millones de african@s traíd@s a las Américas para ser esclav@s). Visto desde esta perspectiva, la colonialidad ha sido el sustento perverso de la historia Occidental y, al mismo tiempo, aquello que ha continuado operando (que no ha tenido fin), mediante diversas metamorfosis dependiendo de las necesidades de cada momento histórico, hasta el presente.

El término "colonialidad," originalmente propuesto por el filósofo y sociólogo Aníbal Quijano, se emplea en oposición al de "colonialismo" para dar parte de las implicaciones más sutiles y sinuosas del imperialismo. Estas se refieren, por ejemplo, a los modos de aprehender, entender, relacionarse con el mundo —es decir, en términos filosóficos, a la **epistemología**— y, a la vez, de interpretarlo —es decir, a la **hermenéutica**–, así como a las estructuras discursivas, a los referentes que

---

[89] Much@s comentaristas emplean el término modernidad para designar el periodo histórico inaugurado en el Renacimiento. Pero ha habido intensos debates sobre el inicio de la modernidad y su fin, que incluso se arguye no ha tenido.

predominan en las discusiones académicas y políticas y a la figuras que, por consiguiente, se obnubilan sistemáticamente en dichas discusiones, entre otros. Así, por ejemplo, l@s crític@s decoloniales prestan atención a los modos en que las prácticas coloniales eclipsaron, demonizaron o se apropiaron violentamente de tradiciones de conocimiento locales, e insertaron sus propios modos de conocer como los "correctos," "normales" o "superiores." Podría argumentarse, por consiguiente, que colonialidad incluye a la vez que rebasa los conceptos colonialismo –que, como vimos, algun@s argumentan terminó con el fin formal de los aparatos políticos de imperio/colonia– y neocolonialismo, que puede tender a la ceguera más allá de consideraciones estrictamente políticas o económicas.[90] En ese sentido, el concepto decolonial marca una oposición radical y militante contra la lógica de la colonialidad que hemos expuesto, y un proyecto teórico y político que pretende ponerle fin.

ASUNTOS DE INTERÉS GENERAL

La mayor parte de los asuntos que interesan a todas las teorías discutidas en este capítulo ha sido mencionada en el transcurso de nuestra exposición. A continuación encontrarás, a modo de recapitulación, los señalados así como otros más específicos:

1. cuestionamiento del modo en que se han escrito y concebido tradicionalmente las historias ("historia," por consiguiente, se imagina como otro texto, entre muchos, susceptible al análisis crítico) del imperialismo y del colonialismo occidentales. Según esta línea argumental, las historias han sido escritas y reproducidas desde la perspectiva del colonizador (u opresor, vencedor, entre otros), y su resultado ha sido la representación de los sujetos no-europeos como otros "exóticos," "inmorales," "salvajes," etc.

2. re-escritura de la historia desde la perspectiva del colonizado (oprimido y vencido, entre otros).

3. cuestionamiento de la centralidad del pensamiento europeo moderno en nuestros modos de percibir, interpretar y construir las relaciones

---

[90] Para una panorámica sobre la propuesta teórica y política referida como "la opción decolonial," remitimos a Arturo Escobar, "Worlds and Knowledges Otherwise: The Latin American Modernity/ Coloniality Research Program," Cultural Studies 21.2-3 (2007): 179-210.

sociales en el mundo; desvelamiento de dicha centralidad como resultado de prácticas imperialistas que erradicaron, demonizaron o se apropiaron de modos alternativos de percibir, interpretar y construir relaciones sociales. Otro modo de plantear esta cuestión es decir que las teorías estudiadas en este capítulo se posicionan contra cualquier manifestación de *universalismo*, pues este se identifica, en última instancia, como occidental y blanco.

4. reconocimiento del lenguaje como estructura y herramienta colonial; análisis de los modos en que sujetos colonizados emplean el lenguaje impuesto por el imperio y en que lenguajes locales y lenguajes imperiales interactúan.

5. reconocimiento de la complejidad o inestabilidad identitaria de los sujetos colonizados y colonizadores; análisis crítico de las consecuencias del imperialismo y del colonialismo tanto en los individuos como en las formaciones colectivas.

6. análisis de las interacciones interculturales y sus implicaciones sociales y culturales; atención a los modos en que dichas interacciones se manifiestan en los textos culturales (cuestionamiento del canon y sus normativas de inclusión y exclusión; reevaluación de las figuras canónicas; atención a artistas poscoloniales; consideración del carácter híbrido de los productos culturales en contextos coloniales).

¿QUÉ ES "LITERATURA" SEGÚN LAS TEORÍAS ANTI-, POS- Y DE- COLONIALES?

Para las teorías estudiadas la literatura puede concebirse, en términos muy generales, como (1) un reflejo de las luchas ideológicas y de poder en la sociedad o cultura en que se inscribe el texto, especialmente en lo que se refiere a prácticas imperiales/coloniales, (2) como un discurso aliado de las instituciones dominantes, especialmente aquellas imperiales, y formador de identidades a su conveniencia (herramienta de socialización), o (3) como un discurso alterno, resistente a dichas instituciones, que funge como un vehículo de transformación. Es importante recordar que la "literatura" también puede considerarse un lugar de encuentros y desencuentros de todas las anteriores, así como un producto cultural que debe estudiarse en sintonía con otros (para los debates respecto a las jerarquías entre productos culturales, ver capítulo *Estudios Culturales*).

En términos más específicos, l@s crític@s interesados en las teorías expuestas en este capítulo prestan atención a los textos literarios tanto en cuanto fungen como representaciones de:

a. la autoridad imperial o de la resistencia a la misma

b. culturas, razas y etnias diferentes a las del contexto del texto en cuestión y sus múltiples interacciones (hibridez, **mestizaje**, **transculturación**, etc.)

c. silencios y tergiversaciones, denuncias y cuestionamientos, o ambivalencias complejas respecto a las estructuras imperiales y coloniales

d. conglomerados de asuntos de raza, de género, de clase, entre otros, íntimamente relacionados a prácticas coloniales

e. personajes en situaciones análogas a las de l@s colonizador@s y a las de l@s colonizad@s

PREGUNTAS PARA HACER A LOS TEXTOS CULTURALES

• ¿Hay personajes colonizados y colonizadores (o se proveen pistas para concluir que hayan tenido alguna conexión con contextos coloniales, en su biografía o en la de sus ancestros)? ¿Cómo están representad@s? ¿Cuándo aparecen en el texto y con qué propósito, si alguno? ¿Se reivindican los personajes colonizados? ¿Se implica complicidad con las prácticas coloniales? ¿Cómo se representa dicha "complicidad;" es decir, es inmediata y directa o compleja y sutil? ¿Cuáles son algunas implicaciones de dicha representación? ¿Se condenan o se apoyan visiones alternativas a la opresión imperialista?

• ¿Cómo se desvelan los personajes colonizados? ¿Hablan por sí mismos o son narrados? ¿De qué modos y con cuáles presupuestos avanza la narración?

• Las representaciones de sujetos colonizados y colonizadores, ¿son convencionales, alternas o una mezcla diversa? ¿Cómo, por qué y con qué implicaciones o consecuencias?

- ¿Cómo responden los personajes a prácticas opresivas o a prácticas reivindicativas? ¿Cuáles son algunas de las implicaciones socioculturales de las propuestas que hace la narración?

- ¿Cómo se maneja el lenguaje a la hora de representar sujetos colonizados o colonizadores? ¿Percibes diferencias? ¿De qué tipo? ¿Qué implicaciones pueden tener dichas diferencias?

- ¿Cómo se describen los cuerpos (y las sicologías) de sujetos colonizados o colonizadores en el texto? ¿Se hace con una suposición de identidad fija y "normal," o aparecen contradicciones, paradojas, ambigüedades... en un mismo personaje? ¿Cómo se transforman y cómo terminan los personajes colonizados con respecto a los colonizadores? O, si crees que la representación es suficientemente compleja como para no permitir semejante distinción absoluta entre colonizador y colonizado, describe la representación de cada personaje en términos de su contexto tanto diegético como extra-diegético. ¿Cuáles son algunas de las implicaciones de dicha representación?

- ¿Qué estatus tiene el texto bajo estudio en la tradición literaria? ¿Es canónico o no? ¿Cuáles crees son algunos de los motivos por los que el texto ha sido canonizado (o no)? ¿Qué implicaciones tiene dicho estatus? Aplica las mismas preguntas a la/al escritor@ del texto en cuestión.

- ¿Cuáles, si están disponibles, son algunas de las versiones estandarizadas para el análisis del texto que estudias? ¿Consideran interpretaciones relacionadas con las teorías estudiadas en este capítulo? ¿Por qué crees que sí o que no? ¿Cuáles son algunas de las implicaciones del silencio o del acento sobre estos asuntos? (La implicación crítica de este último conjunto de preguntas es que evalúes las interpretaciones del texto como otros textos en sí mismos y, a la vez, que generes un mini-estudio de recepción [ver capítulo Teorías sobre el rol del/de la lector@]).

FIGURAS SOBRESALIENTES

- CHINUA ACHEBE
- AIJAZ AHMAD
- KWAME ANTHONY APPIAH
- HOMI BHABHA
- EDWARD KAMAU BRAITHWAITE
- AMÍLCAR CABRAL
- AIMÉ CÉSAIRE
- DIPESH CHAKRABARTY
- W.E.B. DU BOIS
- ARIF DIRLIK
- ENRIQUE DUSSEL
- FRANTZ FANON
- JUAN FLORES
- LEELA GANDHI
- HENRY LOUIS GATES, JR.
- ÉDOUARD GLISSANT
- RAMÓN GROSFOGUEL
- WILSON HARRIS
- BELL HOOKS
- C.L.R JAMES
- GEORGE LAMMING
- MOHANDAS KARAMCHAND GANDHI

- ANIA LOOMBA
- MARÍA LUGONES
- NELSON MALDONADO TORRES
- JOSÉ CARLOS MARIÁTEGUI
- ANNE MCCLINTOCK
- WALTER MIGNOLO
- ARUN MUKHERJEE
- MEENAKSHI MUKHERJEE
- NGUGI WA THIONG'O
- GEORGE PADMORE
- ANÍBAL QUIJANO
- EDWARD SAÏD
- LÉOPOLD SENGHOR
- ELLA SHOHAT
- DORIS SOMMERS
- WOLE SOYINKA
- GAYATRI SPIVAK
- DEREK WALCOTT
- ROBERT J.C. YOUNG

BORRADOR DE ANÁLISIS

Texto: obra de teatro *La carreta* de René Marqués[91]

El siguiente ejercicio breve de aplicación considera el texto *La carreta*, del escritor puertorriqueño René Marqués, principalmente empleando las preguntas de representación que se listan en los primeros cuatro conjuntos anteriores. En términos generales, *La carreta* es un texto dramático que representa la transición (el propio título y el objeto que designa fungen como símbolos de movimiento) de los restos de la estructura colonial española a la nueva estructura colonial estadounidense. Algunos elementos textuales en los que ambos paradigmas, respectivamente, pueden observarse son: por un lado, la ocupación agrícola y la clase social baja de los personajes principales como resultado del rígido sistema de clases impuesto por el imperio español que reducía a la población, a grandes rasgos, a terratenientes y obreros (o "peones" como indica el texto); y, por el otro, la industrialización (por ello la insistencia en "la máquina") y su consecuente movilización de la mano de obra del campo a la ciudad (conversión de agricultores a trabajadores industriales –a proletarios) y, luego, a la metrópolis niuyorquina, como producto del imperialismo capitalista estadounidense.[92]

Es importante señalar, asimismo, que el texto de Marqués provee representaciones ambiguas sobre el colonialismo. No hay duda que hay una crítica significativa del mismo bajo el imperio estadounidense, como atestigua, en particular, la Tercera Estampa y el personaje de Juanita en momentos como los siguientes: "Y eso de que aquí somoh tan buenoh como cualquiera eh un buen chihte. ¡Ja! [...] Con lah patáh que nos dan a toah horah. Sí, sí, somoh igualeh. Sólo que tótirimundi vale aquí máh que nojotroh" (131); "Porque de alguna manera hay que protehtar. De alguna manera hay que desir que uno no ehtá conforme con lah cosah que pasan. De alguna manera hay que demostrar que uno tiene sangre y corazón, digniá y vergüensa" (152). No obstante, el texto tiende a reivindicar simultáneamente el paradigma colonial bajo el imperio español. Los

---

[91] Marqués, René. *La carreta*. (Río Piedras: Editorial Cultural, 1983).

[92] Dicha movilización respondía, en términos históricos más específicos, a la necesidad de los Estados Unidos de atraer mano de obra barata (es decir, trabajadores a los que se le pagaban cantidades míseras) para impulsar la colapsada economía estadounidense tras la **Gran Depresión** (1929 – 1930s/1940s).

personajes de Don Chago y, en gran medida, de Doña Gabriela fungen como evidencia de ello. Por medio de sus intervenciones en defensa de la tierra y de la necesidad de resignación ante la pobreza, Don Chago, principalmente, idealiza la colonización española y sus últimos vestigios como el paradigma bajo el cual "las cosas eran mejores." También, sabemos que Doña Gabriela desea mantener a su familia bajo la misma estructura que defiende Don Chago, aun cuando insista en apoyar los planes de Luis: "El abuelo disía que al pobre lo sarva su digniá. [...] ¡Ay viejo, viejo, qué bien uhté ¡iso en morirse! ¡Qué bien uhté ¡iso en dirse de ehte mundo onde el pobre ya no tié digniá pa sarvarse!" (73).

Del mismo modo, el texto no parece postular una posibilidad política concreta para enfrentar los resultados opresivos que representa respecto al colonialismo estadounidense. Luego de la muerte (¿suicidio?) de Luis, el catártico estertor final de Juanita ("Ahora sabemos que el mundo no cambia por sí mihmo. Que somoh nosotroh loh que cambiamoh al mundo" [172]) se ve cuestionado por la decisión de que ese "cambio" se opere mediante el retorno a la situación pasada: "¡Así volveremoh al barrio! ¡Uhté y yo, mamá, firmeh como ausuboh sobre la tierra nuehtra, y Luis descansando en ella!" (172). Doña Gabriela le hace eco con una exclamación que, en términos materiales, sabemos prácticamente imposible: "Sí, así como tu diseh. Como ausuboh. Firmeh como ausuboh. [...] ¡Como ausuboh que lah máquinah no puéan jamáh talar!" (172). La nostalgia por el pasado parece ser, pues, la propuesta final.

En ese sentido, nos quedamos con un texto que podría catalogarse como determinista tanto en cuanto la situación económica condiciona casi absolutamente a los personajes. El texto se yergue bajo convencionales estructuras binarias (ver capítulos *Estructuralismos* y *Posestructuralismos*), tales como "ricos" vs. "pobres," "campo" vs. "ciudad," "tierra" vs. "mar," "hombre" vs. "mujer," que son, a su vez, reproducidas gracias a la aparente imposibilidad de imaginar alternativas transformadoras que postulen una relación más dialéctica entre la situación y los personajes.

Mas, visto desde otro ángulo, ese determinismo puede concebirse en sí mismo como una crítica a las consecuencias epistémicas del colonialismo: bajo un sistema opresor, es muy difícil imaginar (sobre todo para personajes que torman la tuerza laboral en el sistema capitalista [ver capítulo *Teorías materialistas*]) que los sujetos tienen la agencia suficiente como para cambiar su situación. El sistema opera de manera tal que esa posibilidad se elida constantemente para evitar posibles amenazas al mismo. Además, La carreta es un texto lleno de pistas de resistencia que no necesariamente tienen que tener la consistencia de una alternativa política concreta, pero que no pueden negarse. Piensa, por ejemplo, en el intercambio entre Matilde y Juanita, donde puede identificarse una postura proto-feminista en marcado contraste con la posición de Doña Gabriela.

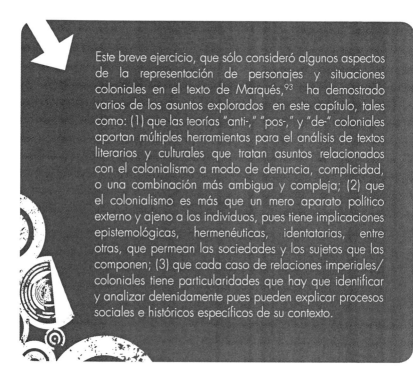

Este breve ejercicio, que sólo consideró algunos aspectos de la representación de personajes y situaciones coloniales en el texto de Marqués,[93] ha demostrado varios de los asuntos explorados en este capítulo, tales como: (1) que las teorías "anti-," "pos-," y "de-" coloniales aportan múltiples herramientas para el análisis de textos literarios y culturales que tratan asuntos relacionados con el colonialismo a modo de denuncia, complicidad, o una combinación más ambigua y compleja; (2) que el colonialismo es más que un mero aparato político externo y ajeno a los individuos, pues tiene implicaciones epistemológicas, hermenéuticas, identatarias, entre otras, que permean las sociedades y los sujetos que las componen; (3) que cada caso de relaciones imperiales/coloniales tiene particularidades que hay que identificar y analizar detenidamente pues pueden explicar procesos sociales e históricos específicos de su contexto.

---

[93] Otros asuntos que podrían explorarse se refieren a la posición que ocupa el texto y el escritor tanto dentro de la historia literaria oficial como alternativa de Puerto Rico; a la recepción que ha tenido el drama desde su publicación y primera representación hasta hoy; al uso que Marqués hace de grafías (es decir, a la forma del texto) que persiguen representar un modo de hablar puertorriqueño; entre otros.

EJERCICIOS PARA ESTUDIANTES

Fase: Exploración

→ 1. Si has viajado a Estados Unidos o a España, ¿has experimentado alguna situación en la que se marca una diferencia entre las personas de allí y tú? Si no has viajado a ninguno de esos países, ¿cómo te comparas con los turistas de Estados Unidos y de España que visitan Puerto Rico? Especula sobre el porqué de las diferencias que identificas.

→ 2. Escoge dos o tres personas de tu entorno para entrevistarlas. Sugerimos que sean personas de distinta generación. También te recomendamos que utilices un guión o bosquejo de preguntas. A continuación te recomendamos algunas, pero puedes añadir otras:

  a. ¿Crees que Puerto Rico es o ha sido una colonia? ¿Por qué? Si tu respuesta es negativa, identifica qué características tiene una colonia que conozcas.

  b. ¿En qué momentos o circunstancias la situación colonial afecta a los ciudadanos? Enumera todos las que vengan a tu mente.

  c. ¿De qué modo podrían combatirse las experiencias coloniales? Procura detallar tu respuesta tanto como sea posible.

→ 3. Mini-investigación

  a. Busca información sobre conceptos tales como: imperialismo, colonialismo, colonia, poscolonial, subalterno, entre otros.

  b. Busca información sobre personas que han luchado contra las experiencias coloniales en Puerto Rico.

  c. Busca información en el Internet sobre las diásporas del siglo XX y XXI

→ 4. Inventario de conocimiento previo

  a. ¿Qué imperios conoces y cómo han llegado a serlo?

  b. ¿Qué territorios conoces que han luchado por su independencia y han conseguido resistir poderes imperiales?

c. ¿Cuáles han sido las experiencias
coloniales de Puerto Rico?

d. ¿Qué luchas ha habido para combatir
el colonialismo en Puerto Rico?

e. ¿Qué países son independientes, pero tienen
rasgos coloniales? ¿Cuáles son esos rasgos?

Fase: Conceptualización

→ 1. Investiga los conceptos destacados en este capítulo
y todos aquellos que te sean desconocidos.

→ 2. Mini-investigación

a. Busca información sobre las figuras mencionadas en
este capítulo. ¿Cuáles fueron sus aportaciones principales?
¿Qué implicaciones tuvieron?

b. Busca información sobre concepciones de la cultura
implicadas en las teorías anticoloniales. ¿Cuáles son
algunas implicaciones de cada teorización?

c. Busca información sobre las relaciones entre teorías
poscoloniales y teorías posestructuralistas.

d. Busca información sobre los conceptos: hibridez y
mimetismo. Explica su relación con otros conceptos,
especialmente, mestizaje y performance/performatividad
(ver capítulo *Teorías sobre sexualidades fuera de la norma*).
¿Qué similitudes y qué diferencias encuentras? ¿Qué
implicaciones crees que tienen dichas comparaciones?

e. Investiga sobre el concepto "transculturación" de
Fernando Ortiz.

f. Investiga sobre la figura de René Marqués y su posición
en las historias literarias oficiales y alternativas de Puerto
Rico.

→ 3. Compara los planteamientos sobre la experiencia colonial de
los anti-colonialistas, pos-colonialistas y de-colonialistas. Establece
semejanzas y diferencias.

→ 4. Identifica las metodologías de análisis cultural que se derivan
de las aproximaciones teóricas de este capítulo.

→ 5. Explora qué otras teorías pueden utilizarse en combinación con las estudiadas en este capítulo para el análisis de textos.

→ 6. Analiza textos de países colonizados a partir de las preguntas de este capítulo. Compara sus aproximaciones a la situación colonial.

→ 7. Haz una exposición oral sobre las entrevistas llevadas a cabo en la Fase de exploración.

→ 8. Escribe un ensayo breve sobre los siguientes temas:

      a. mujeres, razas y colonialidad

      b. imperios y sus prácticas coloniales

      c. imperialismo, colonialidad e independencia

      d. colonialidad y libertad

→ 9. Debate sobre la pertinencia de las aproximaciones anti- pos- y decoloniales en el siglo XXI. ¿Cuáles son más adecuadas para luchar contra el colonialismo?

Fase: Aplicación

→ 1. Redacta un texto testimonial con los hallazgos de las entrevistas de la Fase de exploración.

→ 2. Aplica las preguntas de l@s teóric@s de este capítulo a situaciones de la actualidad en Puerto Rico y en el resto del mundo.

→ 3. Analiza los discursos políticos en Puerto Rico a partir de las preguntas propuestas en este capítulo.

→ 4. Explora cómo la televisión en Puerto Rico representa el imperialismo y la colonialidad. Puedes escoger un programa o comparar varios del mismo tipo (ej. noticieros, comedias, telenovelas, entre otros). Prepara una presentación oral con los resultados.

→ 5. Redacta un ensayo analítico sobre La carreta empleando las teorías feministas. Puedes concentrarte en cualquier sección del texto.

TEORÍAS SOBRE RAZAS Y ETNIAS

It is a peculiar sensation, this double-consciousness, this sense of always looking at one's self through the eyes of others, of measuring one's soul by the tape of a world that looks on in amused contempt and pity. One ever feels his twoness, –an American, a Negro; two souls, two thoughts, two unreconciled strivings; two warring ideals in one dark body, whose dogged strength alone keeps it from being torn asunder. (W.E.B. DuBois)[94]

Shame. Shame and self-contempt. Nausea. When people like me, they tell me it is in spite of my color. When they dislike me, they point out that it is not because of my color. Either way, I am locked into the infernal circle.
(Frantz Fanon)[95]

Why should I try to justify why I write? Do I need to justify being Chicana, being woman? You might as well ask me to try to justify why I'm alive.
(Gloria Anzaldúa)[96]

---

[94] Traducción: "Es una sensación peculiar, esta conciencia doble, este sentido de siempre mirarse a uno mismo a través de los ojos de otros, de medirse el alma por medio de la cinta métrica de un mundo que mira a uno con entretenido desprecio y con lástima. Uno siempre siente su dualidad –un Americano, un Negro; dos almas, dos pensamientos, dos esfuerzos irreconciliables, dos ideales en pugna en un cuerpo oscuro, cuya obstinada fortaleza es lo único que evita que sea rasgado en dos."
[95] Traducción: "Vergüenza. Vergüenza y auto-desdén. Náusea. Cuando caigo bien, me dicen que es a pesar de mi color. Cuando caigo mal, me explican que no es por mi color. De cualquier modo, estoy encerrado en el círculo infernal."
[96] Traducción: "¿Por qué debo intentar justificar el motivo por el que escribo? ¿Es que debo justificar ser Chicana, ser mujer? Si así fuera, deberías de paso pedirme que intente justificar por qué estoy viva."

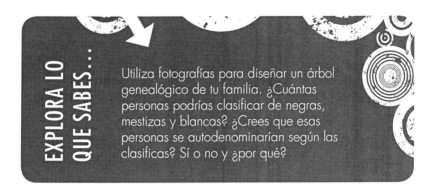

EXPLORA LO QUE SABES...

Utiliza fotografías para diseñar un árbol genealógico de tu familia. ¿Cuántas personas podrías clasificar de negras, mestizas y blancas? ¿Crees que esas personas se autodenominarían según las clasificas? Sí o no y ¿por qué?

SITUACIONES

Las solicitudes para entrar a la Universidad están repletas de rúbricas para "marcar con una X," la mayoría de las cuales se refiere a asuntos relacionados con la **subjetividad**. En tu proceso de llenar dichos formularios, te topas con el recuadro que indica "raza o etnia." Las opciones incluyen, en sus versiones en inglés más comunes, las siguientes: "White/Caucasian;" "Black/African-American;" "Asian-American;" "Native-American;" "Hispanic/Latino;" "Puerto Rican;" "Pacific Islander;" "Other (*Please Specify*)." En ellas puedes observar una mezcla de factores: lugar de nacimiento, afiliación cultural/social, identificación con una comunidad particular, color de la piel (percibido como tal culturalmente), genealogía familiar y lengua principal, entre otros. Como caribeñ@, te preguntas qué debes marcar: podría ser "Puerto Rican," "Hispanic," "Black" o "White," dependiendo del color de la piel con el que eres identificad@ socialmente, u "Other," ya que piensas que ninguna de las categorías por sí sola contiene lo que consideras como tu subjetividad. Sea cual sea tu caso, lo importante en este ejemplo es la inmensa variedad de factores que son (con)fundidos bajo las categorías "raza" y "etnia" en esfuerzos por clasificar, con diversos propósitos, a las poblaciones, asunto que, por otra parte, es una preocupación muy reciente en la historia de naciones-Estado.

De modo condensado, estas son algunas de las preguntas que las teorías sobre razas y etnias intentan contestar: ¿qué significa "raza" y qué significa "etnia"?; ¿cómo cambian dichas definiciones dependiendo del contexto (tiempo y espacio) particular donde se empleen?; ¿cómo son los procesos de categorización por raza y etnia?; ¿cuáles son los propósitos y los efectos, tanto con respecto a las estructuras que categorizan como a los sujetos categorizados, de las clasificaciones por raza y etnia?; ¿cuáles son las genealogías y las historias de estas categorías?;¿cómo dichos procesos de clasificación se proliferan y transforman con el paso del tiempo y en diferentes contextos?, entre otras.

TENDENCIAS, DEBATES, CONCEPTOS Y FIGURAS

CONCEPTOS

subjetividad
raza / racialización
etnia / etnificación
esencialista
construccionista
racial formation
interpelación
económica / economía
sociológica / sociología
determinante
otredad
cientificista / ciencia

Podrían emplearse varios modos para describir las genealogías de estas teorías: la ruta de la llamada *Critical Race Theory*;[97] el establecimiento pos-1960s de programas académicos –principalmente en las universidades estadounidenses– dedicados a estudiar "razas" y "etnias," tales como "African and African-American Studies," "Latin@ Studies," "Chican@ Studies," "Asian and Asian-American Studies," entre otros; las conexiones entre asuntos de raza y etnia y las teorías sobre relaciones coloniales y pos-coloniales (ver *Teorías Anti-, De- y Pos-Coloniales*), por sólo mencionar algunas. En cualquiera de los casos, no obstante, la constelación de eventos principalmente responsable de fungir como motor de estas discusiones se refiere a los movimientos sociales de los 60, que tuvieron repercusiones a nivel mundial: movimientos nacionalistas anticoloniales, movimientos estudiantiles, movimientos por los derechos civiles, movimientos contra la guerra en Vietnam y movimientos por las libertades individuales, entre otros.

---

[97] En este capítulo no abordaremos directamente esta tradición teórica, pero la misma se refiere, en términos generales, a desarrollos en el campo de los derechos civiles y de las leyes en los Estados Unidos.

Es importante destacar, no obstante, que los movimientos por los derechos civiles y por la afirmación de las diferencias humanas en los años sesenta tuvieron como importantes antecedentes movimientos literarios y culturales que comenzaron por afirmar y defender la diferencia racial sin que ello justifique ningún mecanismo de opresión, y, a su vez, por re-significar positivamente categorías raciales (por ejemplo, "negro") que habían sido empleadas hasta el momento de modo peyorativo. Especialmente en lo que respecta a estudiar y a reconstituir las tradiciones y legados de las culturas africanas (tanto en el continente africano mismo, como en todas las Américas y el Caribe) que los proyectos imperiales europeos habían negado o marcado sistemáticamente como "inferiores," "primitivas," y "no civilizadas," es importante destacar los movimientos internacionales y **diaspóricos** conocidos como el *Harlem Renaissance*, la négritude, y el negrismo (en la lista de *Figuras sobresalientes* proveemos nombres de algun@s de l@s escritor@s asociados con estos movimientos porque sus textos han sido fundamentales a la hora de discutir asuntos relacionados con razas y etnias). Sin embargo, es a partir de los eventos en los sesenta que arranca la *Critical Race Theory*; se establecen los primeros programas académicos explícitamente preocupados por las razas y las etnias; y se libran batallas a través de todo el mundo por la descolonización de territorios que habían sido **racializados** y **etnificados** (volveremos sobre estos conceptos) por los proyectos imperiales del oeste de Europa.

Dependiendo de la genealogía que se privilegie a la hora de narrar los desarrollos de las teorías sobre razas y etnias, las figuras destacadas y las tendencias enfocadas serán distintas. En este capítulo, nos concentraremos en los debates a partir del cruce entre inquietudes de raza y de etnia y los proyectos imperialistas europeos y, también, consideraremos algunas de las conversaciones teóricas que han emergido a partir del establecimiento de programas académicos relacionados con dichas categorías. Antes de proseguir, hay que tener en cuenta que en lo que concierne a las teorías sobre razas y etnias no puede establecerse una figura fundacional como Sigmund Freud y Karl Marx son, por ejemplo, para las teorías sicoanalíticas y las teorías materialistas respectivamente (ver capítulos correspondientes). Más bien, podría decirse que los debates surgidos a partir del momento histórico aludido tienen protagonismo por sobre cualquier figura individual.

Las teorías que discutimos en este capítulo cuestionan, para empezar, la propia definición de los conceptos **raza** y **etnia**. Tradicionalmente, se han descrito dos tendencias teóricas principales, cuyo esqueleto analítico es equivalente al de otras teorías (ver, por ejemplo, capítulo de *Teorías sobre sexualidades fuera de la norma*) estudiadas en este libro: la **esencialista** y la **construccionista**. La primera se refiere a la perspectiva que sostiene que la raza y la etnia son propiedades inherentes, "naturales," al ser humano. Es decir, que cada persona nace con una raza y con una etnia adscrita *a priori* biológicamente. La segunda perspectiva argumenta que, al contrario, las nomenclaturas de raza y de etnia son invenciones particulares al contexto y a la cultura en cuestión y que la **identificación** con cualquiera de dichas categorías ocurre como resultado de los procesos humanos de socialización y de constitución del sujeto (ver capítulo *Posestructuralismos*); es decir, ocurre *a posteriori*. Es importante destacar que, no obstante, dentro de cada una de estas perspectivas ha habido una amplia gama de posiciones.

La distinción de tendencias descrita hasta aquí se ha visto profundamente desacreditada porque la perspectiva esencialista más radical no ha encontrado en el campo científico la validación sobre que, en efecto, hay genes responsables de las características raciales y étnicas en el fenotipo humano. Otro motivo para el emplazamiento de la perspectiva de determinación biológica es que, como argumentan los sociólogos MICHAEL OMI y HOWARD WINANT en su ensayo "Racial Formation," la selección de características físicas peculiares a ser asignadas a una u otra raza o etnia es un proceso absolutamente histórico y cultural (en vez de biológico y "natural"). Dichos teóricos proponen el concepto *racial formation* (**formación racial**) para referirse a ese proceso de construcción en el que múltiples relaciones culturales toman parte. Esta perspectiva, de acuerdo con Omi y Winant, evita tanto la perspectiva "esencialista" como la versión más radical de la "construccionista" que tilda la raza y la etnia como sencillamente ilusiones de las que habría que deshacerse por la imposibilidad de definirlas de manera absoluta y por sus muy frecuentes implicaciones opresivas. Los sociólogos proponen que ambas posiciones son equivocadas y que "we should think of race as an element of social structure rather than as an irregularity within it, we should see race as a dimension of human representation rather than an illusion" (124).[98]

Aún más profundamente, el cuestionamiento a la distinción entre teorías "esencialistas" y "construccionistas" se ha manifestado como una sospecha de que dichas categorías puedan funcionar como mecanismos analíticos para cuestionar los efectos de las categorías raciales y étnicas en el mundo. La antropóloga ANN LAURA STOLER (1949), ha aducido, por ejemplo, que las ambigüedades entre aproximaciones "esencialistas" y "construccionistas" no son "slips in, or obstacles to, racial thinking but rather conditions for its proliferation and possibility" ("Racial Histories and Their Regimes of Truth" 372).[99] El ejemplo al inicio de este capítulo viene a cuento. En muchos casos, los incisos sobre asuntos raciales o étnicos en las solicitudes a la Universidad o a algún empleo, persiguen evitar la discriminación por motivos raciales o étnicos y asegurar la total inclusión de la diversidad humana. Pero en ese esfuerzo, se prolifera una versión "esencialista" de las categorías raciales y étnicas, pues el "marcar con una X" presupone que las categorías son preexistentes a la solicitud en cuestión y que el sujeto debe manifestar la categoría a la que pertenece, lo que implica que esa "pertenencia" ocurre con anterioridad al momento de "marcar con una X." Más bien, ese "marcar con una X" funciona como un proceso de interpelación (en el sentido que le atribuye a este concepto el filósofo Louis Althusser –ver capítulo *Teorías materialistas*) en el que el sujeto es constituido (con posterioridad) como de tal o cual etnia o de tal o cual raza.

Una distinción al parecer más útil es la provista por STUART HALL (1932) en su ensayo "Race, Articulation, and Societies Structured in Dominance." Hall propone distinguir las tendencias **económica** y **sociológica** en estudios sobre razas y etnias. Aunque el crítico identifica y describe las limitaciones de ambas tendencias, es útil tener en mente estas categorías para propósitos de este capítulo. La primera tendencia, la económica, se refiere a teorías materialistas que proponen las relaciones y las estructuras económicas como **determinantes** respecto a las categorías sociales, dentro de las cuales se incluyen la raza y la etnia. En otras palabras, las divisiones sociales relacionadas con características raciales o étnicas se pueden

---

[98] Traducción: "debemos pensar en la raza como un elemento de la estructura social en vez de como una irregularidad dentro de la misma; debemos ver la raza como una dimensión de representación humana en vez de cómo una ilusión."

[99] Traducción: "lapsus en, u obstáculos para, el pensamiento racial sino condiciones para su proliferación y posibilidad."

explicar principalmente haciendo referencia a las estructuras económicas en una sociedad dada.

La segunda tendencia, la sociológica, imagina la raza y la etnia como categorías sociales autónomas que no pueden reducirse a estructuras económicas. Como tal, las formaciones raciales o étnicas tienen sus propias maneras de estructurarse y sus efectos específicos que no pueden explicarse como manifestaciones superficiales de estructuras económicas subyacentes. En ambas tendencias, sin embargo, se puede observar una afiliación a la perspectiva "construccionista" sobre razas y etnias, pues se insiste, en unas versiones más que en otras, en la determinación histórica de dichas categorías y en su relación ineludible con diversos procesos sociales.

Ahora que tenemos una idea de cómo diversas teorías han explicado las relaciones entre razas y etnias y las estructuras sociales y económicas del mundo circundante, podemos establecer definiciones provisionales (en sí mismas el primer objeto de debate de las teorías que estudiamos en este capítulo) de las categorías "raza" y "etnia." En términos generales, muchos críticos están de acuerdo en que la primera se refiere principalmente a rasgos físicos (o del fenotipo) de las personas y la segunda a afiliaciones (voluntarias o no) con comunidades o grupos particulares (aquí entrarían consideraciones nacionales y religiosas, entre otras). De inmediato, sin embargo, surgen problemas con dichas demarcaciones: por ejemplo, hay muchas personas cuya "raza" y "etnia" se "confunden," como es el caso de comunidades en diferentes naciones africanas. Al mismo tiempo, dichas definiciones no dan parte de los diversos modos en que tanto las características físicas como el desarrollo de afiliaciones particulares se relacionan con procesos de organización social. Por ello, críticos como los citados Omi y Winant insisten en una definición de raza que la considere más explícitamente como parte de un campo de relaciones sociales: "race is a concept which signifies and symbolizes social conflicts and interests by referring to different types of human bodies."[100]

---

[100] Traducción: ""raza es un concepto que significa y simboliza conflictos e intereses sociales mediante referencias a diferentes tipos de cuerpos humanos."

Como hemos visto, las perspectivas "construccionistas," tanto en sus modalidades "económicas" como "sociológicas," insisten en que las categorías raciales y étnicas son "construidas" social y culturalmente; en que tienen historias recientes que podemos delimitar (de hecho, el propio concepto "raza" emergió en los lenguajes europeos occidentales a finales del siglo XIV y principios del XV y fue usado por primera vez en inglés en el siglo XVI; "etnia" es aún más reciente pues su primer uso se atribuye al sociólogo estadounidense David Riesman en 1953 y su primera aparición en un diccionario en inglés data de 1972); y en que cambian a través del tiempo y dependiendo del contexto en donde se empleen. Por consiguiente, críticos que apoyan dicha perspectiva, insisten en procesos o patrones de **racialización** y de **etnificación**, lo que implica que los seres humanos son clasificados de diferentes modos una vez están insertos en una cultura dada. Dichas clasificaciones dependen del significado que una nomenclatura étnica, por ejemplo, tenga en un contexto y un tiempo particulares.

Un ejemplo de estos procesos es el reciente cuño de la categoría étnica (también utilizada en muchas ocasiones, aunque sea implícitamente, como una categoría racial) "Latin@" en los Estados Unidos. "Latin@" designa comunidades —entre sí profundamente diversas— con alguna ascendencia latinoamericana que viven en los Estados Unidos. Pero ese proceso de etnificación y racialización está íntimamente ligado al hecho de que muchas de esas comunidades son el resultado de desplazamientos en busca de trabajo, cuya necesidad ha sido creada por las más recientes fases del capitalismo y de sus prácticas (neo-)imperialistas en Latinoamérica (ver capítulo *Teorías Anti-, Pos- y De-coloniales*).

Este tema nos retrotrae a uno de los asuntos que mencionamos al inicio de este capítulo como fundamental respecto a categorías de racialización y etnificación: los desarrollos históricos de los diversos proyectos imperialistas europeos a partir de finales del siglo XV. Las historias de dichos procesos son muy complejas y diferenciadas entre sí como para poder explorarlas en esta oportunidad. Pero debes saber que historiadores y críticos insisten en que los proyectos imperiales operaron, en cuanto a categorías raciales y étnicas se refiere, en dos movimientos primordiales: (1) el uso y resignificación de prejuicios existentes —tanto en el interior de los países europeos como con respecto

→ *¿Quién le teme a la teoría?*

a las otras sociedades conocidas hasta el siglo XV– de algún modo relacionados con el color de la piel o con diferencias culturales; y (2) la producción y proliferación de nuevas categorías raciales y étnicas y de nuevos procesos de racialización y etnificación a partir del llamado "descubrimiento" de las Américas y el contacto con sociedades hasta aquel momento desconocidas para Europa.

Ambos movimientos sirvieron para justificar ideológicamente y para perpetuar política y económicamente los procesos de esclavitud y de colonización que enriquecieron las arcas de los países del oeste de Europa y permitieron desarrollos históricos tan importantes como, por ejemplo, las revoluciones industriales y la Ilustración. A propósito de estos asuntos, te remitimos al capítulo de *Teorías Anti-, Pos- y De-coloniales* para más desarrollo y para la elucidación del trabajo de algunas de las figuras más importantes, tales como Frantz Fanon, Aimé Césaire y Edward Saïd, asociadas al análisis de las relaciones entre razas y etnias y los proyectos imperialistas. No obstante, es importante señalar brevemente en este contexto el trabajo de CORNEL WEST (1953), quien en su ensayo "A Genealogy of Modern Racism," insiste en que el discurso (ver capítulo *Posestructuralismos* para una explicación de este concepto) Occidental moderno exhuda la supremacía blanca para construir su propia inteligibilidad, lo cual tiene como corolario fundamental negar la "intelligibility and legitimacy of the idea of Black equality in beauty, culture, and intellectual capacity. In fact, to 'think' such an idea was to be deemed irrational, barbaric, or mad" (91).[101] Esta línea argumental se basa en el análisis y en la deconstrucción de las estructuras binomiales en nuestras culturas, por lo que te referimos a los capítulos *Estructuralismos* y *Posestructuralismos* para una exposición más amplia a este respecto.

En el siglo XIX, la proliferación de categorías raciales asociada con los proyectos imperialistas llegó a un punto extremo en el cual se afianzó todo un aparato científico –denominado por muchos observadores como el "racismo moderno"– para estudiar las diferentes "razas" humanas en función de criterios tan irrisorios como, por ejemplo, la supuesta diferencia en el tamaño del cerebro entre "negros" y "blancos." Este argumento partía de la premisa que había razas "superiores" y razas "inferiores"

---

[101] Traducción: ""inteligibilidad y legitimidad de la idea de igualdad Negra en belleza, cultura, capacidad intelectual. De hecho, 'pensar' semejante idea debía considerarse irracional, bárbaro, o enloquecido."

(como podrás sospechar, la relación se establecía en los términos de que a mayor "blancura," más superioridad). Asimismo, se proponía que la mezcla de superiores e inferiores resultaba en la degeneración absoluta de la especie humana. Quizá el ejemplo más conocido de este discurso racista es el libro *Essai sur l'Inégalité de Races Humaines* (*Ensayo sobre la desigualdad de las razas humanas*) del aristócrata francés Arthur de Gobineau. La exploración y la descripción de conexiones como las esbozadas con los proyectos imperiales apoyan la perspectiva de que las categorías raciales y étnicas que hoy nos parecen tan comunes tienen una historia relativamente reciente en Occidente, y que se han ido transformando dependiendo de las necesidades del momento histórico y del contexto particular de que se trate.

Por otra parte, un debate común dentro del marco de las teorías sobre razas y etnias es el modo en que las clasificaciones raciales y étnicas son asignadas desde posiciones de poder y, por tanto, son cómplices del orden social y económico existente. Los grupos sociales generalmente racializados y etnificados corresponden a aquellos de las clases proletarias (ver capítulo *Teorías Materialistas*). Por ejemplo, en muchas ocasiones cuando se habla de raza se implica a las personas cuyo color de piel es negro y no a aquellas cuyo color es blanco (como si las personas blancas no constituyeran una raza). Lo mismo sucede con adscripciones de etnia; los llamados "grupos étnicos" en la mayor parte se refieren a "minorías" categorizadas como tal por aquellos grupos o clases que ostentan el poder en las naciones-Estado actuales (por ejemplo, "latin@," "chican@," "judí@," y "gitan@," por solo mencionar algunos).

En otras palabras, los procesos de clasificación por raza y por etnia son procesos de inclusión y de exclusión que, en muchos casos, hacen invisibles a los grupos o clases que ostentan el poder. Este proceso, en términos teóricos, puede describirse como la asignación de **otredad** que permite a la fuente que asigna (al "uno" que designa al "otro") ser invisibilizada y, de ese modo, mantener un poder más sutil y, por ello, más difícil de identificar y de combatir (para mayor desarrollo de estos mecanismos ideológicos, ver capítulo *Posestructuralismos*).

ASUNTOS DE INTERÉS GENERAL

Como resulta evidente tras la exposición previa, las teorías sobre razas y etnias comparten con otras que estudiamos en este libro el imperativo de una reconsideración de la historia oficial y de todos los textos sociales (literatura, televisión, medios, anuncios, periódicos, etc.) en función de sus distorsiones y silenciamientos. A su vez, estas teorías persiguen, de modos diversos que van desde las reformas al sistema existente hasta la creación de un orden social completamente distinto, lograr cambios sociales significativos que redunden en mayor justicia y equidad entre los seres humanos. Por ello, estas teorías han sido descritas por muchos observadores como **humanistas**.

A la vez, estas teorías tienen en común un esfuerzo autocrítico constante respecto al estudio y cuestionamiento crítico de las propias categorías en las que se basan: "raza" y "etnia." Dentro de dicho esfuerzo, hay posiciones diversas que van desde los que defienden que estas categorías son a tal grado invenciones y están tan cargadas de historias de opresión y de explotación que mejor valdría la pena deshacerse por completo de las mismas, hasta aquellos que consideran que hay que emplearlas con el minucioso cuidado de quien percibe cómo han ido cambiando y cómo son empleadas en un contexto particular. Por último, las teorías estudiadas en este capítulo comparten una preocupación por establecer las conexiones entre diversos tipos de opresión relacionados con la subjetividad (género, sexualidad, clase, entre otros) y aquellos relacionados con las razas y las etnias.

¿QUÉ ES LA "LITERATURA" SEGÚN LAS TEORÍAS SOBRE RAZAS Y ETNIAS?

Las dos tendencias dominantes de las teorías sobre razas y etnias para contestar esta pregunta parten de dos conceptos de literatura similares a los que hemos visto en otros capítulos. Por una parte, la literatura reproduce, no sólo en su contenido sino en la forma en que organiza su lenguaje, las ideologías dominantes respecto a las razas y las etnias del contexto (tiempo y espacio) en donde emerge. Ello implica que la literatura funge como discurso aliado de las instituciones dominantes. Un ejemplo de este proceso puede ser la cuantiosa tradición de "literatura de viaje" que se puso en boga a partir de los viajes relacionados con el "descubrimiento" de América y que está íntimamente ligada al **ilustrado** y **cientificista** afán de conocimiento de lo designado como "otro." Por otra parte, la literatura puede ser un discurso resistente a dichas ideologías, un productor de significados diferentes respecto a las categorías de raza y de etnia, y, por ende, un posible vehículo de cambio social.

A su vez, la literatura también puede considerarse un lugar de encuentros y desencuentros de las opciones anteriores (incluso dentro de la tradición de literatura de viaje a la que hicimos alusión, muchos textos pueden resultar una compleja mezcla de reproducciones y retos a prejuicios existentes, así como de elaboraciones de nuevas ideas). También, la literatura puede concebirse como un producto cuyo significado e importancia sólo pueden apreciarse si se estudia en sintonía con otras manifestaciones culturales. En cualquier caso, la literatura, así como cualquier discurso de la cultura, se concibe como un espacio de promoción o de resistencia de las convenciones sociales relacionadas con las razas y las etnias en un contexto histórico-social en particular. Por consiguiente, su análisis persigue, entre otras cosas, distinguir su efecto en cuanto representación o creación de ideologías, así como su rol de diseminación de posturas revolucionarias o resistentes a las ideologías del aparato estatal y de los sectores dominantes de la sociedad.

Es importante destacar, por último, que muchos movimientos literarios y artísticos en el mundo occidental han aportado significativamente a la discusión teórica y filosófica sobre asuntos de razas y de etnias. En ese sentido, la literatura puede considerarse como una exploración filosófica de la situación de sujetos oprimidos y como un discurso privilegiado que permite exponer asuntos que, en otros momentos históricos, han sido censurados socialmente. Estos esfuerzos pueden observarse, por ejemplo, en robustas tradiciones literarias en los Estados Unidos, Latinoamérica, el Caribe y África.

PREGUNTAS PARA HACER A LOS TEXTOS CULTURALES

• ¿Cuáles son los procesos de racialización y de etnificación que representa el texto? ¿Son explícitos o implícitos?

• ¿Parece el texto privilegiar una versión "esencialista" o "construccionista" de las relaciones raciales y étnicas? ¿Cuáles son algunas implicaciones de dicha opción? ¿Hay instancias ambiguas a este respecto?

- ¿Cuáles razas y etnias se representan en el texto? ¿Cómo? ¿Cuáles se privilegian y cuáles no? ¿Cuándo aparecen en el texto y con qué propósito? ¿Se condenan o se apoyan visiones alternas a la subordinación social por concepto de raza o etnia?

- ¿Cómo se desvelan los personajes racializados o etnificados? ¿Hablan por sí mism@s o son narrad@s? ¿De qué modos y con cuáles supuestos avanza la narración?

- Las representaciones de personajes racializados o etnificados, ¿son convencionales, emergentes o una mezcla diversa? ¿Resisten o se adaptan? ¿Cómo, por qué y con qué implicaciones o consecuencias?

- ¿Cómo responden los personajes racializados o etnificados que se representan en el texto a prácticas opresivas o a prácticas reivindicativas?

- ¿Parecen existir estructuras de lenguaje distintas según las diferentes razas o etnias clase social?

- ¿Cómo son descritos los personajes en función de la raza o etnia que se les atribuye? ¿Qué objetos se relacionan con ellos? ¿Cuáles son sus roles sociales? ¿Qué relaciones establecen con otros personajes? ¿Cuál es su situación al final del texto? ¿Cambia? ¿Cómo?

- ¿Qué relación tiene el contenido y la forma del texto con el contexto socio-histórico en el que emerge en lo que respecta a nociones sobre razas y etnias?

FIGURAS SOBRESALIENTES

- CHINUA ACHEBE
- GLORIA ANZALDÚA
- KWAME ANTHONY APPIAH
- MOLEFI K. ASANTE
- JAMES BALDWIN
- ÉTIENNE BALIBAR
- MARTIN BERNAL
- AIMÉ CÉSAIRE
- PATRICK CHAMOISEAU
- REY CHOW
- W.E.B. DUBOIS
- JUAN FLORES
- STUART HALL
- PATRICIA HILL COLLINS
- MARYSE CONDE
- KIMBERLE CRENSHAW
- W.E.B. DUBOIS
- RALPH ELLISON
- FRANTZ FANON
- JOHN HOPE FRANKLIN
- HENRY LOUIS GATES, JR.

- PAUL GILROY
- EDOUARD GLISSANT
- LEWIS R. GORDON
- NICOLÁS GUILLÉN
- BELL HOOKS
- LANGSTON HUGHES
- ZORA NEALE HURSTON
- MARTIN LUTHER KING, JR.
- MALCOLM LITTLE (MALCOLM X)
- LUIS PALÉS MATOS
- CHERRÍE MORAGA
- TONI MORRISON
- NGUGI WA THIONG'O
- MICHAEL OMI
- BARBARA SMITH
- WOLE SOYINKA
- IMMANUEL WALLERSTEIN
- CORNEL WEST
- HOWARD WINANT
- RICHARD WRIGHT

BORRADOR DE ANÁLISIS

Texto: cuento "El Socio" de Juan Bosch[102]

Analizaremos el cuento "El Socio," publicado originalmente en 1947, del escritor dominicano Juan Bosch, tomando en consideración varias preguntas de análisis mencionadas previamente: ¿cuáles razas y etnias se representan en el texto?; ¿cómo?; ¿cuáles se privilegian y cuáles no?; ¿cómo se desvelan los personajes racializados o etnificados?; ¿hablan por sí mism@s o son narrad@s?; ¿cómo son descritos los personajes en función de la raza o la etnia que se les atribuye?; ¿cuáles son sus roles sociales?; ¿qué relaciones establecen con otros personajes?; y ¿cuál es su situación al final del texto?

"El Socio" está constituido por un contrapunto, narrado primordialmente en tercera persona, de tres personajes principales cuyas diferentes circunstancias tienen en común a su antagonista, Don Anselmo, y al "Socio" de este último. Los tres personajes son campesinos en una precaria situación económica que ha sido exacerbada por las injusticias cometidas por Don Anselmo, un rico terrateniente. Al primer personaje, Negro Manzueta, Don Anselmo le robó una parte de las tierras que había heredado de su padre por medio de una treta legal. Al segundo, Dionisio Rojas, Don Anselmo, en contubernio con el hermano del primero, le fabricó un caso de robo de manera tal que pudiera robarle una parte de su propiedad; y, al tercero, Adán Matías, Don Anselmo le secuestró a su nieta para formar parte de su "harén."

Con esta descripción, puede resultarte evidente que "El Socio" se presta para una lectura materialista/marxista, y aunque no efectuaremos ese análisis en esta oportunidad, hay que mantener en cuenta esa evidencia tanto en cuanto se relaciona con asuntos raciales y étnicos. El cuento de Bosch representa la interconexión de opresiones que hemos discutido en este capítulo: los trabajadores campesinos son negros o mulatos y el terrateniente que les roba y les explota es blanco. Algunos personajes, como el Negro Manzueta, son racializados explícitamente incluso a partir de su nombre, mientras que otros, como Adán Matías, lo son de manera indirecta cuando el narrador nos cuenta que Don Anselmo "las [se refiere a las mujeres que explota sexualmente] admitía de

---

[102] Bosch, Juan. *Cuentos selectos* (Caracas: Biblioteca Ayacucho, 1993).

cualquier color, siempre que fueran tiernas; pero las prefería trigueñas, como la nieta de Adán Matías" (58). Aquí se observa una nueva dimensión, la de género, en la interconexión de opresiones: Don Anselmo secuestra y explota a mujeres pobres y, preferiblemente, mestizas. El terrateniente, por su parte, es racializado también de manera indirecta cuando, enorgullecido por sus proezas sexuales y por el grupo de mujeres que tiene esclavizado en su mansión, le dice a un amigo respecto a uno de los hijos que tiene con alguna de las mujeres: "Fíjate en ese otro, el blanquito; mi misma cara, ¿verdad?" (65). Es importante notar que los procesos de racialización que pueden observarse en la representación textual son efectuados por el narrador en tercera persona en el caso de los campesinos, mientras que en el caso del terrateniente que ostenta el poder, es su propio discurso, por medio de una adscripción de "linaje de sangre," el que revela su racialización.

El cuento se desenvuelve en función de los intentos de los tres personajes explotados por demoler el poder de Don Anselmo. Los primeros dos personajes, Negro Azueta y Dionisio Rojas, fracasan en sus respectivos intentos y quedan en una situación aún más precaria que con la que comenzaron el texto. Los fracasos de dichos personajes son atribuidos por lo que el narrador llama "la voz del pueblo" a "El Socio," quien siempre protege los intereses de Don Anselmo. Sólo Adán Matías, deseando recuperar a su nieta, logra terminar con la vida de Don Anselmo por medio de un compromiso con "El Socio," quien se ha ensañado contra Don Anselmo porque éste último lo negó ante su amigo asegurándole que su socio era sencillamente el dinero.

Como indicamos previamente, la situación del Negro Azueta y de Dionisio Rojas no mejora al final del cuento, sino que se vuelve más precaria: el primero pierde su choza y sus pocos cultivos con un fuego que inició con el objetivo de quemar las nuevas demarcaciones que Don Anselmo estableció para robarle sus tierras. Por su parte, el segundo, que al comienzo del cuento acaba de salir de la cárcel en donde estuvo por la fabricación de un caso de robo, queda moribundo tras una pelea con su hermano a propósito de la complicidad del último con Don Anselmo. Sólo Adán Matías parece haber terminado en mejor situación que a comienzo del cuento tanto en cuanto desplaza la sociedad entre Don Anselmo y "El Socio" (en este punto del cuento, está claro que "El Socio" es el diablo) y se la adscribe a sí mismo, asunto que le permite matar a Don Anselmo. Pero esa mejoría en su situación es sólo aparente, pues debe entregarse a las autoridades por homicidio y el cuento no nos provee más pistas sobre el resultado que su acción tuvo en la nieta que intentaba salvar

→ ¿Quién le teme a la teoría?

El carácter trágico del cuento representa un sistema social determinante de la vida de las personas, con una red de opresiones que parece imposible destruir (es casi como si "El socio" avalara una versión radical de la tendencia económica que estudiamos en este capítulo a propósito de Hall). Aun así, valdría la pena mantener la pregunta abierta con una versión que contemple tanto las estructuras económicas, que en el contexto de este cuento están profundamente ligadas con historias de dominación imperial, como otras estructuras sociales: ¿qué otras posibilidades para cambiar su situación y la de su nieta crees que tiene un personaje como Adán Matías?

Este breve ejercicio analítico ha demostrado varios de los asuntos explorados en este capítulo, tales como: (1) que las teorías sobre razas y etnias aportan múltiples herramientas metodológicas e interpretativas para el estudio de textos culturales y sus implicaciones en la sociedad pues nos ayudan a comprender de modos más complejos los procesos de subordinación y explotación de diversas comunidades humanas; (2) que los textos culturales pueden y deben ser aproximados como discursos que reproducen estructuras sociales visibles en nuestro mundo, pero que también producen cuestionamientos sobre las mismas y posibles alternativas de cambio; (3) que el sujeto humano es constituido (construido) mediante una constante interacción y negociación entre el individuo y la sociedad que no puede reducirse a ninguno de los dos aspectos, y que los textos culturales son espacios donde esa lucha es representada con numerosas implicaciones socio-culturales.

JERCICIOS PARA ESTUDIANTES

Fase: Exploración

→ 1. Utiliza fotografías para diseñar un árbol genealógico de tu familia. ¿Cuántas personas podrías clasificar de negras, mestizas y blancas? ¿Crees que esas personas se autodenominarían según las clasificas? Sí o no y ¿por qué?

→ 2. Escoge dos o tres personas de tu entorno y entrevista. Sugerimos que sean personas de distinta generación. También te recomendamos que utilices un guión o bosquejo de preguntas. A continuación te recomendamos algunas, pero puedes añadir otras:

a. ¿Crees que hay discrimen racial en Puerto Rico? ¿Por qué? Si tu respuesta es positiva, identifica las características o manifestaciones que tiene dicho racismo.

b. ¿En qué momentos o circunstancias los rasgos raciales afectan a las personas que no son blancas? Enumera todos las que vengan a tu mente.

c. ¿Crees que hay discriminación étnica en Puerto Rico? ¿Cómo se manifiesta? Ofrece ejemplos.

d. ¿De qué modo podría combatirse el racismo o cualquier discriminación por etnia? Procura ser tan detallad@ en tu respuesta como sea posible.

→ 3. Mini-investigación

a. Busca información sobre los movimientos por derechos civiles de los años 60 y el *Black Power Movement*, entre otros.

b. Busca información sobre personas que han luchado contra el racismo en Puerto Rico.

c. Busca información sobre los siguientes movimientos culturales: Harlem Renaissance, négritudes, negrismos.

d. Busca información sobre los trabajos de la *Critical Race Theory*.

e. Busca información sobre el concepto "interpelación" de Louis Althusser y aplica el mismo a una situación o texto cultural en función de raza o etnia.

→ 4. Inventario de conocimiento previo

a. ¿Qué situaciones o imágenes vienen a tu mente cuando escuchas las palabras "racismo" y "discriminación"?

b. ¿Qué figuras literarias o de la cultura en general conoces que han luchado contra el racismo o cualquier forma de discriminación por etnia?

c. ¿Cómo se manifiesta el racismo en los medios de comunicación en Puerto Rico?

d. ¿Cómo se manifiesta el racismo o la discriminación por etnia en los chistes populares?

Fase: Conceptualización

→ 1. Investiga los conceptos destacados en este capítulo y todos aquellos que te sean desconocidos.

→ 2. Mini-investigación

    a. Busca información sobre las figuras mencionadas en este capítulo. ¿Cuáles fueron sus aportaciones principales? ¿Qué implicaciones tuvieron?

    b. Compara las tendencias que han abordado la raza y la etnia y que fueron discutidas en este capítulo en función de sus semejanzas y diferencias.

→ 3. Identifica las metodologías de análisis cultural que se derivan de las aproximaciones teóricas de este capítulo.

→ 4. Explora qué otras teorías pueden utilizarse en combinación con las estudiadas en este capítulo para el análisis de textos.

→ 5. Haz una exposición oral sobre las entrevistas llevadas a cabo en la *Fase de exploración*.

→ 6. Escribe un ensayo breve sobre los siguientes temas:

    a. Mujer, raza y clase

    b. Racismos y otras discriminaciones del siglo XXI

    c. ¿Cómo luchar contra las formas de racismos hoy?

    d. Historia de Puerto Rico en función de raza y de etnia

Fase: Aplicación

→ 1. Redacta un texto testimonial con los hallazgos de las entrevistas de la *Fase de exploración*.

→ 2. Aplica las preguntas de l@s teóric@s de este capítulo a situaciones de la actualidad en Puerto Rico y en el resto del mundo.

→ 3. Analiza un programa de comedia en la televisión puertorriqueña a partir de las preguntas propuestas en este capítulo. Una alternativa sería comparar dos tipos de programas o varios episodios de un mismo programa.

→ 4. Interpreta cualquier texto cultural a partir de las preguntas críticas propuestas en este capítulo.

→ 5. Investiga por el Internet los debates más recurrentes en el siglo XXI sobre razas y etnias. Diseña un blog con los materiales identificados.

TEORÍAS SOBRE SEXUALIDADES FUERA DE LA NORMA (QUEER O LGBTTQ)

10

There is nothing outside or before culture, no nature that is not always and already encultured.
(Teresa de Lauretis)[103]

No se es primero sujeto y luego se actúa. Al revés, haz cosas y serás algo, alguien, otros te reconocerán como perteneciente a la comunidad de los que actúan, de aquellos con los que se puede contar, de aquellos que acuden en auxilio y prestan ayuda, de aquellos que derriban prejuicios, injusticias, caciques, potentados, privilegiados de todas las clases. (Paco Vidarte)

EXPLORA LO QUE SABES...

Ves la televisión y te percatas que hay un panel sobre los derechos de l@s gay en Puerto Rico. Una de las personas en el debate insiste en que el asunto se trata de derechos humanos. Piensa, ¿cuáles son los derechos humanos que se suelen violar todos los días a la gente gay? ¿Por qué crees que ocurre tan a menudo sin que se denuncie como tal?

---

[103] Traducción: "No hay nada afuera o antes de la cultura, no hay naturaleza que no esté desde antes y desde siempre "enculturada."

SITUACIONES

Un día, al llegar de la escuela, escuchas una algarabía en casa. Al entrar, encuentras a tus padres discutiendo acaloradamente con tu hermana, quien les exige respeto y justicia respecto a su **orientación sexual**. No tienes idea de lo que está pasando, así que interrumpes para preguntar los motivos de la discusión. Tus padres, vociferando la vergüenza que sienten y negándose a dar explicaciones, salen de la casa. Tu hermana, con quien siempre has tenido una relación muy cercana, te explica que ya no aguantó más vivir una doble vida y que decidió **salir del clóset**. Tú, que siempre has sabido, sin pensar que es nada del otro mundo, que tu hermana se enamora de mujeres, le preguntas por qué es necesario hacer semejante confesión si, le dices, ni nuestros padres, ni nuestr@s amig@s, ni nadie de nuestra familia, anda anunciando por ahí su heterosexualidad. Tu hermana responde que tienes toda la razón pero que, lamentablemente, en el mundo en que vivimos la heterosexualidad es la **norma** a la que se asume deben adscribirse todos los seres humanos. Lamentablemente, las personas con sexualidades fuera de esa norma, generalmente se tienen que someter a semejantes actos de confesión para evitar vivir sus vidas en secreto y en constantes mentiras. Le respondes que es injusto, que nadie debería tener que hacer eso porque el amor es arbitrario y cada quien se enamora de quien se enamora y punto. Tu hermana, con cariño, te agradece tu comprensión y apoyo. Con un poco de esfuerzo, los dos confían que sus padres comprenderán algún día próximo.

Sólo a partir de ese evento y de sus secuelas en tu familia, te das cuenta del gran impacto que tienen los prejuicios e injusticias de nuestras sociedades sobre comunidades particulares o diferentes. En ese contexto, la reciente cobertura, el tratamiento y los debates sobre el "matrimonio gay," los "derechos de adopción de parejas del mismo sexo," los "derechos civiles" para l@s trans desplegados en los periódicos, en los reality shows, en los noticieros y en las campañas eleccionarias comienzan a cobrar sentido y relevancia para ti. Empiezas a recordar noticias sobre crímenes de odio relacionados con las sexualidades de la gente: el asesinato de Brandon Teena y de Mathew Shepard, por ejemplo. Te preguntas, asimismo, cómo los asuntos relacionados con las sexualidades humanas han sido pensados a través de la historia.

Las teorías sobre sexualidades fuera de la norma, queer[104] o lgbttq,[105] se interesan precisamente por dichas cuestiones. Estudian la historia de nuestras culturas para: discernir los modos en que se ha concebido la sexualidad en los aparatos ideológicos dominantes (ver capítulo *Teorías materialistas* para una explicación de dicho concepto); explorar cómo se han concebido y cómo han actuado personas *queer* en diversos contextos y momentos históricos; afirmar la diversidad humana; y descubrir cómo las reglas culturales de todo tipo exaltan a un@s y niegan a otr@s.

Al mismo tiempo, las teorías que estudiamos en este capítulo, se dedican a explorar cómo unas prácticas del sexo y del deseo son aceptadas y proclamadas como naturales mientras que otras no; cómo la cultura dominante opera para darle prestigio a ciertos modos de relaciones y a otros los degrada al silencio o al secreto; y cómo se puede hacer justicia y conseguir erradicar todo tipo de prejuicios y discriminaciones por concepto de la sexualidad y del deseo.

TENDENCIAS, DEBATES, CONCEPTOS Y FIGURAS

Como ocurre con la mayoría de las teorías estudiadas en este manual, la historia y el desarrollo del conjunto de las teorizaciones sobre sexualidades fuera de la norma puede trazarse de diversos modos. Para los propósitos introductorios de este capítulo, es preciso escoger una narrativa

CONCEPTOS

orientación sexual
salir del clóset
norma
queer
lgbttq
género
sexualidad
sexo
heterosexualidad
homosexualidad
heteronormativa / heteronormatividad
culturalista
prejuicio
discriminación
performatividad
performance
transexual
travesti
liberal / liberalismo

---

[104] Término en inglés que significa "raro." En el pasado, ha sido empleado peyorativa y despectivamente contra personas cuya sexualidad no se ajustaba a la norma heterosexual. Uno de los resultados de los movimientos sociales y de las teorías que estudiamos en este capítulo ha sido la re-apropiación y re-significación del término para uso propio de manera tal que se destiñen sus contenidos discriminatorios. Un proceso parecido ha ocurrido en Puerto Rico con el término "cocolo," por ejemplo.

[105] Siglas en inglés que corresponden a "lesbiana," "gay," "bisexual," "transgénero," "transexual," y "questioning" (personas en proceso de cuestionamiento de su sexualidad). Hay variaciones en el orden y en las letras, pero en cualquier caso corresponden a los mismos términos.

y eclipsar otras. Pero, vale la pena al menos mencionar algunas de las rutas posibles que no seguiremos en este capítulo y dar parte de algunos aspectos históricos de las mismas por sus relaciones con otras estudiadas en este manual.

Una historia posible de las teorías sobre sexualidades fuera de la norma estaría concentrada en el discurso científico occidental (ver capítulo *Posestructuralismos* para una explicación del concepto "discurso") que, especialmente durante el siglo XIX, se interesó por establecer bases empíricas en la biología o en la mente humana para el desarrollo de diversas sexualidades. Figuras como KARL HEINRICH ULRICHS (1825 – 1895), KARL WESTPHAL (1833 – 1890), RICHARD VON KRAFFT-EBING (1840 – 1892),SIGMUND FREUD (1856 – 1939), HAVELOCK ELLIS (1859 – 1939) y MAGNUS HIRSCHFELD (1868 – 1935) son cruciales en dicho momento. El afán cientificista del estudio de la sexualidad sentó las bases para la creación de tipologías y categorías sexuales asignadas a los seres humanos, así como para la discusión sobre la naturalidad o la "construcción" de las diversas prácticas sexuales. Ambos acercamientos perviven, de un modo u otro, hasta hoy. Como veremos más adelante, el filósofo francés Michel Foucault ha sido la figura crucial a la hora de historiar la preocupación occidental respecto a la sexualidad humana haciendo énfasis en el discurso cientificista del siglo XIX.

Otra ruta posible para construir la historia de estas teorías sería el estudio y la recuperación de figuras históricas que, en diversos ámbitos de la cultura, han escrito sobre las sexualidades humanas. En lo que respecta a la literatura, dichos esfuerzos, en marcada conexión con tradiciones similares en las teorías feministas y aquellas sobre razas y etnias (ver capítulos correspondientes), han reconsiderado tanto la tradición grecorromana (especialmente, el impacto de la sexualidad en la creación de ciertas tradiciones filosóficas en la Grecia antigua), así como figuras de siglos posteriores, tales como: CATALINA DE ERAUSO ("LA MONJA ALFÉREZ" [1592 – 1650), LEOPOLD VON SACHER- MASOCH (1836 – 1895), DONATIEN ALPHONSE FRANÇOIS, MARQUÉS DE SADE (1740 – 1814), OSCAR WILDE (1854 – 1900), ANDRÉ GIDE (1869 – 1951), RADCLYFFE HALL (1880 – 1943), VIRGINIA WOOLF (1882 – 1941), ADRIENNE RICH (1929), MONIQUE WITTIG (1935 – 2003) y MICHELLE CLIFF (1946), entre muchas otras.

Dicha discusión nos trae a una tercera ruta posible para contar la historia de las teorías que estudiamos en este capítulo. Sus contenidos insistirían en las conexiones y deudas que estas teorías sostienen con respecto a los movimientos y las teorías feministas y sobre razas y etnias. Especialmente en las discusiones sobre las relaciones entre **género**, **sexualidad** y **sexo**, la deuda con las teorías feministas es inmensa. En esa misma genealogía, habría que destacar la prominencia que las teorías estudiadas en este capítulo, así como otras relacionadas con las subjetividades humanas, ha logrado en la universidad a partir de los múltiples movimientos sociales librados alrededor del mundo en los años sesenta (en el contexto de Estados Unidos, destacan especialmente las iniciativas que desataron los eventos en Nueva York, referidos usualmente como "Stonewall," en 1969). Para esta última ruta es fundamental la discusión sobre las propias categorías que en uno y otro momento histórico se han privilegiado tanto en la academia como en otras esferas sociales; por ejemplo, "homosexual," "gay," "gay/lesbiana" y "queer," entre otras. Dichos asuntos también entroncan con las consideraciones sobre el lenguaje y con el reto a las lógicas binarias que estudiamos a propósito de las teorías posestructuralistas, por lo que es preciso tener en cuenta que las manejadas en este capítulo tienen una deuda significativa con aquellas.

En cualquiera de las opciones destacan los debates sobre la naturaleza y la cultura, lo normal y lo anormal, la **heterosexualidad** y la **homosexualidad**, lo genético y lo construido social y culturalmente, entre otros. Es decir, aparece como central la pregunta, ¿se nace (perspectiva **"esencialista"**) o se hace (perspectiva **"construccionista"**) una sexualidad o placer queer? Dada la centralidad de dicho debate, enfocamos este capítulo en una somera genealogía y descripción de algunas de las tradiciones intelectuales y políticas que han intentado contestar dicha pregunta.

Como vimos, la tradición conocida como esencialista puede remontarse a los científicos, sicólogos y médicos que desde el siglo XIX han procurado explicar las sexualidades y los deseos fuera de la norma heterosexual (**heteronormativa**) a partir de consideraciones congénitas y del desarrollo sicológico. Esta tendencia llega hasta nuestros días y se reformula en el esfuerzo por identificar el "gen gay" o cualquier pista biológica ("natural") que pueda dar cuenta del porqué de las conductas sexuales queer. Las implicaciones de esta aproximación a la realidad de las sexualidades fuera de la norma son múltiples. Para algun@s, es fundamental para el ataque contra el prejuicio y la discriminación reconocer la ausencia de voluntad del sujeto para "ser" de una práctica o de otra. Para otr@s, este esfuerzo parte de una lógica de control disimulada que sólo acepta como legítimo aquello que es aparentemente "natural" (pues la propia definición de "naturaleza" es en sí misma una construcción que ha cambiado significativamente a través de la historia y en diferentes contextos) y que sigue rechazando cualquier desvío de lo que se establece como "normal" en ciertas culturas y tiempos.

Precisamente, otra de las grandes tendencias dentro de las teorías LGBTTQ se conoce con el nombre de construccionista o **culturalista**. Destaca en este conjunto de esfuerzos la figura de MICHEL FOUCAULT (1926 – 1984) y, en particular, su colección de tres volúmenes *Historia de la sexualidad* (1976 – 1984). Al contrario de las tendencias esencialistas, el trabajo de este filósofo francés se concentra en rastrear la genealogía de la denominación "homosexualidad" a través de la historia y su relación con políticas de control social propias del sistema capitalista ascendente (ver capítulo *Teorías materialistas*). Según Foucault, previo al siglo XIX, las designaciones "homosexual" y "heterosexual" no existían como categorías de la identidad humana. La gente llevaba a cabo actos sexuales de distinto tipo, pero una designación identitaria como tal no existía. Es sólo con la consolidación del capitalismo y de las normativas sociales asociadas con la clase burguesa (ver capítulo *Teorías materialistas*) que se crean dichas categorías y la de "homosexual" comienza a adquirir la carga de **prejuicio** y de **discriminación** que todavía tiene en ciertos discursos dominantes. Dichas estrategias de control fueron encabezadas por los científicos naturales, sociales y humanos, siquiatras y sicólogos (ver algunas de estas figuras mencionadas previamente) que, sumidos en procesos de profesionalización de sus disciplinas en aquel momento histórico, se convirtieron en las voces autorizadas para nombrar y explicar todas las prácticas sexuales que se escapaban a la lógica eminentemente reproductora de la heterosexualidad. Previo a esa coyuntura, las sexualidades y los deseos fuera de la norma existían como actividades, como actos de cada quien que sólo algunas instituciones (ej.

las religiones judeo-cristianas especialmente) y culturas habían catalogado como reprobables o sospechosos, precisamente por retar sus normativas morales o sociales.

La tendencia teórica culturalista o construccionista afirma, por ende, el rol protagónico de las sociedades y de las culturas en la discriminación de todas las sexualidades y deseos que se escapan a la norma heterosexual. Las sociedades capitalistas, o aspirantes a serlo, establecen políticas de control para darle privilegios y apoyos institucionales a las prácticas sexuales cuyo fin principal es la reproducción,[106] a la vez que degradan progresivamente cualquier práctica o deseo alterno. Desde luego, esta posición teórica también tendrá importantes implicaciones y desarrollos.

En algunos casos, se convierte en justificación de ataque para las mismas sexualidades fuera de la norma al ser coactadas por variaciones sicologistas y moralizantes que aseguran que l@s queer se "hacen" y no nacen; y, por ende, se pueden "deshacer" y modificar. En estos casos, obviamente, se trata de lecturas miopes que trivializan la propuesta de Foucault y ni siquiera pueden apreciar que son, en sí mismas, parte de esos discursos de control social denunciados por el filósofo.

Por otra parte, esta tendencia también ha sido expandida por teóricas como JUDITH BUTLER (1956) quien, desde una radicalización de las sospechas posestructuralistas (ver capítulo *Posestructuralismos*) revisita las propuestas de Foucault y la distinción clásica de los feminismos previos entre **sexo** y **género** (ver capítulo *Feminismos*). Butler formula nuevas interrogantes respecto al poder que esconden las propias palabras y designaciones que comúnmente empleamos. Al mismo tiempo, destruye el carácter "natural" con el que se había distinguido previamente sexo de

---

[106] Es importante recordar que no todas las prácticas sexuales denominadas "heterosexuales" tienen como propósito principal la reproducción. Que la reproducción sea un imperativo central de muchas parejas heterosexuales y que sea uno de los motivos de ataque más prominentes contra las sexualidades fuera de la norma son también asuntos construidos socialmente y no un dogma de la "naturaleza." Las personas que alegan que en el "reino animal" (asunto que, en la actualidad, se identifica generalmente con la "naturaleza") se observa un imperativo absoluto de heterosexualidad y reproducción, podrían recordar dos cosas: primero, hay estudios sobre las múltiples prácticas sexuales no "heterosexuales" (entre "macho" y "hembra") en las que se envuelven sistemáticamente muchas especies y cuyos fines no son reproductivos y, segundo, es una contradicción central de dicho argumento apelar al "reino animal" si lo que busca es establecer normativas para las prácticas sexuales de los seres humanos cuando, a la vez, se insiste en la diferencia (y, en muchos casos, "superioridad") humana respecto al resto de las especies animales, especialmente en lo que concierne, precisamente, a las relaciones sociales y al uso de lenguaje escrito. Este debate podría ser materia para una mini-investigación.

género (ver capítulo *Feminismos* para una explicación de dicha distinción originaria en los debates feministas) para afirmar que el primero tiene una factura igualmente cultural.

Por otra parte, esta teórica ha elaborado el concepto de **performatividad**, –el cual distingue de *performance*– para explicar cómo toda persona, fuera o dentro de la norma, construye su sexualidad y deseos a partir de acciones, hechos y experiencias cotidianas que, en los casos convencionales, se amoldan a las recetas o normas sociales al uso. Este nuevo concepto supone que ya no sólo son performativas las conductas fuera de la norma, sino también las heterosexuales. Con este ejercicio lógico, Butler reta, a su vez, el binomio original/copia y la consecuente jerarquía privilegiada del primero sobre el segundo (ver capítulo *Posestructuralismos*). Esta operación de inversión o desnaturalización de categorías y privilegios normativos supone radicalizar los planteamientos de Foucault y ampliar la esfera de los debates construccionistas. Su consecuencia inmediata es que derrumba las bases sobre las cuales la heterosexualidad se impone como lo natural, lo original y lo esencial y, por tanto, lo normal. Según Butler, los contenidos y las prácticas asociadas con las sexualidades y los deseos son inevitablemente construcciones que podemos intervenir y que nos permiten cuestionar, principalmente, los supuestos que establecen jerarquías y beneficios sociales y culturales de unas prácticas (hetero) sobre otras (*queer*).

Frente al debate glosado entre esencialistas y construccionistas –que muchas veces parece o resulta en un callejón sin salida– se desarrollan corrientes que introducen otras variables de la **identidad** a la ecuación sexo/género/deseo. A la vez insisten en formulaciones alternas para combatir la discriminación cotidiana y sus particulares perfiles en diversas poblaciones. Estos nuevos acercamientos se inician con críticas de diversos sectores sociales que, además de la discriminación sexual, experimentan otras por razones de género, raza, clase y etnia, por sólo mencionar algunas (ver capítulos correspondientes). En sintonía con las exploraciones de Foucault sobre los engranajes entre las sexualidades y el desarrollo del sistema capitalista, esta tendencia analiza las especificidades y los énfasis que confieren otros elementos de la identidad a los debates queer referidos previamente (ver capítulo *Teorías materialistas*). A su vez, se incorporan a la discusión asuntos que son propios de las luchas de reivindicación de l@s **transexuales** y l@s **travestis**, entre otros. Esta vertiente hace posible el desarrollo de teorizaciones sobre las "tecnologías" relacionadas con la construcción o variación de los genitales y la expansión de los términos del debate esencialista/construccionista tan persistente hasta nuestros días. En consecuencia, la nomenclatura queer suele proponerse como una categoría más conveniente y elástica para analizar y luchar por la reivindicación de todas esas sexualidades y deseos que escapan a la norma heterosexual (y al dúo sexo/género) y que, en muchos casos, implica diversos niveles de discriminación y exclusión, incluso dentro de las teorías esbozadas.

Cada una de esas aproximaciones, evidencia los límites de los debates construccionistas y esencialistas, al igual que los de las consideraciones relacionadas con el discurso y sus efectos en las conductas humanas. Les interesa más, en rasgos generales, denunciar cómo algunas prácticas sexuales y deseos experimentan varios niveles de discriminación que exigen a las teorías LGBTTQ expandir su radio de debate y lucha reivindicativa. En cualquier caso, esta tercera y amplia tendencia propone una perspectiva versátil que acoja las complejidades de las conductas y las múltiples dimensiones de la identidad.

ASUNTOS DE INTERÉS GENERAL

Más allá del carácter diverso, coherente por demás, con las aproximaciones teóricas de este capítulo, cabe destacar una serie de elementos que tienen en común. Estos, además, denotan sus vínculos con otras teorías discutidas en este manual. En primer lugar, hay que destacar que las teorías queer son el resultado de los movimientos sociales de los sesenta y de otras luchas por reivindicación de sexualidades fuera de la norma que llegan hasta nuestros días. En otras palabras, estas teorías articulan y analizan la ardua labor de activistas, en muchos casos fuera de la institución universitaria, que se tiran a la calle a defender sus derechos y, sobre todo, a hacerse justicia. Por consiguiente, las teorías LGBTTQ tienen un imperativo de cambio social (aunque, como hemos visto a propósito de otras teorías que comparten dicha dimensión, los modos en que se logrará la justicia social son intensamente debatidos) que bien puede estar manifestado explícita o implícitamente en sus planteamientos.

En segundo lugar, y en consecuencia con lo dicho previamente, estas teorías persiguen, de un modo u otro, la transformación de la sociedad y la justicia de todas las sexualidades diferentes a la norma. Ciertamente, en algunos casos este rasgo es más evidente que en otras y ha habido amplio debate sobre la versatilidad movilizadora de una u otra tendencia.

Finalmente, este conjunto de teorías bien puede convertirse en un campo privilegiado para aglutinar otras luchas identitarias y otras causas que consigan construir un mundo más justo y solidario. Según plantea, PACO VIDARTE (1970 – 2008) en su texto *Ética marica*,

> la lucha contra la homofobia no puede darse aisladamente haciendo abstracción del resto de las injusticias sociales y de discriminaciones, sino que la lucha contra la homofobia sólo es posible y realmente eficaz dentro de una constelación de luchas conjuntas solidarias en contra de cualquier forma de opresión, marginación, persecución y discriminación. (169)

Lo dicho por Vidarte muy bien podría considerarse una agenda de cohesión sobre unas bases mínimas de identificación que, a la vez, honren las diversidades de la sexualidad y el deseo de toda índole con miras a contribuir en la creación de una mejor y más justa sociedad para tod@s.

¿QUÉ ES LA "LITERATURA" SEGÚN LAS TEORÍAS LGBTTQ?

Las diversas tendencias de teorías fuera de la norma, como muchas otras teorías estudiadas en este manual, parten de dos conceptos de "literatura" fundamentales. Por una parte, la "literatura" es un reflejo de las luchas de poder en la cultura en que se inscribe el texto; por tanto, un discurso aliado de las instituciones dominantes y formador de identidades sexuales a su conveniencia. Mientras que, por otra parte, puede ser también un discurso alterno, resistente a dichas instituciones y, por ende, un vehículo de cambio.

A su vez, la "literatura" también puede considerarse un lugar de encuentros y desencuentros de las opciones anteriores, así como un producto cultural que debe estudiarse en sintonía con otros (para los debates respecto a las jerarquías entre productos culturales, ver capítulo *Estudios Culturales*). En cualquier caso, la "literatura," y cualquier discurso de la cultura, se concibe como un espacio de promoción o de resistencia de las convenciones sociales relacionadas con las sexualidades y los deseos. Por consiguiente, su análisis puede perseguir, entre otras cosas, distinguir su efecto en cuanto representación o creación de conductas, así como vehículo de diseminación de posturas discriminatorias o reivindicativas de las comunidades *queer*. Dichas aproximaciones se asocian generalmente con teóric@s que tienen filiaciones construccionistas o materialistas.

Por otra parte, teóric@s interesad@s en el rol y poder del lenguaje para crear el mundo (ver capítulo *Posestructuralismos*) pueden, además, identificar y evaluar las estructuras binarias sobre las que se basa cualquier texto, sobre todo en lo que se refiere al binomio heterosexual/ homosexual y masculino/femenino. En este caso es necesario estudiar las asociaciones económicas, sociales y culturales que son reproducidas en el texto en conexión con dichos binomios de manera que pueda deconstruirse su poder.

Finalmente, la literatura puede ser un producto valioso para rastrear los modos en que se ha concebido la sexualidad humana a través del tiempo y en diferentes contextos geográficos. Mecanismos de *close reading* (ver capítulo *Formalismos y Nueva Crítica*) son comúnmente empleados por sus posibilidades para detectar en los textos los contenidos que, por sus características resistentes respecto a la sexualidad, están implícitos ya que el momento histórico de publicación y distribución amenazaba con censuras de diverso tipo. Igualmente, la lectura detenida permite considerar no sólo los aspectos de contenido, sino también los de forma, que pueden emplearse para hacer comentarios sobre asuntos relacionados con la sexualidad (este es el caso, especialmente, respecto a diversas vanguardias artísticas).

PREGUNTAS PARA HACER A LOS TEXTOS CULTURALES

• ¿Hay personajes queer? ¿Cuántos personajes tienen prácticas sexuales o deseos fuera de la norma (vs. cuántos son heterosexules)? ¿Cómo están representad@s? ¿Cuándo aparecen en el texto y con qué propósito, si alguno? ¿Se reivindican o se implica complicidad con el sistema heteronormativo? ¿Se condenan o se apoyan visiones alternas a la discriminación de las sexualidades LGBTTQ?

- ¿Cómo se desvelan los personajes queer? ¿Hablan por sí mism@s o son narrad@s? ¿De qué modos y con cuáles presupuestos avanza la narración?

- Las representaciones queer, ¿son convencionales, alternativas o una mezcla diversa? ¿Desean o son desead@s? ¿Cómo, por qué y con qué implicaciones o consecuencias?

- ¿Cómo responden los personajes queer representadas a prácticas opresivas o a prácticas reivindicativas? ¿Y los heterosexuales?

- ¿Hay diferencia en el empleo del lenguaje entre los personajes queer y los heterosexuales? O, más aún, ¿parecen existir estructuras de lenguaje distintas en cada caso?

- ¿Puedes rastrear momentos en el texto en que los contenidos explícitos parecen ser distintos de los contenidos implícitos respecto a temas sexuales o de género? ¿Qué sentidos tienen esos momentos tanto en el contexto de todo el texto como en aquel de su publicación?

- ¿Percibes experimentaciones en la forma del texto? ¿Se pueden establecer relaciones entre dichas experimentaciones y contenidos relacionados con la sexualidad? ¿Cuáles?

- ¿Cómo se describen los cuerpos (y las sicologías) de personajes queer y heterosexuales en el texto? ¿Se supone una identidad fija y "normal," o aparecen contradicciones, paradojas, ambigüedades... en un mismo personaje? ¿Cómo se transforman y cómo terminan las sexualidades queer en comparación con las heterosexuales?

FIGURAS SOBRESALIENTES

- SARA AHMED
- GLORIA ANZALDÚA
- KAROLY MARIA BENKERT
- LEO BERSANI
- JUDITH BUTLER
- MICHELLE CLIFF
- JOHN D'EMILIO
- HAVELOCK ELLIS
- CATALINA DE ERAUSO
- LILLIAN FADERMAN
- MICHEL FOUCAULT
- SIGMUND FREUD
- BENEDICT FRIEDLANDER
- ANDRÉ GIDE
- ELIZABETH GROSZ
- JUDITH HALBERSTAM
- RADCLYFFE HALL
- DAVID HALPERIN
- MAGNUS HIRSCHFELD
- GUY HOCKENGHEIM
- SHARON P. HOLLAND

- RICHARD VON KRAFFT-EBING
- TERESA DE LAURETIS
- SYLVIA MOLLOY
- JOSÉ ESTEBAN MUÑOZ
- ADRIENNE RICH
- RUBÉN RÍOS ÁVILA
- GAYLE S. RUBIN
- LEOPOLD VON SACHER-MASOCH
- MARQUÉS DE SADE
- NAOMI SCHOR
- EVE KOSOFSKY SEDGWICK
- NIKKI SULLIVAN
- KARL HEINRICH ULRICHS
- PACO VIDARTE
- MICHAEL WARNER
- ELIZABETH WEED
- CARL WESTPHAL
- MONIQUE WITTIG
- VIRGINIA WOOLF

BORRADOR DE ANÁLISIS

Texto: ensayo "Discurso" de José L. Rodríguez Zapatero a propósito de la revisión del Código Civil en España[107]

El debate y los desarrollos sobre derechos civiles de las sexualidades y deseos queer ha cobrado fuerza en la última década. En algunos contextos (Países Bajos, por ejemplo) se ha conseguido la legalización del matrimonio y los beneficios liberales asociados con el mismo. Este paso ha traído consigo la revisión de políticas familiares y consignaciones jurídicas de l@s ciudadan@s LGBTTQ. En ese contexto, el principal dirigente del Partido Socialista Obrero Español (PSOE), José L. Rodríguez Zapatero, incluyó en su plataforma para la elecciones generales de 2004 la promesa de legalización del matrimonio entre otras medidas a favor de estas comunidades tradicionalmente discriminadas. Después de un acalorado debate en las Cortes y en la sociedad, el 2 de julio de 2005 España se convierte en el tercer país en el mundo –grupo al que también se une Canadá por esos días– en convertir en ley los matrimonios entre parejas del mismo sexo (ver tabla de *Cronología* a continuación). Este evento, visto con suspicacia por diversos sectores, no ha dejado de suponer un logro y un ejercicio de justicia muy celebrado por much@s. En consonancia, el Presidente del Gobierno español, lee el discurso analizado en esta sección ante el pleno del Congreso en España unos días antes de la aprobación definitiva del proyecto de ley. Desde ese mismo momento, diversos sectores *queer* han levantado una bandera de alerta para señalar que este logro no agota, ni remotamente, la agenda por la justicia de l@s ciudadan@s con sexualidades fuera de la norma. La legislación es vista por l@s más críticos como una paso mínimo, no necesariamente radical, para la consecución de la felicidad cabal de tod@s en un mundo en el que cualquier forma de discriminación cotidiana es una afrenta a la dignidad de las personas (ver Paco Vidarte, *Ética marica*). Es también motivo de debate porque en muchos contextos presupone una adecuación (o una "normalización") de las diferencias entre las personas a ciertas normas sociales dominantes (y, por tanto, heterosexistas) que dictan que el matrimonio es imperativo para cualquier relación de pareja.

---

[107] El "Discurso" se encuentra en: http://bibliotecavirtual.clacso.org.ar/ar/libros/paraguay/cde/mujer/mujer175.pdf.

Tabla: Cronología

Años 90	Reconocimiento jurídico de parejas de hecho y ciertos beneficios en algunas Comunidades Autónomas en España
30 de junio de 2004	Proposición de Ley provisional para extender derechos de matrimonio a parejas del mismo sexo
1 de octubre de 2004	Proyecto de Ley es aprobado en el Congreso de Diputados
31 de diciembre de 2004	Proyecto de Ley es remitido al Parlamento
21 de abril de 2005	Proyecto de Ley aprobado por el Congreso
22 de junio de 2005	Rechazado por el Senado (con mayoría del Partido Popular)
30 de junio de 2005	Aprobado en el Congreso (con veto al Senado) con 187 votos a favor, 147 en contra y 4 abstenciones
2 de julio de 2005	Aprobación definitiva de la Ley 13/2005
11 de julio de 2005	1er matrimonio entre hombres
22 de julio de 2005	1er matrimonio entre mujeres

Analizaremos el "Discurso" tomando en consideración las convenciones del ensayo disuasivo y dos de las preguntas de análisis mencionadas previamente: ¿Cómo son representadas las sexualidades fuera de la norma? y ¿cómo son reivindicadas en el texto (si lo son)?

El ensayo disuasivo tiene como meta fundamental convencer a su audiencia/lector@s sobre una tesis controversial. Aunque much@s insisten que no debería ser así, aún en el siglo XXI la defensa del matrimonio entre personas del mismo sexo es un asunto propicio para la redacción y exposición oral de un ensayo de este tipo. Dado que se trata de un tema en el que no hay consenso, se precisa de una investigación sustancial sobre los argumentos de cada posición. Asimismo, es importante tener en mente el público lector, así como el orden en que se expondrán las posiciones con las que se identifica un grupo u otro. La estructura clásica de un ensayo disuasivo consta de una introducción que ponga en contexto la tesis, el cuerpo en el que se desarrollan los argumentos a favor y en contra y se expone cualquier elemento relevante para convencer a la audiencia y una conclusión de impacto.

El "Discurso," de Rodríguez Zapatero sigue la estructura aludida y se enmarca en dos citas de escritores significativos para la cultura queer española (Luis Cernuda) y el pensamiento radical contemporáneo (Kavafis). El comienzo del ensayo pone en el contexto inmediato y remoto la medida del matrimonio entre personas del mismo sexo. En primer lugar, se trata de una promesa de campaña cumplida y, en segundo lugar de una dimensión constitutiva del pensamiento ilustrado en su mejor expresión como salvaguarda de la libertad y la igualdad de los ciudadanos.

Por su parte, el desarrollo argumental va desde la afirmación del derecho inalienable a la felicidad de tod@s l@s ciudadanos hasta la aseveración del valor y los méritos del matrimonio para la cohesión social a través de la institución familiar, de lo cual no deben ser privad@s las personas diferentes a la norma heterosexual. En definitiva, apela a la "decencia" colectiva, al respeto y a la tolerancia con un perfil **liberal**. También, recurre a la estrategia de identificación emocional al mencionar el sufrimiento, el escarnio y la afrenta que han sufrido históricamente las sexualidades y los deseos *queer*.

Por otra parte, le sale al paso a los detractores de la medida y les asegura que con el paso del tiempo incluso ell@s se beneficiarán de la controversial ley, y comprenderán su vital importancia para el pleno desarrollo de la Transición democrática.[108] Como colofón, se asegura de subsanar cualquier división social a propósito de la enmienda constitucional, y recurre a la memoria reciente de la España sin posibilidades de divorcio y con marcadas diferencias de derechos entre hombres y mujeres heterosexuales. En este punto, se dirige específicamente a un amplio sector secular cuyas reservas no pasaban por consideraciones religiosas, como es el caso de la Iglesia Católica. Para concluir, inserta la medida legislativa en el continuo de las transformaciones sociales que van edificando una mejor sociedad. En el contexto de una España que recién estrena su sistema democrático tras una cruenta y dilatada dictadura, esos argumentos ilustrados, liberales y, en síntesis, de progreso social no pasan inadvertidos.

---

[108] Se conoce con este nombre el periodo posterior a la muerte del dictador Francisco Franco y del fin de su régimen en España en noviembre de 1975. Algunos historiadores consideran que se extiende desde ese año hasta la aprobación de la Constitución Española en 1978. Otros lo extienden hasta el 1982, año en que gana las elecciones generales el Partido Socialista Obrero Español (PSOE).

Por su parte, las sexualidades LGBTTQ son representadas como personas ordinarias, comunes y corrientes, familiares, amigos y vecinos que han vivido siglos de inequidad, oprobio y falta de libertad: "Estamos ampliando las oportunidades de felicidad para nuestros vecinos, para nuestros compañeros de trabajo, para nuestros amigos y para nuestros familiares." Al mismo, tiempo son reconocidas como compatriotas que merecen el respeto y la felicidad como tod@s l@s demás ciudadanos. El "Discurso" reconoce el "escarnio y la afrenta" vivida por estos sectores sociales y, a la vez, espera que esas experiencias de "sufrimiento inútil" les permitan actuar con generosidad ante los sectores sociales que se han opuesto beligerantemente a la medida que los beneficia de ciertos modos.

Esta representación del "Discurso" si bien hace justicia, denuncia las discriminaciones vividas por las sexualidades *queer* y argumenta en favor de la ley, demuestra una significativa preocupación por los sectores opositores y por la imagen del país como sociedad progresista. La estrategia disuasiva se concentra en exaltar la ciudadanía mayoritaria, heteronormativa, casada, "decente," democrática y con vocación de superación: "Es verdad que son tan sólo una minoría; pero su triunfo es el triunfo de todos." Ciertamente, el ensayo logra llegar a todos los sectores sociales y apela a unos y a otros para garantizar el respaldo mayoritario de la medida. El resultado de la votación y la conversión en ley del proyecto demuestran que fue un ensayo exitoso.

Este breve ejercicio ha demostrado varios de los asuntos explorados en este capítulo, tales como: (1) que los textos culturales pueden funcionar como reproductores de las ideologías dominantes, pero también como vehículos de resistencia a las mismas y de creación de nuevos paradigmas; (2) que es preciso estudiar los textos en conexión con sus contextos de producción y de recepción antes de llegar a conclusiones definitivas sólo en base a sus contenidos explícitos; y (3) que las teorías sobre sexualidades fuera de la norma, como otras de las estudiadas en este libro, tienen una pertinencia social significativa en nuestro momento histórico y pueden impactar positivamente las vidas de millares de personas en el mundo.

EJERCICIOS PARA ESTUDIANTES

Fase: Exploración

→ 1. Ves la televisión y te percatas que hay un panel sobre los derechos de l@s gay en Puerto Rico. Una de las personas en el debate insiste en que el asunto se trata de derechos humanos. Piensa, ¿cuáles son los derechos humanos que se suelen violar todos los días a la gente gay? ¿Por qué crees que ocurre tan a menudo sin que se denuncie como tal?

→ 2. Escoge dos o tres personas de sexualidades queer de tu entorno y entrevista. Sugerimos que redactes un bosquejo o guión de preguntas previo a la entrevista. La entrevista puede incluir las partes que se detallan a continuación (puedes añadir preguntas adicionales):

> a. Datos demográficos: edad, estatus civil o si tiene pareja (si aplica), grado educativo alcanzado, lugar de nacimiento, lugar de residencia, trabajo y funciones
>
> b. Preguntas abiertas: ¿cuáles han sido los momentos más importantes de su vida?; ¿cuáles han sido las situaciones o retos mayores?; ¿qué aspiraciones no ha podido conseguir?; ¿qué se lo ha impedido?; ¿qué condiciones harían su vida y la de otras personas queer más fáciles?; ¿qué ayudaría a que consiga las aspiraciones que tiene pendientes?
>
> c. Lleva los datos a clase en formato enumerativo.

→ 3. Mini-investigación

> a. Busca información sobre los movimientos gay, lésbico y trans. ¿Cuáles han sido sus etapas, éxitos y fracasos hasta la fecha? Asegúrate de incluir en tu investigación los movimientos de los sesenta y los eventos aglutinados bajo el nombre "Stonewall."
>
> b. Busca información sobre personajes importantes de cualquier ámbito que han vivido su sexualidad *queer* abiertamente.
>
> c. Busca información sobre España en el posfranquismo.

→ 4. Inventario de conocimiento previo

    a. Enumera personas cercanas que piensas o te han confirmado que viven sexualidades distintas a la norma. Explica lo que sabes de ell@s y qué experiencias han tenido por causa de su sexualidad o deseo diferente.

    b. Explica la situación contemporánea de las sexualidades *queer* en Puerto Rico.

    c. ¿Cuáles hechos violentos o manifestaciones de discriminación has vivido de cerca? ¿Cómo has reaccionado?

Fase: Conceptualización

→ 1. Investiga los conceptos destacados en este capítulo y todos aquellos que te sean desconocidos.

→ 2. Analiza un texto escrito por sexualidades queer o sobre asunto explícita o implícitamente queer siguiendo como punto de partida una selección de las preguntas de este capítulo (este ejercicio puede hacerse con otro texto de la unidad del curso).

→ 3. Exposición de una comparación de la vida de las tres personas entrevistadas en la *Fase de exploración*. Explica cómo las teorías queer estudiarían sus testimonios.

→ 4. Redacta un ensayo elaborando alguno de los siguientes temas:

    a. Identidad sexual, discriminación y solidaridad

    b. Homosexualidad y otras sexualidades diferentes

    c. Matrimonio gay: ¿liberación o trampa?

    d. Tema libre (ej. cultura, diferencia sexual y educación)

→ 5. Debate sobre las diversas tendencias de teorías *queer*. Tres grupos representan cada sector y defienden sus postulados y preguntas de análisis (se sugiere investigación adicional previa).

→ 6. Investiga tres de las figuras *queer* sobresalientes en este capítulo y presenta oralmente sus aportaciones principales a los debates de las teorías *queer*.

Fase: Aplicación

→ 1. Edita las entrevistas de la Fase de exploración y analiza sus testimonios a partir de las preguntas críticas de las teorías queer. Al final, sugiere soluciones para las condiciones que limitaron sus aspiraciones. ¿Cómo el mundo podría ser mejor para tod@s?

→ 2. Produce un vídeo o una presentación en Power Point (puedes hacer un fotomontaje) que testimonie las vidas o una faceta de las vidas de personas o figuras de este capítulo.

→ 3. Analiza los personajes LGBTTQ de varios programas de televisión o de la radio siguiendo alguna de las sugerencias críticas de este capítulo. Redacta un ensayo breve y diseña una presentación oral.

→ 4. Analiza algún texto cultural (cine, radio, publicidad) a partir de las preguntas críticas de este capítulo.

→ 5. Tomando en cuenta tu público en la escuela, redacta un ensayo disuasivo con relación a un tema controversial sobre las sexualidades o deseos queer. Preséntalo oralmente y reflexiona sobre las reacciones de la audiencia.

→ 6. Investiga en el Internet sobre los países que han legalizado el matrimonio entre personas del mismo sexo en el siglo XXI. Diseña un blog con los resultados de la investigación.

→ ¿Quién le teme a la teoría?

ESTUDIOS CULTURALES

11

Ruling culture does not define the whole of culture, though it tries to, and it is the task of the oppositional critic to re-read culture so as to amplify and strategically position the marginalized voices of the ruled, exploited, oppressed and excluded.
(Raymond Williams)[109]

EXPLORA LO QUE SABES...

¿Cuáles son las semejanzas y las diferencias entre la artesanía y el arte? Piensa, por ejemplo, ¿en dónde se exhibe cada una? ¿Cuál es su apreciación entre diferentes personas? ¿Cuál es su costo? Especula el porqué de las diferencias entre estas dos formas artísticas.

---

[109] Traducción: "La cultura dominante no define toda la cultura, aunque lo intenta, y es la tarea del crítico resistente re-leer la culture para amplificar y posicionar estratégicamente las voces marginadas de los dominados, explotados, oprimidos y excluidos."

SITUACIONES

Ayer tuviste un día largo y despertaste cansada. Hoy no parecía que iba a ser muy distinto. Llegaste a la escuela y, de inmediato, te tocaba entrar a la clase de español. La profesora comenzó la clase haciendo una pregunta aparentemente sencilla: ¿cuál es la diferencia entre novela y telenovela? No tenías cabeza para darle vueltas a aquel asunto, pero te quedaste pensando en ello. Al final del periodo, la profesora asignó escribir un ensayo de tema libre y decidiste hacerlo justamente a partir de dicha interrogante.

Creías saber perfectamente cómo distinguir una novela como *Don Quijote*, *La charca*, *La guaracha del macho Camacho* o *Doña Bárbara* de las telenovelas que tanto cautivaban a tu papá y a tus hermanos. Sin embargo, al evocar ese último título caíste en la cuenta de que por esos días pasaban una telenovela con el mismo nombre. Entonces se te ocurrió que podrías redactar el ensayo a partir de una comparación entre ambos textos. Desempolvaste la novela de Rómulo Gallegos y empezaste a releerla. Te propusiste acompañar a la familia al rito de las 8:00 de la noche y viste algunos capítulos de la telenovela.

Ejercicios semejantes llevan a cabo las prácticas críticas que se denominan Estudios Culturales. Por ese nombre, bastante huidizo y redundante, se conoce un conjunto de análisis y de concepciones de la **cultura** y de la **universidad** que retan algunas opiniones comunes. Ciertos exponentes se resisten a concertar el nombre empleado para las teorías con las esferas de sus investigaciones. Otros incluso se niegan a considerar los Estudios Culturales propiamente una **teoría crítica** al igual que otras de las exploradas en este libro. Por su parte, algunos oponentes le recriminan precisamente su indeterminación teórica, metodológica y, sobre todo, sus eclécticos **objetos de estudio**. En cualquier caso, los Estudios Culturales pueden ser definidos, provisionalmente, como un grupo de prácticas de interpretación que revisan o resisten las fronteras de las disciplinas de la universidad moderna, al mismo tiempo que plantean una idea abarcadora sobre la cultura y los textos que la componen.

TENDENCIAS, DEBATES, CONCEPTOS Y FIGURAS

Englobadas en la rúbrica de los "Estudios Culturales" encontramos tendencias múltiples cuyos puntos de contacto no son siempre evidentes. Sin embargo, para nuestro propósito, merecen ser destacadas: el **Materialismo Cultural**, el **Nuevo Historicismo** y los Estudios Culturales latinoamericanos, ingleses, estadounidenses y españoles. Las primeras dos tendencias se conciben como corrientes críticas con métodos de análisis y objetos de estudio bastante reconocibles. Por su parte, los Estudios Culturales mencionados, además de practicar ciertas formas de análisis en sus respectivos entornos geográficos, plantean nociones sobre el oficio de los intelectuales, la naturaleza de la universidad, del conocimiento y de los modos de accederlo. En el caso de los denominados Estudios Culturales latinoamericanos la designación puede incluso considerarse retroactiva y foránea ya que las circunstancias coloniales de esos contextos articulan un modo distinto de hacer universidad y de analizar la cultura (ver capítulo *Teorías Anti-, Pos- y De-coloniales*).

La genealogía de estas aproximaciones al análisis de los textos culturales se puede iniciar con el Centro para Estudios Culturales Contemporáneos en Birmingham, Inglaterra. Con el liderato de RICHARD HOGGART (1918) y de STUART HALL (1932), entre otros, el denominado grupo o escuela de Birmingham se inicia bajo la influencia teórica de RAYMOND WILLIAMS (1921 – 1988) [ver capítulo *Teorías materialistas*] en el año 1964 con la principal tarea de difundir el conocimiento entre adultos trabajadores en el área. La visión de Williams sobre la cultura y en particular su propuesta alterna al binomio

CONCEPTOS

cultura
universidad
teoría crítica
objeto de estudio
materialismo cultural
Nuevo Historicismo
estructura de sentimientos
neoliberalismo
agencia
mass-media
trans-disciplinariedad / disciplina
posmoderna / posmodernidad
eurocéntrica / eurocentrismo

infraestructura/superestructura con sus conceptos de cultura dominante, emergente y residual forma parte de su base teórica. Esta propuesta ofrece una visión de la cultura heterogénea que, sobre todo, demuestra las posibilidades de ruptura y resistencia en un contexto específico. Según Williams, en un momento dado, coexiste la cultura de la clase dominante con otras fuerzas culturales que pugnan por su circulación y pertinencia. Esta mirada dinámica a los productos culturales otorga un nivel de agencia importante que, a veces, el binomio clásico marxista hace difícil. También su preferencia por una perspectiva que parte de los sujetos que interactúan recíprocamente con los productos culturales (**estructura de sentimientos**) y con las instituciones y su optimismo de izquierdas respecto al cambio social, constituyen algunos de los rasgos fundacionales del grupo.

Los Estudios Culturales ingleses cultivan investigaciones innovadoras, tanto en sus objetos como en sus metodologías, en áreas tales como la sociología, la etnografía, los medios de comunicación, la denominada cultura popular y los estudios literarios, entre otros. Incluso terminan proponiendo estudios de la cultura que trasciendan las fronteras de las disciplinas mencionadas y de la misma estructura universitaria. Bajo la dirección de Stuart Hall, el Centro de Estudios Culturales de Birmingham amplía su espectro de análisis para incorporar debates feministas (ver capítulo *Feminismos*), coloniales (ver capítulo *Teorías Anti-, Pos- y De-coloniales*) y de raza (ver capítulo *Teorías sobre razas y etnias*).

También en el contexto inglés y bajo la tutela del pensamiento de Raymond Williams, para la década del ochenta, se perfila el llamado Materialismo Cultural. Figuras tales como GRAHAM HOLDERNESS, JONATHAN DOLLIMORE (1948) y ALAN SINFIELD (1941) proponen nuevos modos para el estudio de la literatura, en especial de clásicos como William Shakespeare. El Materialismo Cultural propone el análisis de los textos culturales desde una perspectiva crítica comprometida con el cambio social y antagónica al **liberalismo** y al **neoliberalismo**. Concibe la cultura en un sentido amplio y no aborda los clásicos literarios desde una perspectiva canónica privilegiada. Al mismo tiempo, se opone a las distinciones entre "alta" y "baja," al igual que reta la jerarquía entre la cultura clásica y popular, siendo común considerar la primera superior a la segunda. En el campo de los estudios literarios, por ejemplo, la literatura es considerada como un producto cultural entre muchos otros que circulan en un contexto dado.

Metodológicamente, el Materialismo Cultural suele aplicar el análisis textual cuidadoso (*close reading*), a la usanza de la Nueva Crítica, pero se distancia de ella, significativamente, en su concepción del lenguaje. Para sus principales exponentes, la literatura comparte el mismo lenguaje que manejan otros discursos de su tiempo y, por ello, todos los materiales de la cultura pueden ser analizados en interacción utilizando modos que han surgido del análisis literario. En este punto, se nutren de la concepción del lenguaje posestructuralista, como constitutivo del mundo y de la realidad (ver capítulo *Posestructuralismos*).

Por otra parte, se interesan por el análisis de las instituciones, de los contextos materiales de la actualidad y de los textos literarios en relación con otros discursos que circulan en la época contemporánea. La exploración del canon y de los organismos pedagógicos que los articulan y pretenden perpetuar forma parte de sus áreas de análisis. Al mismo tiempo, estudian la recepción de los textos y cómo la misma construye y resiste las ideologías hegemónicas. El rol de los "lectores" o receptores de los productos culturales se concibe con dinamismo (ver capítulo *Teorías sobre el rol del/de la lector@*), y se le otorga cierto nivel de agencia (o posibilidad de acción) ante los contenidos que circulan en la cultura. Por consiguiente, estudian modos o alternativas de resistencia, disidencia, transgresión y subversión, incluso respecto a los llamados medios de comunicación masiva (***mass-media***) (en la televisión, por ejemplo, puedes pensar en la popularidad de telenovelas, *talk-shows* y noticieros, entre otros).

Por su parte, en el contexto de los Estados Unidos durante los años ochenta, se desarrolla otra tendencia de los Estudios Culturales conocida como el Nuevo Historicismo. Su fundamento teórico no parte de las filas marxistas clásicas, sino del posestructuralismo y, principalmente, del pensamiento y de las prácticas críticas de los filósofos, Michel Foucault y Jacques Derrida. La consigna derrideana que postula que "no hay nada fuera del texto" y la atención meticulosa de Foucault a las manifestaciones del poder en el lenguaje, en las instituciones y en los discursos en general, conforman sus pilares teóricos (ver capítulo *Posestructuralismos*). Al mismo tiempo, le interesa la noción articulada ampliamente por Althusser sobre los aparatos ideológicos estatales (ver capítulo *Teorías materialistas*).

Por consiguiente, el Nuevo Historicismo presta especial atención a los poderes del estado y a cómo permean la multiplicidad de prácticas discursivas. La literatura, por ende, es concebida como un discurso que construye el poder al igual que otros materiales de la cultura. Por tanto, suelen ser frecuentes los análisis de los sistemas del poder y cómo un texto o varios textos en cuestión contribuyen o se relacionan con dicho sistema.

A su vez, su propuesta considera los textos literarios en relación con otros textos que circulan en la arena cultural del momento. Por tanto, se aproximan al escenario histórico como un co-texto (RICHARD DUTTON [1948]) que permite interpretar los materiales culturales desde una perspectiva nueva. El trasfondo histórico no es visto como un telón de fondo estático, sino como el escenario en el que los productos culturales porosos entablan interacciones múltiples. El análisis de los textos del pasado es concebido también como un modo de "leer" el presente o, por lo menos, como una posibilidad de interpretar las circunstancias inmediatas desde otra óptica. La historia vuelve a ser objeto de atención por los estudios literarios, pero distanciada de la concepción moderna.[110] Para el Nuevo Historicismo la historia es también objeto de estudio precisamente en su dimensión textual.

Al igual que el Materialismo Cultural, esta tendencia pondrá en práctica métodos de los estudios literarios (*close reading*) en otro tipo de discursos. Las revistas, los periódicos, las noticias, las cartas, los diarios, las canciones, las representaciones teatrales, las modas, los expedientes médicos o carcelarios son sólo algunos de los textos que llaman su atención para el análisis. En cierto modo, su fascinación por fuentes escondidas e insospechadas los distancia de la llamada historia cultural, así como sus métodos de estudio típicamente literarios. En contraste con el Materialismo Cultural, sus orígenes están marcados por un interés especial en textos previos al siglo XX. Los siglos XVI y XVII serán sus preferidos para luego expandirse, hacia mediados de la década del ochenta, hasta el siglo XIX.

Como bien puede apreciarse, entre el Materialismo Cultural inglés y el Nuevo Historicismo estadounidense pueden rastrearse puntos de contacto significativos: innovación de metodologías, interés por nuevas

---

[110] El apellido "moderna" se refiere, principalmente, a la visión de la historia lineal, fundamentada en la idea de progreso, en el apego a cierto tipo de fuente y a la falacia de la objetividad.

nociones históricas, atención a otros textos que circulan en el contexto y análisis de los textos literarios en relación con otros discursos, entre otros. Sin embargo, es preciso destacar algunas diferencias relevantes. Para el Nuevo Historicismo el punto de vista analítico privilegiado es la institución, mientras que para el Materialismo Cultural es el sujeto. Por ende, estos últimos albergan cierto optimismo político (visto a propósito de una figura como Raymond Williams) amparado en la agencia de los sujetos y en sus capacidades de subversión de las instituciones. Por su parte, el Nuevo Historicismo, en sintonía con ciertas figuras de los posestructuralismos, es proclive al pesimismo político o a la suspicacia respecto a la resistencia. Finalmente, la tendencia culturalista inglesa se dedica principalmente a co-textos que pueden estar distanciados en el tiempo (por ejemplo, el relato cervantino y la narrativa de los vídeo juegos —análisis diacrónico), mientras que el Nuevo Historicismo analiza principalmente productos culturales que coexisten en un mismo momento dado (el drama de Shakespeare y el imperialismo británico —análisis sincrónico).

Durante el primer lustro de la década del noventa y al calor de varios congresos sobre los Estudios Culturales auspiciados por instituciones universitarias, se inicia otra tendencia de estas prácticas críticas en los Estados Unidos. Esta vez la discusión sobre el rol de los intelectuales en la situación actual, la **trans-disciplinariedad** (estudiar más allá de las disciplinas) y la relación con la propia institución universitaria pasan a cobrar especial relevancia. Al mismo tiempo, se amplían los objetos de estudio y los Estudios Culturales se mueven hacia otras áreas de la cultura tales como los medios de comunicación, la salud pública y los debates sobre las sexualidades queer (ver capítulo *Teorías sobre sexualidades fuera de la norma*), entre otros. No sólo se analizan los productos culturales, sino sus medios de producción y las condicionantes institucionales para su circulación y consumo.

Esta tendencia de los Estudios Culturales se preocupa, especialmente, por teorizar y por retar las distinciones de la cultura ("alta" y "baja"), muy en sintonía con la lógica cultural **posmoderna** y con la tradición culturalista previa. En consecuencia, cuestiona las categorías de análisis que implican jerarquías y amplía el espectro de sus objetos de estudio al cine, las telenovelas, los vídeo juegos y la vida cotidiana, entre muchos otros. Al mismo tiempo, emplaza las divisiones del conocimiento en parcelas disciplinarias y promueve una visión de la universidad organizada más allá de las áreas del conocimiento convencionales y de la esfera de acción exclusivamente académica. La discusión sobre el rol de l@s universitari@s en la sociedad contemporánea cobra particular interés en esta tendencia.

Por otra parte, en el contexto de Latinoamérica y de España se desarrollan antologías, congresos y debates en sintonía con esta última tendencia de los Estudios Culturales en Estados Unidos. Uno de los primeros distintivos que salta a la vista para el caso latinoamericano es, precisamente, el rol de los intelectuales y la pervivencia de prácticas críticas homólogas que preceden incluso los esfuerzos noveles de la escuela de Birmingham. En el contexto histórico de Latinoamérica las secuelas culturales de la colonización y de la conquista imponen textos necesariamente híbridos, problemáticos a la hora de ser ajustados a las categorías **eurocéntricas**.[111] Al mismo tiempo, los desarrollos nacionales en dichas latitudes reclaman otros procederes en los intelectuales y en los universitarios en general. Por consiguiente, la nomenclatura "Estudios Culturales Latinoamericanos" implica, en cierto modo, la aplicación de unos procesos y debates que en ese escenario vienen llevándose a cabo hace mucho tiempo y con ingredientes y énfasis particulares. No obstante, hay que reconocer que los desarrollos de los Estudios Culturales anglosajones han generado el interés para que sea conocido el pensamiento y el trabajo de intelectuales latinoamericanos cuyas contribuciones a los estudios de la cultura son extraordinarios y, de otro modo, quizá hubieran quedado circunscritos a sus contextos originarios.

Por su parte, los Estudios Culturales españoles exhiben importantes similitudes con sus homólogos ingleses y estadounidenses.[112] Sin embargo, también en ellos se desarrollan intereses y objetos de estudio cónsonos con la historia contemporánea española. La exploración de la Guerra Civil, de la dictadura franquista y de la transición hacia la democracia son los co-textos históricos más recurrentes. También se abordan las conexiones de la cultura española e hispanoamericana no sólo a partir de los estudios

---

[111] Roberto Fernández Retamar, Ángel Rama, Carlos Monsiváis, Walter Mignolo, Néstor García Canclini, Debra Castillo, Mabel Moraña, Juan Flores, Alberto Moreiras y Beatriz Sarlo, entre otr@s.
[112] Jo Labanyi, Serge Salaün, Antonio Elorza, Clare Mar-Molinero, Josep Anton Fernández, Enrique Bustamante, Cristina Moreiras e Iñaki Zabaleta, entre otros.

→ *¿Quién le teme a la teoría?*

del cine, sino de la canción popular, las telenovelas (conocidas en España con el nombre de "culebrones") y los procesos más recientes de la recuperación de la memoria histórica después de la dictadura, entre otros asuntos.

El siglo XXI ha sido testigo de la consolidación de nuevos desarrollos, debates y modelos teóricos que, de un modo u otro, implican una transformación e innovación de los Estudios Culturales. En primer lugar, se fomentan procesos decoloniales con especial atención a las nuevas formas imperiales (en especial mediáticas) y, sobre todo, en las resistencias inéditas que le salen al paso (ver Capítulo *Teorías Anti-, Pos- y Decoloniales*). En segundo lugar, se solidifica la globalización cómplice y, a su vez, la crítica como su contraparte. En tercer lugar, tienen lugar diversos emplazamientos a la democratización dominante y a sus límites. Y, finalmente, se manifiestan múltiples sesgos transnacionales con miradas inéditas sobre las dinámicas de hibridización de las diásporas según ha consignado Juan Flores.[113] Tales procesos retan las aproximaciones nacionales basadas en consideraciones territoriales y políticas, y reformulan variables materiales que los Estudios Culturales originarios prestaron particular atención. Al mismo tiempo, destrozan las concepciones modernas de cultura, identidad e historia, y promueven acercamientos globales, decoloniales y democratizadores a las producciones culturales.

A su vez, se lleva a cabo, lo que podría denominarse, la consolidación de una hibridización teórica que permite abordar objetos de estudio diversos desde la mirada complementaria de dos o más marcos teóricos. En ese sentido, se amplía el espectro de los Estudios Culturales, y se propicia la combinación de debates, preguntas y conceptos de varias aproximaciones teóricas y metodológicas. Como resultado, los Estudios Culturales no se limitan a poner en diálogo diversos productos de la cultura, sino que entablan una complicidad entre teorías y campos de estudio erosionando aún más las fronteras de las disciplinas modernas.

Más recientemente, la proliferación y la popularización de nuevos medios, en especial cibernéticos, también amplía las posibilidades textuales para análisis culturalistas. Ya no se trata sólo de la inmensa "enciclopedia" digital que constituye el Internet, sino de las redes sociales

---

[113] *The Diaspora Strikes Back: Caribeño Tales of Learning and Turning* (New York, Routledge, 2009).

y de los blogs, entre otros. Estos nuevos textos revitalizan debates sobre antiguos y nuevos medios audiovisuales, y expanden las intersecciones analíticas de culturas transnacionales e híbridas necesariamente.

ASUNTOS DE INTERÉS GENERAL

En cualquier caso, tanto en los Estudios Culturales anglosajones como en sus contrapartes en otras geografías y contextos socio-históricos, se insiste en el análisis de los textos culturales en su sentido más amplio. Se le presta particular importancia a las nuevas nociones de la historia y a sus relaciones con la literatura y otros textos culturales. También se parte de la negación de privilegios de unos textos sobre otros.

La cultura se entiende como un escenario heterogéneo de prácticas discursivas que tienen diversos niveles de interacción, pero que se relacionan bien para promover las relaciones del poder vigentes o para retarlas. Esa mirada sobre la cultura promueve los estudios multi y transdisciplinarios, la aplicación de las metodologías que exija cada análisis y el estudio de los materiales de la cultura sin distinciones de prestigio o de clase ("alta" y "baja"). Al mismo tiempo, se aplican métodos de análisis literario a otros tipos de discursos y se incorporan formas y preguntas de otros campos de la cultura al análisis de la literatura.

¿QUÉ ES LA "LITERATURA" SEGÚN LOS ESTUDIOS CULTURALES?

El Nuevo Historicismo y el Materialismo Cultural parten de dos conceptos de literatura fundamentales, al igual que ocurre con otras teorías que se estudiaron previamente. Por una parte, la literatura es reproductora de las relaciones de poder; por tanto, constituye un discurso aliado a las instituciones dominantes y promotor de ideologías a su conveniencia. Mientras que, por otra parte, puede ser también un discurso subversivo, resistente a dichas instituciones y, por ende, un vehículo de cambio social.

A su vez, la literatura también puede considerarse un lugar de encuentros y desencuentros de las opciones anteriores, así como un producto cultural que debe estudiarse en sintonía con otros textos. En definitiva, la literatura para los Estudios Culturales es un discurso situado en cierto contexto que interactúa con otros materiales para producir o resistir las instituciones del poder. En ambos casos, la literatura no se considera un mero reflejo de la realidad, sino también una manifestación creadora de la misma y promotora de ciertas ideologías.

PREGUNTAS PARA HACER A LOS TEXTOS CULTURALES

- En rigor, cualquiera de las preguntas desglosadas en los capítulos precedentes de este manual pueden ser utilizadas para el análisis de textos culturales.

- Si se trata de análisis comparados, podrían hacerse las siguientes preguntas: ¿Qué semejanzas y qué diferencias exhiben los textos en cuestión? ¿Qué relación establecen con las relaciones de poder y con las instituciones contemporáneas? ¿Producen ideas que circulan en la actualidad o las resisten? ¿Cuál ha sido su recepción en diversos sectores sociales? ¿Cómo se relacionan con las convenciones de los géneros literarios o culturales que les apliquen? ¿Quién los produce y distribuye? ¿Qué lugar ocupan en el canon literario (si aplica)? ¿Cómo ha cambiado su apreciación a través del tiempo?

- En términos generales, se pueden hacer las siguientes preguntas: ¿Qué relación tiene un texto dado con otros discursos de la cultura (contemporánea o remota)? ¿Qué relación entabla con las instituciones contemporáneas? ¿Qué recepciones genera? ¿Qué prácticas culturales alternas desencadena?

FIGURAS SOBRESALIENTES

- BONNIE ANDERSON
- CATHERINE BELSEY
- ENRIQUE BUSTAMANTE
- DEBRA CASTILLO
- CATHY N. DAVIDSON
- JONATHAN DOLLIMORE
- JOHN DRAKAKIS

- RICHARD DUTTON
- ANTONIO ELORZA
- JOSEP ANTON FERNÁNDEZ
- ROBERTO FERNÁNDEZ RETAMAR
- JUAN FLORES
- CATHERINE GALLAGHER
- NÉSTOR GARCÍA CANCLINI

- HENRY GIROUX
- STEPHEN GREENBLATT
- STUART HALL
- RICHARD HOGGART
- GRAHAM HOLDERNESS
- JO LABANYI
- CLARE MAR-MOLINERO
- JEROME MCGANN
- CARLOS MONSIVÁIS
- LOUIS MONTROSE
- MABEL MORAÑA

- ALBERTO MOREIRAS
- CRISTINA MOREIRAS
- JANICE RADWAY
- ÁNGEL RAMA
- SERGE SALAÜN
- BEATRIZ SARLO
- ALAN SINFIELD
- RAYMOND WILLIAMS
- RICHARD WILSON
- IÑAKI ZABALETA
- JUDITH ZINSSER

BORRADOR DE ANÁLISIS

Texto: primer capítulo de telenovela *Mirada de mujer* (versión DVD)[114]

Mirada de mujer es una telenovela mexicana producida por TV Azteca en 1997. La misma tuvo un éxito extraordinario que la ha llevado a difundirse a nivel global. En particular, destaca su difusión en Latinoamérica, Afganistán, Israel, Europa del Este y la India. Actualmente, va al aire en Filipinas, donde tiene gran acogida.

Esta telenovela es la segunda entrega de TV Azteca (la primera fue otro gran éxito, *Nada personal*), cadena que compite con el emporio televisivo mexicano de Televisa. Su propuesta resiste, de manera bastante evidente, ciertas convenciones de las telenovelas de su competencia, así que ese es uno de los elementos que analizaremos a continuación. Cabe

---

[114] *Mirada de mujer*. Dir. Raúl Quintanilla Matiella et al. Reparto: Angélica Aragón, Ari Telch, Fernando Luján y Bárbara Mori, entre otros. TV Azteca, México. 1997-98. Versión reducida en DVD, Colección Telenovelas, 2008. La versión original cuenta con ciento veintiún episodios de cuarenta y cinco minutos.

señalar que la amplia difusión global conseguida y su gran popularidad en contextos bastante disímiles, invita a estudiar su recepción por género, por etnias y por clases, por sólo mencionar algunas posibilidades.

También podrían explorarse los debates por cuestión de género, relaciones matrimoniales y extramaritales, divorcio, adicción a drogas, desórdenes alimenticios y SIDA en el México de finales de siglo XX. Asimismo, podría compararse *Mirada de mujer* con otros discursos de la época sobre las relaciones intergeneracionales, entre otros asuntos relevantes.

Analizaremos una de las versiones en DVD de la telenovela *Mirada de mujer* tomando en consideración varias preguntas de análisis mencionadas previamente en los capítulos *Estructuralismos* y *Feminismos*: ¿qué relación guarda esta telenovela, en términos generales, con las convenciones del género?; ¿cómo son representadas las mujeres?; y, finalmente, ¿cómo la postura frente a la convención telenovelesca se relaciona con la representación de las mujeres? Una manera de acotar las preguntas de análisis previas, dado que según plateadas pueden resultar muy abarcadoras para este borrador, es preguntarse, ¿qué semejanzas y diferencias presenta *Mirada de mujer* respecto a la convención de las telenovelas mexicanas en lo que se refiere al principio, el final y la representación de la protagonista?

Mirada de mujer narra las experiencias que vive una mujer de casi cincuenta años (María Inés) cuando descubre que su marido (Ignacio San Millán) va a dejarla por otra más joven (Daniela), y su madre (doña Emilia Elena, viuda de Domínguez) e hijas (Adriana y Mónica San Millán) la responsabilizan por el fracaso matrimonial. Parte de sus vivencias inesperadas surgen cuando un periodista significativamente más joven, Alejandro Salas, se enamora de ella y comienza a seducirla insistentemente. Después de múltiples conflictos y soluciones, María Inés se divorcia de Ignacio y planifica su esperada boda con Alejandro. Sin embargo, el día de su compromiso nupcial, la protagonista se niega a casarse y decide emprender el resto de su vida sin estar casada con un hombre, pese a prodigarle amor para siempre al periodista.

Como bien puede apreciarse en dicha síntesis de la trama, *Mirada de mujer* combina elementos típicamente telenovelescos con otros que rompen con dicha convención. Interesan, especialmente, las diferencias más sobresalientes: la protagonista es una mujer de casi medio siglo, el hombre más joven se enamora perdidamente de ella, y se consuma el amor entre ambos, pero no concluye en el matrimonio feliz típico del último episodio de las telenovelas clásicas. Esta secuencia de diferencias apunta a una representación de las mujeres de mediana edad subversiva al perfil generalizado en las sociedades contemporáneas. María Inés decide crecer como persona independientemente de una figura masculina dominante en su vida. La telenovela se enmarca en el desarrollo notable de una mujer madura que asume el control de su vida, desfigurada en el espejo al comienzo de la telenovela y plenamente emprendedora en el último capítulo. María Inés comienza siendo un rostro ajeno que se no reconoce en el espejo (secuencia del primer episodio) y termina siendo una mujer que abraza sus fantasías en soledad.

Por consiguiente, *Mirada de mujer* subvierte la convención de las telenovelas mexicanas y promueve roles y actitudes inusuales en la protagonista y en las mujeres y hombres en general. Al mismo tiempo, permite explorar las semejanzas y las diferencias que puede entablar un texto cultural con la tradición que le precede. Esta telenovela de TV Azteca resiste las representaciones convencionales de las mujeres y en la televisión en general. La multitud de personas que la han seguido en diversos contextos permite afirmar su aportación novedosa a los modelos de mujer que circulan en la cultura contemporánea.[115]

---

[115] En el contexto de la convención de las telenovelas, la propia selección del reparto y de la protagonista, de cerca de cincuenta años, resiste la discriminación por edad y género que suele campear por su respeto en este tipo de producto cultural.

Este breve ejercicio analítico ha demostrado varios de los asuntos explorados en este capítulo, tales como: (1) que no debe desdeñarse ningún producto cultural en nombre de jerarquías establecidas a priori pues todos constituyen manifestaciones valiosas para estudiar diversos aspectos de su contexto de producción y de recepción; (2) que los productos culturales, incluyendo la literatura, pueden ser mecanismos de reproducción de ideologías dominantes que perpetúan diversos tipos de discrimen e injusticia, pero también pueden contribuir al cuestionamiento de las mismas y al cambio social; y (3) que dichas posibilidades de resistencia no se ven imposibilitadas por las condiciones de producción, aunque las mismas sean parte de las actuales redes de los "medios de comunicación masivos" (lo que no implica que los mismos no tengan mucho poder ni actúen en complicidad con el sistema dominante, sino que es importante reconocer que el sistema dominante no puede, aunque quisiera, permear absolutamente todo).

EJERCICIOS PARA ESTUDIANTES

Fase: Exploración

→ 1. ¿Cuáles son las semejanzas y las diferencias entre la artesanía y el arte? Piensa, por ejemplo, ¿en dónde se exhibe cada una? ¿Cuál es su apreciación entre diferentes personas? ¿Cuál es su costo? Especula el porqué de las diferencias entre estas dos formas artísticas.

→ 2. Compara (estableciendo semejanzas y diferencias) los siguientes binomios. Especula sobre el porqué de las diferencias.

  a. arte y artesanía
  b. música clásica y música popular
  c. novela y telenovela
  d. cine y televisión

→ 3. Escoge dos o tres personas que ven la misma telenovela o escuchan el mismo álbum de reggaeton y entrevístalas. Sugerimos que redactes un bosquejo de preguntas previo a la entrevista. La entrevista puede incluir las partes que se detallan a continuación (puedes añadir preguntas adicionales):

  a. Datos demográficos: edad, estatus civil (si aplica), grado educativo alcanzado, lugar de nacimiento, lugar de residencia, trabajo y funciones.
  b. Preguntas abiertas: ¿cuáles son sus eventos culturales favoritos?; ¿qué tipo de texto le gusta leer?; ¿prefiere ir a un museo o a una feria de artesanía?; entre otras.
  c. Preguntas sobre telenovela o álbum de reggaeton: ¿cuáles son los contenidos que te llaman la atención?; ¿qué aprendes de ellos?; ¿qué rechazas y por qué? Aplica preguntas de los capítulos Feminismos, Materialistas, Sexualidades, Razas y etnias, entre otras.
  d. Lleva las respuestas a clase en formato enumerativo.

→ 4. Inventario de conocimiento previo

  a. Haz una exposición oral sobre los conceptos cultura, universidad, e intelectuales, según los entiendes.
  b. ¿Qué entiendes por Estudios Culturales? ¿Qué tipo de cosas analizan?

→ 5. Haz una mini-investigación sobre los siguientes asuntos:

    a. el debate respecto al reggaeton en Puerto Rico

    b. el divorcio y cómo es visto por diversas instituciones y textos desde la época colonial hasta el presente

    c. las telenovelas en Puerto Rico

    d. el Internet y los nuevos medios en el siglo XXI

Fase: Conceptualización

→ 1. Investiga los conceptos destacados en este capítulo y todos aquellos que te sean desconocidos.

→ 2. Mini-investigación

    a. dos o tres figuras de los Estudios Culturales. Describe sus trayectorias y sus aportaciones a los debates de este capítulo

    b. globalización y su impacto en los medios de comunicación

    c. Web 2.2 o la autonomía de l@s blogger@s

→ 3. Analiza un texto de tu predilección tomando como punto de partida las preguntas de análisis de este capítulo.

→ 4. Compara alguno de los binomios del primer ejercicio de la Fase de exploración siguiendo las recomendaciones de análisis para esos casos.

→ 5. Haz una exposición oral basada en las entrevistas de la Fase de exploración. Procura establecer comparación entre los informantes basada en sus opiniones sobre la telenovela o el álbum de reggaeton.

→ 6. Redacta un ensayo elaborando alguno de los siguientes temas:

    a. textos culturales y clases sociales

    b. diferencias entre el Materialismo Cultural y el Nuevo Historicismo

    c. aportaciones de los Estudios Culturales Latinoamericanos al análisis de la cultura contemporánea

    d. ¿Cómo serían los Estudios Culturales puertorriqueños?

→ 7. Investiga sobre la universidad, los desarrollos de las disciplinas y sus métodos de estudio en la actualidad. Especula cómo cambiarían según las propuestas de los Estudios Culturales.

Fase: Aplicación

→ 1. Edita las entrevistas de la Fase de exploración y analiza sus testimonios a partir de las preguntas críticas de los Estudios Culturales. Al final, plantea qué tendencia de los Estudios Culturales tiene la razón según tales respuestas con relación a la posibilidad de cambio social.

→ 2. Produce un vídeo que testimonie la relación de diversos textos culturales en un evento dado (ej. feria, festival, fiesta patronal, graduación, entre otros). Si no tienes cámara de vídeo, puedes hacer un fotomontaje o una presentación en Power Point.

→ 3. Analiza tu juego electrónico favorito siguiendo alguna de las sugerencias críticas de este capítulo. Redacta un ensayo breve al respecto y diseña una presentación oral.

→ 4. A partir de las preguntas críticas de este capítulo, analiza algún texto cultural distinto a los ejemplos comentados en clase.

→ 5. Organiza un panel en el que se discutan diversas perspectivas sobre el divorcio a partir de diferentes textos (discursos). Finalmente, escribe un ensayo breve sobre: El divorcio en el Puerto Rico del siglo XX según...

→ 6. Diseña un blog sobre los debates culturales en Puerto Rico durante el siglo XXI y su divulgación en medios digitales. Prepara un ensayo con los hallazgos.

CONSIDERACIONES METODOLÓGICAS

Introducción

1. La exploración sobre el concepto teoría es un punto de partida idóneo del estudio de este Manual.

2. Convendría introducir la referencia a Virginia Woolf del título, la obra teatral *¿Quién le teme a Virginia Woolf?* de Edward Albee y los debates relacionados con las ventajas y las dificultades de la teoría. Debatir sobre juicios y prejuicios. Argumentar sobre sus conveniencias para el análisis crítico y el desarrollo de múltiples destrezas del pensamiento.

3. Partiendo de la premisa de l@s usuari@s potenciales de este Manual y su especialidad en medios electrónicos y audiovisuales, se sugiere se inicie a l@s estudiantes en el uso del Internet como herramienta de investigación, en el *Power Point* como herramienta para presentaciones orales y en el diseño básico de blogs. Esas destrezas les serán de gran ayuda más allá de sus estudios.

TEORÍAS MATERIALISTAS (MARXISTAS)

1. Este manual fomenta la adquisición activa de conocimiento a partir de mini ejercicios de investigación antes, durante y después de la *Fase de conceptualización*. Esta es una recomendación válida para todos los capítulos.

2. Es importante explicar cómo la mayoría de las teorías culturales de este libro proceden de teorizaciones en otros campos de estudio distintos a la literatura. Las teorías marxistas, como otras de este manual, aspiran al cambio social, a transformar el mundo, y no sólo a analizarlo. Es imprescindible que se establezca alguna conexión entre los movimientos sociales, la literatura (y el resto de los productos culturales) y su posible rol como desarrolladores

de conciencia sobre las circunstancias sociales. A la vez, es importante fomentar el pensamiento crítico respecto a dichos asuntos.

3. Debe explicarse con claridad y detalle cada uno de los ejercicios. Es recomendable tener lecciones previas sobre redacción, mini-investigaciones, entrevistas y exposiciones orales, entre otros. Habrá ejercicios como estos en todos los capítulos.

4. En múltiples contextos pedagógicos, será preferible comenzar la introducción de una teoría con algunos de los ejercicios expuestos en la *Fase de exploración*. Es valioso que l@s alumn@s puedan identificar situaciones que les son familiares y pertinentes y desde ellas exponerse a las teorías que persiguen explicar o transformar las mismas.

5. Si el contexto educativo es una clase de lengua (castellano), los capítulos de este manual proveen actividades para el desarrollo de competencias de comprensión (lectura oral y escrita, análisis de texto, etc.) y de producción (oral a partir de análisis textual y de reacciones críticas; escrita a partir de redacción ensayística y creativa). Por consiguiente, se contemplan actividades de comprensión y de producción oral y escrita. En cualquier caso, se deben cultivar las destrezas de pensamiento crítico, para lo cual el arte de preguntar es el ejercicio privilegiado.

6. Es muy recomendable que los ejercicios de aplicación se lleven a cabo con textos no-literarios lo más familiares a la realidad de l@s estudiantes. Las teorías de este libro no sólo permiten analizar textos literarios, sino la realidad misma de cada alumn@.

7. Se recomienda que se analicen varios textos culturales para que l@s estudiantes puedan aplicar la mayoría de las preguntas críticas posibles según la disponibilidad de tiempo.

8. Véase que desde los ejercicios de la *Fase de exploración* l@s estudiantes están identificando escenarios y contextos en los que pueden aplicar los modelos del análisis materialistas. Esta

relación puede ser implícita y debe hacerse explícita en la *Fase de conceptualización*. Esta misma dinámica puede repetirse en todos los capítulos.

9. Es imprescindible fomentar la solidaridad entre l@s estudiantes y la empatía ante las diversas condiciones económicas y de procedencia de cada un@.

10. Para este capítulo sugerimos una introducción sobre la economía occidental (capitalismo) en el siglo XIX, principalmente en Europa, y el desarrollo del pensamiento de Marx y Engels. Es fundamental que l@s estudiantes puedan poner en contexto la situación de l@s trabajador@s en el momento que se desarrolla este pensamiento.

11. En ciertos contextos, se ha hecho más popular hablar de "clases bajas" y "clases altas." Sugerimos empezar desde ese conocimiento y tratar de contextualizar los conceptos del marxismo de los tipos de clase según la realidad del siglo XIX en Europa occidental. Por otra parte, sería muy provechoso tratar de "redefinir" las categorías de Marx y Engels en las circunstancias actuales.

12. Las teorías materialistas serán punto de referencia y de debate respecto a otras en este libro. Establecer esas conexiones permitirá repasar el material de manera oportuna en cada ocasión.

13. Las teorías materialistas exigen la contextualización de cada uno de sus análisis. Es una buena oportunidad para explorar los desarrollos socio-económicos del lugar desde donde se estudian y, sobre todo, las variaciones que suponen otros elementos de la identidad de los sujetos, tales como: la raza, la etnia, la sexualidad o su procedencia de un contexto imperial o colonial, entre otras.

14. La discusión del lunfardo se presta para analizar los conceptos de lengua, dialecto, argot y variación, entre otros. Si este capítulo se discute en el contexto de un curso de castellano, sugerimos se inserte una unidad para la discusión de elementos lingüísticos y socio-lingüísticos.

FORMALISMOS

1. Previo al comienzo de este capítulo es importante que l@s estudiantes estén familiarizad@s con: rima, métrica, versificación, división silábica, entre otros conceptos. Asimismo, deben tener un conocimiento básico de las figuras retóricas.

2. Algunos elementos básicos de las propuestas de los formalistas rusos y, sobre todo, de la Nueva Crítica perviven en los estudios literarios escolares. Un buen punto de partida para este capítulo es hacer un inventario de los tipos de análisis con los que están familiarizad@s l@s estudiantes y partir de ello para la conceptualización de estas teorías.

3. Es recomendable evaluar el dominio ortográfico de l@s estudiantes, en especial de la reglas de acentuación. También es pertinente abordar discusiones sobre las convenciones sintácticas en castellano. De hecho, para que l@s estudiantes puedan identificar desviaciones a la norma o efectos de extrañamiento deben tener nociones sobre la gramaticalidad y la agramaticalidad en el español.

4. Este capítulo se presta, particularmente, para integrar el desarrollo de destrezas de lengua con el análisis cultural (literario). El capítulo se sugiere también para debatir sobre la historia de la lengua y el concepto formalista de "extrañamiento."

5. Los formalistas rusos y la Nueva Crítica tuvieron un compromiso con sistematizar o establecer una metodología consistente y profesional para los estudios literarios. Este capítulo puede introducirse con la identificación de las aproximaciones textuales pre-críticas y sus diferencias con las críticas.

6. Una alternativa para la planificación puede ser iniciar teóricamente a los estudiantes en una o más teorías y luego proceder con historia literaria y análisis de textos. Por ejemplo, se puede estudiar este capítulo en relación con las *Teorías sobre el rol del/de la lector@* para destacar las diferencias con respecto a la función de l@s lector@s, o en combinación con los *Estudios Culturales* para evaluar cómo un texto resiste distinciones entre "alta" y "baja" cultura. También se podrían estudiar con las *Teorías Anti-, Pos- y De-coloniales* para determinar otros análisis posibles al "Río Grande de Loíza." Esta recomendación es válida para todos los capítulos de un modo u otro.

TEORÍAS SOBRE
EL ROL DEL/DE LA LECTOR@

1. Previo al comienzo de este capítulo, debe repasarse el modelo de comunicación de Jackobson; proponer un diálogo sobre la importancia que ha tenido en la crítica literaria la figura del emisor y el propio texto; e introducirse la figura del lector y los cambios en su relevancia a partir de estas teorías.

2. Debe investigarse previamente sobre los diversos tipos de lector que se exponen en este capítulo e introducirlos en la primera clase de conceptualización.

3. Se recomienda identificar un texto (equivalente a *Don Quijote*) y buscar, por lo menos, tres artículos críticos sobre el mismo. Puede hacerlos disponibles a los estudiantes en un Blog o en la Biblioteca. De ese modo, puede tomar como punto de partida esos ejemplos cuando se estén discutiendo las tendencias del capítulo.

4. Algunas posiciones de las teorías de este capítulo se han confundido con una postura relativista e impresionista de la crítica literaria. Las opiniones y las impresiones de cada lector@ son importantes como punto de partida para identificar intereses de estudio. Se recomienda aprovechar este capítulo para distinguir entre opiniones, impresiones y reacciones emotivas y la crítica literaria que se promueve en este manual.

5. Al mismo tiempo, este capítulo se presta para debates sobre la diversidad de perspectivas y, por consiguiente, de análisis que permite un mismo texto. Aprovechar la ocasión para explorar, por ejemplo, cómo personas en épocas, generaciones distintas, o de clases o razas diversas analizan un mismo texto. Estas teorías facilitan discusiones sobre las diferencias socio-económicas y culturales y sobre el proceso de la lectura y el análisis.

6. Todos los capítulos de este manual, de un modo u otro, invitan a ejercicios meta-teóricos y meta-interpretativos. Sin embargo, este capítulo, en especial, es una buena coyuntura para análisis de este tipo en cursos avanzados de literatura o de teoría literaria.

7. En un curso avanzado, este capítulo podría introducirse con una panorámica de la fenomenología. Este acercamiento se puede combinar con el análisis de diversos modelos de comunicación y el rol de los "receptores" en los mismos.

8. El ejercicio crítico que implica aplicar algunas propuestas de Jauss supone hacer una reseña crítica múltiple. Es recomendable aprovechar este capítulo para explicar: ¿cómo hacer una reseña crítica?; ¿cuáles son sus componentes? Esta destreza se puede integrar en una unidad de redacción.

ESTRUCTURALISMOS Y NARRATOLOGÍA

1. Asignar en clase previa al comienzo del capítulo que los estudiantes investiguen en la biblioteca, el *internet* o cualquier recurso bibliográfico datos sobre: estructuralismo, narración, narratología, Propp, Barthes, Bremond, Greimas y Genette, entre otros.

2. Si el contexto educativo es una clase de crítica literaria o de teoría cultural, este capítulo supone que l@s estudiantes tengan un conocimiento básico del formalismo ruso, del estructuralismo y de las teorías feministas. El estudio narratológico propuesto en la sección de *Borrador de análisis* es básico, por lo cual puede ser un punto de partida para exploraciones ulteriores. A la vez, fomenta el diseño teórico híbrido que integra dos o más marcos teóricos para el estudio cabal de un texto en particular (en este caso narratológico y feminista).

3. El estudio narratológico es conveniente para el análisis de cualquier tipo de narración (cuento, novela, telenovela, serie radial, anuncio publicitario, tirilla cómica, película, campaña política, entre otras). Lo importante es que en cada caso se delimiten adecuadamente los objetivos y se seleccione el o los modelos más adecuados.

4. Nótese que con la primera parte del ejercicio, los estudiantes se familiarizan con el concepto de "fábula," mientras que con el segundo lo hacen con el de "historia." Es importante reforzar este conocimiento cuando se estén evaluando las etapas mencionadas del ejercicio.

5. Es particularmente importante que los estudiantes apliquen los modelos narratológicos a textos no literarios. Recuérdese que los estructuralismos abarcan múltiples campos del saber (ej. lingüística, antropología, sociología, entre otros).

6. En este capítulo, al igual que en el de *Formalismos*, es recomendable estudiar elementos gramaticales, en especial morfológicos, de manera complementaria a la interpretación literaria/cultural.

7. Este capítulo requiere un conocimiento básico de los *Formalismos* por lo que recomendamos que se estudie posteriormente a aquellos o que se ofrezca un cotejo previo de los aspectos fundamentales de los *Formalismos*. También, los *Estructuralismos* tienen una estrecha filiación con los Posestructuralismos. Recomendamos que se establezcan conexiones con estas teorizaciones más recientes (ver capítulo *Posestructuralismos*).

TEORÍAS SICOANALÍTICAS

1. Este capítulo requiere que l@s estudiantes manejen información básica de los diferentes modelos sicoanalíticos. Es recomendable que se dediquen varias clases de *Fase de exploración* para asegurarse que l@s estudiantes manejan los conceptos y las ideas fundamentales.

2. La relación entre las vanguardias artísticas (especialmente los movimientos surrealistas) y el pensamiento de los sicoanalistas, en especial Freud y Lacan, es sumamente estrecha. Sería un momento oportuno para discutir sus rasgos sobresalientes, sus figuras más representativas y las corrientes vanguardistas más importantes tanto en Europa, como en Hispanoamérica y en Puerto Rico.

3. Técnicas modernistas como la escritura automática o el fluir de conciencia se vinculan al "lenguaje de los sueños." Es recomendable que se expliquen en este contexto.

4. El pensamiento sicoanalítico de Lacan se fundamenta en una concepción protagónica del lenguaje. Si se trata de un curso básico universitario, sería oportuno que l@s estudiantes investigaran sobre filosofías del lenguaje y cómo impactan nuestra manera de aprehender el mundo y de estudiar la literatura.

5. Este capítulo se presta para ser estudiado en relación con otros (ej. *Feminismos*, *Posestructuralismos* y *Sexualidades fuera de la norma*). Es acertado establecer explícitamente estas conexiones en la Fase de conceptualización.

FEMINISMOS

1. Las teorías feministas trascienden el contexto crítico textual y persiguen impactar los sujetos que la estudian y su entorno. Por consiguiente, es pertinente seleccionar uno de los ejercicios de cada fase con posibilidades de desarrollo extra-textual (ej. Entrevistas). Nótese que cada fase propone ejercicios de producción y comprensión oral y escrita. Estos ejercicios deben complementarse con otros ejercicios de lengua (en especial, gramaticales).

2. Las teorías feministas, como la mayoría de las que se abordan en este libro, son herramientas de análisis cultural que trascienden la literatura. En cursos de lengua, sobre todo, deben integrarse otro tipo de productos culturales tales como: cine, televisión, prensa radial, escrita y televisiva, publicidad, cómics, vídeo juegos, entre otros. Su manejo hará más pertinente los pretextos para el enriquecimiento de la lengua y las destrezas de análisis teórico.

3. Dada la pertinencia en la vida diaria de los debates de este capítulo y, en particular, de la problemática de la violencia doméstica recogida en la sección *Situaciones*, se sugiere que se procure abordar el asunto con empatía y se asegure que cualquier discusión salvaguarda la confianza de los estudiantes.

4. Algunos de los elementos de este capítulo constituyen la base para los debates de otros capítulos (por ejemplo, *Teorías sobre razas y etnias* y *Teorías sobre sexualidades fuera de la norma*). Se sugiere enseñar este capítulo previamente, anticipar dichas conexiones y aprovechar la introducción a dichas teorías para refrescar algunos de los debates y tendencias más importantes discutidas en las teorías feministas.

POSESTRUCTURALISMOS Y DECONSTRUCCIÓN

1. Sugerimos lectura previa del capítulo *Estructuralismos* en este manual. Dados los puntos de contacto con los *Posestructuralismos* es muy recomendable comenzar con una breve introducción que les permita relacionar los nuevos contenidos con el conocimiento previo pertinente.

2. Asignar en clase previa al comienzo del capítulo que los estudiantes investiguen en la biblioteca, el *internet* o en cualquier recurso bibliográfico datos sobre: el posestructuralismo, la posmodernidad y las figuras importantes de este capítulo, entre otros.

3. Las consecuencias a partir del **"mayo francés"** (1968) impactaron diversos procesos y movimientos sociales de modos particulares en distintas geografías. Se sugiere establecer el contexto durante y después de esos eventos y sus conexiones con los posestructuralismos. Asimismo, los propios desarrollos de múltiples teorías abordadas en este manual se pueden localizar por estos años, así que una panorámica cultural sobre la década del sesenta es muy acertada.

4. Hay una relación estrecha entre el desarrollo de ideas posestructuralistas y la lógica cultural conocida como "posmodernidad." Sería conveniente establecer estas relaciones como parte de la parte introductoria.

5. Las aportaciones de los debates posestructuralistas a las teorías feministas, de sexualidades fuera de la norma, anti-coloniales o de razas y etnias son fundamentales. Sobre todo es importante destacar lo relacionado con: las jerarquías en los binomios y la relación entre centro y periferia o marginalidad. Estas conexiones pueden destacarse al final de la *Fase de conceptualización* como un pretexto para recapitular los debates posestructuralistas.

TEORÍAS SOBRE
RAZAS Y ETNIAS

1. Sugerimos que este capítulo sea estudiado después de las teorías marxistas, feministas y posestructuralistas. Recomendamos que se establezcan esas relaciones de manera explícita a modo de introducción en la *Fase de conceptualización*.

2. Dada la actualidad de las problemáticas raciales y étnicas, tanto en el contexto de Puerto Rico como en el resto del mundo, es importante plantear la pertinencia de estos debates y preguntas. Igualmente, sugerimos que se trabaje en clase con textos no-literarios que aborden el racismo y la discriminación por motivos étnicos, así como las luchas para combatirlos.

3. Dada la sensibilidad de los debates tratados en este capítulo se sugiere que se trabaje con actitudes negativas desde una perspectiva ética.

4. El eufemismo y el uso del diminutivo son mecanismos que pueden manifestar prejuicios raciales y étnicos. Abordar sus usos para diversos propósitos es muy oportuno en el contexto de este capítulo.

5. Se sugiere igualmente que se analicen las posibilidades de la parodia para subvertir prejuicios étnicos y raciales y se estudie en relación con la comedia tanto teatral como televisiva en Puerto Rico. ¿Es utilizada la parodia como medio para retar prejuicios o para perpetuarlos? ¿Cómo el género cómico contribuye a combatir los prejuicios o a naturalizarlos? ¿Cómo se puede resistir dicha naturalización?

6. Las corrientes migratorias de poblaciones de otros países, en especial caribeños, ha generado prejuicios muy censurables en Puerto Rico. Es muy posible que en la población estudiantil haya personas de dichas geografías de primera o segunda generación. Es imprescindible que se tenga en cuenta este fenómeno y se exploren estrategias constructivas para atenderlo en clase a propósito de este capítulo. Es conveniente que esta preparación de estrategias sea previa y se active en la *Fase de exploración*.

TEORÍAS
ANTI-, POS- Y DE-COLONIALES

1. Ofrecer un panorama de los procesos históricos del imperialismo es muy conveniente. Contextualizar el caso de América y de Puerto Rico permite establecer relaciones aún más cercanas con el tema.

2. Dada la actualidad de las problemáticas coloniales, tanto en el contexto de Puerto Rico como en el resto del mundo, es importante plantear la pertinencia de estos debates y preguntas desde una perspectiva contemporánea.

3. Las teorías decoloniales, en especial, abordan el impacto epistemológico de los procesos imperiales en los contextos colonizados y, por ende, de las prácticas educativas como parte del engranaje imperial-colonial. Un ejercicio auto-crítico sobre cómo los modos de educar y la propia institución educativa en Puerto Rico perpetúan o luchan contra la colonialidad es fundamental y coherente.

4. El idioma castellano ha sido instrumento imperial en algunos contextos peninsulares e hispanoamericanos. Pero en el caso de Puerto Rico, el mismo ha servido como medio de resistencia al imperio estadounidense. Abordar los usos del idioma para diversos propósitos es muy adecuado. También es conveniente tratar el debate sobre el *spanglish*, el español puertorriqueño y las normativas lingüísticas con que se suelen cotejar convencionalmente. ¿A qué intereses responden? ¿Qué visiones perpetúan o combaten?

TEORÍAS SOBRE SEXUALIDADES
FUERA DE LA NORMA

1. Sugerimos una introducción sobre la historia de los movimientos sociales y, en especial, los movimientos por sexualidades LGBTTQ. Es importante exponer a los estudiantes al carácter cultural e histórico de este asunto. Presentar figuras importantes de la humanidad que han sido abiertamente queer puede hacerle balance a los prejuicios recurrentes. Es importante aprovechar este capítulo para trabajar con implicaciones éticas sobre la felicidad, la diferencia, la justicia y la solidaridad.

2. Las teorías *queer*, como la mayoría de las que se abordan en este libro, son herramientas de análisis cultural que trascienden la literatura. En cursos de lengua, sobre todo, deben integrarse otros tipos de productos culturales tales como: cine, televisión, prensa radial, escrita y televisiva, publicidad, cómic, vídeo juegos, entre otros. Su manejo hará más pertinente los pretextos para el enriquecimiento de la lengua y las destrezas de análisis teórico. Se sugiere el uso de películas y documentales para introducir el capítulo o los debates fundamentales de estas teorías.

3. Es deseable que esta teoría sea trabajada después de las teorías marxistas, feministas y raciales. Un ejercicio de aplicación valioso puede hacer un análisis que integre, por lo menos una de esas teorías con las teoría queer. Desde luego, estas aproximaciones teóricas bien pueden combinarse con cualquiera de las teorías de este manual.

4. Un aspecto preliminar a la discusión del capítulo o del modelo crítico, al menos, es el estudio del género ensayístico. Puede relacionarse con el ensayo literario y con otro tipo de ensayo. También, pueden introducirse los diferentes tipos de ensayo para trabajar con destrezas de redacción. Igualmente, podría estudiarse la historia del ensayo en Puerto Rico, en Hispanoamérica o en España e insertar el análisis del "Discurso" en ese contexto de historia literaria.

5. Este capítulo y el texto usado para el modelo crítico se presta para el cultivo de la producción oral en términos generales y de la oratoria. Igualmente, pueden abordarse destrezas de argumentación.

ESTUDIOS CULTURALES

1. Sugerimos una introducción general sobre el concepto occidental de "cultura" tanto a través del tiempo como en un momento dado. Es fundamental que los estudiantes puedan comparar estas concepciones con las de las tendencias de los *Estudios Culturales*. También debe explicarse el concepto de "discurso."

2. Es recomendable explicar los conceptos de "disciplina," "interdisciplinar," y "transdisciplinar;" exponer ejemplos sobre estudios interdisciplinarios y transdisciplinarios; y analizar sus ventajas y limitaciones.

3. Este capítulo se presta para que l@s estudiantes apliquen métodos de análisis literario a otro tipo de texto. Se sugiere que no se analicen textos literarios, pero si se hace, que se propongan comparaciones con textos no-literarios.

4. Es imprescindible establecer conexiones entre las nociones de "alta" y "baja" cultura y sus relaciones con cuestiones de clase social. Sería conveniente repasar asuntos fundamentales del capítulo de *Teorías materialistas* como parte de la *Fase de exploración*.

5. Las nociones de "cultura" y de "literatura" de los *Estudios Culturales* implica trabajar con distinciones y prejuicios bastante "naturalizados." Es importante aprovechar la ocasión para debatir y crear conciencia sobre dichos prejuicios.

BIBLIOGRAFÍA GENERAL COMENTADA

Appleman, Deborah. *Critical Encounters in High School English. Teaching Literary Theory to Adolescents.* New York and London: Teachers College P, 2000.

> De todos los manuales consultados al presente, este tiene la conveniencia de ser el único que hemos identificado ha sido pensado para estudiantes de escuela superior – aunque para clases de inglés. Su público preferencial lo convierte en una referencia única en su clase. De paso, está también dirigido a maestros del mismo nivel de educación secundaria y ofrece pistas metodológicas valiosas para abordar la teoría crítica a dicho nivel. Cada capítulo ofrece ejemplos y diagramas muy convenientes para principiantes en estos temas. Lo consideramos, particularmente, conveniente para profesores que también se estén iniciando en la teoría. Está compuesto de ocho capítulos medulares: 1. The Case for Critical Theory in the Classroom, 2. Through the Looking Glass: Introducing Multiple Perspectives, 3. The Lens of Reader Response: The Promise and Peril of Response-Based Pedagogy, 4. Of Grave Diggers and Kings: Reading Literature Through the Marxist Lens, or, What's Class Got to Do with It?, 5. A Lens of One's Own: Of Yellow Wallpaper and Beautiful Little Fools, 6. Deconstruction: Postmodern Theory and The Postmodern High School Student, 7. From Study Guides to Poststructuralism: Teacher Transformations, y 8. Critical Encounters: Reading the World. También cuenta con un prólogo, una introducción y varios apéndices de interés.

Barry, Peter. *Beginning Theory. An Introduction to Literary and Cultural Theory*. Manchester and New York: Manchester UP, 2002.

Texto introductorio con una conveniente ubicación contextual de la teoría. Consta de la introducción, varios apéndices, una bibliografía general y trece capítulos, a saber: 1. Theory before 'Theory' –Liberal Humanism, 2. Structuralism, 3. Post-structuralism, 4. Postmodernism, 5. Psychoanalytic Criticism, 6. Feminist Criticism, 7. Lesbian/gay Criticism, 8. Marxist Criticism, 9. New Historicism and Cultural Materialism, 10. Postcolonial Criticism, 11. Stylistics, 12. Narratology, y 13. Ecocriticism. Cada capítulo comprende varias secciones. De entre las mismas destacan la de "Stop and Think" y la que explica qué hacen los críticos de una teoría dada. También contiene ejemplos críticos y bibliografía en cada capítulo.

Bertens, Johannes W. *Literary Theory. The Basics.*
London and New York: Rutledge, 2001.

Referencia panorámica con una organización capitular original: 1. Reading for Meaning: Practical Criticism and New Criticism, 2. Reading for Form I: Formalism and Early Structuralism, 1914-1960, 3. Reading for Form II: French Structuralism, 1950-1975, 4. Political Reading: the 1970s and 1980s, 5. The Poststructuralist Revolution: Derrida, Deconstruction, and Postmodernism, 6. Poststructuralism continued: Foucault, Lacan, and French Feminism, 7. Literature and Culture: the New Historicism and Cultural Materialism, 8. Postcolonial criticism and Theory, and 9. Sexuality, Literature, and Culture. Cada capítulo está dividido por subsecciones que, por lo general, corresponden a tendencias, figuras o debates importantes. También incluye recuadro con síntesis del capítulo y sección de lecturas adicionales. Finalmente, cuenta con una bibliografía y un índice de materias útil para búsquedas puntuales. Referencia accesible para iniciados en teoría. Ofrece la suficiente profundidad para inspirar estudios y lecturas adicionales en lectores más avanzados.

Bressler, Charles E. *Literary Criticism. An Introduction to Theory and Practice.* Upper Saddle River: Prentice Hall, 2003.

Publicado originalmente en 1994. Constituye una referencia panorámica básica para el conocimiento pre-teórico y teórico, a igual que para la evaluación de modelos de análisis aplicado. Se estructura del siguiente modo: 1. Defining Criticism, Theory, and Literature, 2. A Historical Survey of Literary Criticism, 3. New Criticism, 4. Reader-Response Criticism, 5. Structuralism, 6. Deconstruction, 7. Psychoanalytic Criticism, 8. Feminism, 9. Marxism, 10. Cultural Poetics or New Historicism, y 11. Cultural Studies. Cada capítulo panorámico de teoría contiene: introducción, desarrollo histórico, suposiciones, metodologías, preguntas para análisis, ensayos aplicados, bibliografía y páginas de internet para explorar. Además bibliografía por capítulos, glosario, índice de materias y una selección de textos primarios que son utilizados en los ensayos aplicados. Extraordinaria referencia de iniciación para profesores y estudiantes.

Castle, Gregory. *The Blackwell Guide to Literary Theory.* Malden: Blackwell Publishing, 2007.

Manual panorámico sobre teorías literarias. Destaca su contextualización de la teoría en el espectro cultural más amplio. Se organiza en los siguientes capítulos: 1. Introduction, 2. The Scope of Literary Theory, 3. Key Figures in Literary Theory, 4. Reading with Literary Theory, 5. Conclusion: Reading Literary Theory, 6. Recommendations for Further Study y 7. Glossary. Recomendable para nivel introductorio de cursos sobre teoría literaria y para estudiantes avanzados. Ofrece organización por tendencias y figuras y glosario de términos.

Culler, Jonathan. *Literary Theory. A Very Short Introduction.*
Oxford and New York: Oxford UP, 1997.

Manual de introducción teórica que cuenta con una traducción al castellano. Se organiza temáticamente en los siguientes capítulos: 1. What is Theory?, 2. What is Literature and Does it Matter?, 3. Literature and Cultural Studies, 4. Language, Meaning, and Interpretation, 5. Rhetoric, Poetics, and Poetry, 6. Narrative, 7. Performative Language y 8. Identity, Identification, and the Subject. Además ofrece un apéndice con una descripción de Escuelas y Movimientos teóricos. Es recomendable para iniciados en el estudio de la teoría tanto en términos generales como particulares.

Eagleton, Terry. *Literary Theory. An Intoduction.*
Malden and Oxford: Blackwell Publishing, 2008.

Texto fundamental de iniciación teórica con una perspectiva crítica (meta-teórica) sobre los acercamientos teóricos presentados. Cuenta con traducción al castellano. Su estructura capitular es la siguiente: Introduction: What is Literature?, 1. The Rise of English, 2. Phenomenology, Hermeneutics, Reception Theory, 3. Structuralism and Semiotics, 4. Post-Structuralism, 5. Psychoanalysis, Conclusion: Political Criticism y Afterword. La edición conmemorativa del 2008 tiene además de los prefacios a la primera y la segunda edición, uno relacionado con el aniversario 25 de la publicación y un "Afterword." El texto también ofrece notas, bibliografía fundamental para cada capítulo y un índice de materias. Es recomendable para estudiantes y profesores iniciados, intermedios y avanzados en materia teórica cultural.

Frieda H. Blackwell y Paul E. Larson. *Guía básica de la crítica literaria y el trabajo de investigación.* Boston: Thomson, 2007.

Una de las pocas referencias básicas sobre el tema escrita en castellano. Es recomendable como panorámica sintética de algunas corrientes teóricas; pero, en especial de la crítica literaria y de cómo llevar a cabo un proyecto de investigación basado en un estudio literario. Hay un repaso somero por ciertas teorías incluidas en este manual. Destaca su "aplicación" de varios modos de crítica literaria a dos párrafos de una misma novela. Se trata de un ejercicio breve, pero que puede ser un buen punto de partida para aprender la dinámica de hacer preguntas basadas en un marco teórico particular. Está dividido en cuatro partes principales: 1. Rasgos de los buenos lectores y sus preguntas clave, o cómo empezar a pensar de una manera crítica, 2. Teorías literarias, o modos de investigación literaria, 3. El trabajo de investigación en literatura y 4. Glosario de términos literarios. Conveniente para estudiantes de escuela superior y estudiantes en sus primeros años universitarios.

Fokkema, D.W. y Elrud Ibsch. *Teorías de la literatura del siglo XX. Estructuralismo, Marxismo, Estética de la Recepción y Semiótica.* Madrid: Cátedra, 1997.

Referencia inglesa, en traducción, que parece dialogar con notable énfasis estructuralista. Consta de seis capítulos, prólogo y bibliografía. Los capítulos son: 1. Introducción, 2. Formalismo Ruso, Estructuralismo Checo y Semiótica soviética, 3. El estructuralismo en Francia: Crítica, Narratología y Análisis de textos, 4. Teorías marxistas de la literatura, 5. La recepción de la literatura, y VI. Perspectivas futuras de investigación. Referencia que merece la pena analizar, por su contexto de producción, en comparación con trabajos contemporáneos y posteriores de la misma materia.

Guerin, Wilfred L. et al. *A Handbook of Critical Approaches to Literature*. 5th ed. New York and Oxford: Oxford UP, 2005.

Publicado originalmente en 1966, ha sido ampliado y revisado en múltiples ocasiones. Se divide en los siguientes capítulos: 1. Getting Started: The Precritical Response, 2. First Things First: Textual Schorlarship, Genres, and Source Study, 3. Historical and Biographical Approaches, 4. Moral and Philosophical Approaches, 5. The Formalist Approach, 6. The Psychological Approach: Freud, 7. Mythological and Archetypical Approaches, 8. Feminisms and Gender Studies, 9. Cultural Studies, 10. The Play of Meaning(s): Reader-Response Criticism, Dialogics, and Structuralism, Poststructuralism, Including Deconstruction, y Epilogue. Cada una de esas secciones tiene subdivisiones adicionales. Por su parte, cada capítulo incluye la descripción de cada aproximación, sus debates y principales exponentes, seguida de aplicaciones a varios textos y una enumeración breve de referencias. Destaca su carácter introductorio y panorámico a la crítica literaria para contextualizar los desarrollos teóricos del siglo XX. Asimismo, sus aplicaciones de los mismos textos ("To His Coy Mistress," *Hamlet, Huckleberry Finn*, "Young Goodman Brown," "Every Day Use" y *Frankenstein*) a lo largo de cada aproximación permite comprender las distintas preguntas y metodologías que cada acercamiento plantea. Es apropiado para profesores y estudiantes principiantes. Consolida cuerpos teóricos bastante dispares y excluye otros por lo cual sus contenidos y silencios son propicios como materia de estudio igualmente.

Habib, M.A.R. *A History of Literary Criticism and Theory.*
From Plato to the Present. Malden: Blackwell Publishing, 2005.

Manual de historia de la crítica literaria y, en particular, de la teoría desde la Antigüedad hasta el presente. Destaca su amplio espectro temporal, su organización por corrientes y figuras representativas en cada caso y su perspectiva histórica respecto al desarrollo de la teoría como parte de la crítica literaria y cultural. Siendo una historia tan abarcadora está organizada en ocho partes que, a su vez, comprenden varios capítulos. Cuenta con una breve introducción, un epílogo, bibliografía selecta y un índice muy comprensivo. De entre las referencias glosadas en esta bibliografía general es la que incluye más ampliamente los periodos previos al siglo XX. Es una referencia obligada como trasfondo al presente manual. Es ideal para todos los niveles, pero podrán aprovecharla especialmente profesor@s y estudiantes avanzados. Las ocho partes son: I. Ancient Greek Criticism, II. The Traditions of Rhetoric, III. Greek and Latin Criticism During the Roman Empire, IV. The Medieval Era, V. The Early Modern Period to the Enlightenment, VI. The Earlier Nineteenth Century and Romanticism, VII. The Later Nineteenth Century, y VIII. The Twentieth Century. Dichas partes comprenden veintinueve capítulos.

—. *Modern Literary Criticism and Theory.*
A History. Malden: Blackwell Publishing, 2008.

Manual de historia de la crítica literaria y, en particular, de la teoría desde el siglo XIX hasta el presente. Destaca su amplio espectro temporal, su organización por corrientes y figuras representativas en cada caso y su perspectiva histórica respecto al desarrollo de la teoría como parte de la crítica literaria y cultural. Su estructura consiste de ocho capítulos, la introducción y el epílogo. Los ocho capítulos medulares son: 1. The First Decades:

From Liberal Humanism to Formalism, 2. Socially Conscious Criticism of the Earlier Twentieth Century, 3. Criticism and Theory After the Second World War, 4. The Era of Poststructuralism (I): Later Marxism, Psychoanalysis, Deconstruction, 5. The Era of Poststructuralism (II): Postmodernism, Modern Feminism, Gender Studies, 6. The Later Twentieth Century: New Criticism, Reader-Response Theory, and Postcolonial Criticism, 7. Cultural Studies and Film Theory, y 8. Contemporary Directions: The Return of the Public Intellectual. Además cuenta con un índice. Apropiado para estudiantes y profesores en un nivel intermedio y avanzado de conocimiento crítico y teórico. No obstante, puede ser de ayuda para principiantes en lo que respecta a contextualizar la teoría.

Hall, Donald E. *Literary and Cultural Theory. From Basic Principles to Advanced Applications.*   Boston and New York: Houghton Mifflin, 2001.

Este manual se estructura en una introducción, diez capítulos y un índice de materias. Los diez capítulos cubiertos son los siguientes: 1. The New Criticism and Formalist Analysis, 2. Reader-Response Analysis, 3. Marxist and Materialist Analysis, 4. Psychoanalytic Analysis, 5. Structuralism and Semiotic Analysis, 6. Deconstruction and Post-Structuralist Analysis, 7. Feminist Analysis, 8. Gay/Lesbian/Queer Analysis, 9. Race, Ethnicity, and Post-Colonial Analysis, 10. The New Historicism and Pluralistic Cultural Analysis. Cada capítulo contiene una panorámica de la aproximación teórica, principios fundamentales, bibliografía y aplicación crítica a diversos textos. La bibliografía es comentada y ofrece pistas sobre niveles de dificultad de los textos en cuestión. Texto útil para principiantes por su carácter sintético. Es, a la vez, ideal para iniciados, pero igualmente valioso como modelo para estudios más avanzados.

Keesey, Donald. *Contexts for Criticism*. Mountain View: Mayfield Publishing Co, 1994.

Propuesta original que aborda las aproximaciones teóricas a partir de los contextos que implica. Cada parte contiene una sección antológica de teoría y luego estudios aplicados para cada caso. Asimismo, destaca su introducción general y particular para cada parte y su índice de figuras. Contiene siete partes: I. Historical Criticism I: Author as Context, II. Formal Criticism: Poem as Contex, III. Reader-Response Criticism: Audience as Context, IV. Mimetic Criticism: Reality as Context, V. Intertextual Criticism: Literature as Context, VI. Postructural Criticis: Language as Context y VII. Historical Criticis II: Culture as Context. Recomendable para estudiantes intermedios y avanzados.

Newton, Kenneth M. *Twentieth-Century Literary Theory. A Reader*. New York: St. Martin's P, 1993.

Antología de lecturas de fragmentos de textos teóricos clásicos. Destaca su introducción de cada capítulo. Estructurado en dos secciones y diecisiete capítulos: 1. Russian Formalism and Prague Structuralism, 2. The New Criticism, 3. Chicago Aristotelianism, 4. Leavisite Criticism, 5. Phenomenological Criticism, 6. Marxist Criticism, 7. Archetypical Criticism, 8. Hermeneutics, 9. Linguistic Criticism, 10. French Structuralism, 11. Post-Structuralism, 12. Semiotics, 13. Negative Hermeneutics, 14. Psychoanalytic Criticism, 15. Reception Theory, 16. Post-Althusserian Marxism, 17. Feminist Criticism. Ofrece un índice de figuras valioso y es un buen punto de partida para leer los textos teóricos originales. No obstante, sus fragmentos, en ocasiones, son limitados para obtener la idea completa de algunos argumentos.

Rivkin Julie y Michael Ryan. *Literary Theory: An Anthology*. Malden: Blackwell, 2004.

Una de las antologías de textos teóricos primarios más reciente y completa. Destacan las introducciones de cada parte, las figuras recopiladas y la extensión de los fragmentos. Se compone de doce partes: 1. Formalisms: Russian Formalism and New Criticism, 2. Structuralism, Linguistics, Narratology, 3. Rhetoric, Phenomenology, Reader Response, 4. Post-structuralism, Deconstruction, Post-modernism, 5. Psychoanalysis and Psychology, 6. Historicisms, 7. Political Criticism: From Marxism to Cultural Materialism, 8. Feminism, 9. Gender Studies, 10. Ethnic Literary and Cultural Studies, Critical Race Theory, 11. Colonial, Post-colonial, Transnational Studies y 12. Cultural Studies. Excelente antología para estudiantes intermedios y avanzados.

Selden, Raman. *La teoría literaria contemporánea*. Barcelona: Ariel, 1989.

Una de las primeras referencias de historia de la teoría que han circulado en castellano. Sus capítulos se elaboran a partir de las aportaciones particulares de diversas figuras representativas. Cada capítulo ofrece una bibliografía particular por teoría. Se compone de seis capítulos: 1. El formalismo ruso, 2. Teorías marxistas, 3. Teorías estructuralistas, 4. Teorías posestructuralistas, 5. Teoría de la recepción y 6. Crítica feminista. Manual panorámico básico que igualmente puede ser analizado comparativamente con otros previos y posteriores como documento de su tiempo. Puede ser una buena referencia para principiantes, así como lectores más avanzados.